KB171840

세계를 재해석하는 삼중주:
철학, 과학, 종교

김영교 (Young Kim)

김영교는 대한민국 경북 출생으로, 문과대학을 졸업한 후 고등학교 교사로 재직했다. 그 후 그는 동서양 사상과 철학에 깊이 매료되어 관련하여 연구하였고, 이어 성경과 불경을 비교론적으로 접근하여 연구하였다. 최근에는 동국대학교 대학원에 진학하여 불교학의 체계를 정립하면서 칸트철학의 인식론, 뇌과학 및 상대성이론과 양자역학을 비교하여 연구하고 있다.

그는 칸트 철학의 인식론과 아인슈타인의 상대성이론, 양자역학, 뇌과학 등을 비교 연구하며 이 세계가 물리적 속성이 아닌 비물리적 속성을 지니고 있음을 발견하였다. 이를 통해 철학, 과학, 뇌과학, 종교를 하나의 이론으로 통합하고, 우주 전체를 하나의 거대한 '의식장의 세계'로 재해석하였다.

그의 사상은 우리가 살고 있는 세계가 물리적으로 이루어진 것이 아니라 거대한 의식으로 이루어졌다는 논리를 세우며, 세계 최초로 '의식장 세계론'을 주장하였다. 그는 "우주 만물이 원자로 이루어진 것이 아니라 의식으로 이루어졌다"는 주장을 통해 그의 사상을 대변하고 있다. 그에 따르면 "우리는 물리적 우주 속에 살고 있는 것이 아니라, 우리 의식 속에 있는 비물리적 우주에 살고있다"는 새로운 관점을 제시한다. 그는 철학, 과학, 종교의 교차점에서 세계를 재해석하는 독특한 연구자이다. 그는 우주와 인생에 대한 심도 있는 탐구를 통해 현대 사회에서 중요한 주제들을 다루며, 과학적 사실과 종교적 가치가 어떻게 상호 작용하는지에 대해 깊이 있는 분석을 제공한다. 이 책은 독자들에게 우리가 알고 있는 세계를 새로운 시각으로 바라볼 수 있는 질문을 던지며, 철학과 과학 그리고 종교가 맞물려 있는 지점을 시작으로 새로운 이해의 창을 열고자 한다.

세계를 재해석하는 삼중주

모든 걸
자아내는
의식장 이론에
관하여

김영교 지음

철학, 과학, 종교

들어가는 말

인간과 우주, 의식의 무한한 여정

독자 여러분,

우리 모두의 삶 속에서, 시대를 넘어서 우리의 영혼을 울리는 질문이 있습니다. "우리는 누구인가? 어디서 왔으며, 어디로 향하는가?" 이러한 탐구는 인류가 영원히 추구해온 지식의 본질을 이룹니다. 저는 이 깊은 질문들을 철학, 과학, 그리고 종교의 다양한 창을 통해 탐구해왔으며, 이 여정은 저에게 새로운 관점을 열어주고, 인생과 우주에 대한 이해를 깊이 있게 확장시켜 주었습니다.

이 책을 통해, 저는 이러한 사유의 여정을 여러분과 공유하고자 합니다. 우리 존재의 본질과 우주의 신비에 대해, 다양한 학문적 접근을 통합하여 새로운 해석을 탐색합니다. 우리의 기원과 삶의 의미, 죽음 너머의 진실에 대한 깊은 탐구를 통해, 저는 여러분에게 삶과 죽음, 우리가 누구인지에 대한 새로운 시각을 제안합니다.

철학은 우리를 자연의 심연으로 이끌며, 그 속에 깃든 인간 의식과 인식의 경이로운 세계를 탐구해왔습니다. 이 깊은 사유의 여정은 인간 내면의 비밀을 드러내며, 우리가 살아가는 방식과 우주를 바라보는 관점에 대한 근본적인 질문들을 제기합니다. 과학, 그 놀라운 탐험은 보이지 않는 양자 세계의 미스터리를 풀어내며, 물질이 어떻게 상호작용하는지에 대한 근본적인 법칙들을 밝혀냈습니다. 이는 미시적 세계뿐만 아니라, 수억 광년을 넘나드는 천문학적 규모에서의 우주의 기원과 진화에 대한 탐구로 이어졌습니다. 빅뱅 이론에서부터 우주의 팽창에 이르기까지, 과학은 우리가 존재하는 우주의 신비를 조명하는 데 광대한 지식의 지평을 열었습니다.

또한, 뇌과학은 인간의 정신과 의식이 깃든 가장 신비로운 영역인 뇌 속으로 우리를 안내합니다. 한때 인간 내부의 불가사의한 세계로 여겨졌던 뇌의 작동 원리를 해명함으로써, 뇌과학은 인간 의식의 본질에 대한 이해를 극적으로 확장시켰습니다. 이전에는 도달할 수 없다고 여겨졌던 인간 정신의 영역에 대한 통찰을 가능하게 함으로써, 뇌과학은 인간의 잠재력을 새롭게 정의하고, 우리가 세상을 인식하는 방식에 혁명적인 변화를 가져왔습니다.

이 책은 철학, 과학, 그리고 뇌과학이 어떻게 인간 의식의 신비를 탐구하고 있는지를 깊이 있게 조명합니다. 이 세 분야가 서로 어떻게 대화하며, 우리의 존재와 우주에 대한 이해를 어떻게 확장시키는지 탐색함으로써, 독자 여러분은 인간 의식의 무한한 가능성과 우주의 근본적인 비밀에 한 걸음 더 다가갈 수 있을 것입니다. 이는 단순히 지식의 확장이 아니라, 우리 자신과 세계를 바라보는 방식에 대한 근본적인 전환을 의미합니다.

이 책은 인간 존재와 우주의 깊은 미스터리에 대한 근본적인 탐구로 시작합니다. 철학, 과학, 그리고 뇌과학의 경계를 넘나들며, 이 세 분야가 밝혀낸 결론들은 우리가 살고 있는 세계를 물리적인 존재들의 집합으로만 볼 수 없음을 시사합니다. 대신, 이들은 물리적이기보다는 비물리적인 상호관계의 집합으로 해석됩니다. 이는 우리의 인식과 의식이 물질적 세계를 넘어선 근원에서 비롯됐음을 암시하며, 이를 통해 인간 생명의 무한한 가능성에 대한 탐색을 가능하게 합니다.

표상과 물자체, 입자와 파동, 세컨드네이처와 퍼스트네이처는 철학, 과학, 뇌과학이 발견한 우리가 살고 있는 두 가지 세계관을 대표합니다. 이 두 세계관 사이의 경계에서, 물질과 비물질 사이를 오가는 심오한 현상세계와 그 뒤에 숨어 있는 변수들이 존재합니다. 이러한 현상세계를 합리적으로 설명하기 위해 현대 물리학의 방향만으로는 충분하지 않음을 우리는 깨닫게 됩니다. 대신, 모든 세계를 담고 있는 거대한 의식장의 존재와, 이 의식장 위에 펼쳐져 있는 모든 물리학적 우주와 미시세계를 설명하는 대의식장 이론이 제시됩니다.

이 책은 철학과 과학, 종교가 서로를 아우르는 대통일론의 성립을 목표로 합니다. 인간의 태동부터 의식의 본질, 그리고 생명의 유한성에 대한 심오한 사유를 통해, 우리는 인간 의식의 무한한 여정을 탐색하게 됩니다. 생명의 유한성에 대한 근본적 질문을 넘어서, 의식을 통한 무한성의 탐구는 인간이 자아완성과 영적 성장을 이루어갈 수 있는 새로운 경로를 제시합니다.

이 책을 통해, 우리는 인간과 우주에 대한 우리의 이해를 근본적으로 확장시키며, 인간 의식의 무한한 가능성을 탐색하는 데 기여할 것입니다. 인간 존재의 신비와 우주의 깊은 미스터리를 탐구하는 이 여정은 우리 모두에게 새로운 통찰과 영감을 제공할 것입니다.

이 책을 읽으며, 저는 여러분이 인생의 가장 깊은 미스터리에 대한 탐구에 동참하고, 우리 모두가 공유하는 깊은 이해와 지혜를 발견하기를 바랍니다. 이 지적 여정은 단순한 지식의 확장을 넘어, 우리 자신과 우주에 대한 깊은 이해로 나아가는 길입니다. 저는 이 책이 과학과 철학, 종교가 서로 대립하는 것이 아니라 서로를 보완하며, 우리가 세상을 이해하는 방식을 풍부하게 만들 것이라는 점을 보여주기를 희망합니다.

이 책은 여러분을 지적 탐험의 새로운 경로로 안내할 것입니다. 우리의 과거와 미래에 대한 이해를 넓히고, 삶의 의미를 재해석하는 것이 이 책의 목적입니다. 함께, 우리는 알고 싶었으나 알지 못했던 세계의 신비를 풀어나갈 것입니다.

이 책은 우리가 잘 모르고 있지만, 사실 우리 안에 깊숙이 자리 잡고 있으며 우리 자신의 실체라 할 수 있는 의식의 심연을 탐구합니다. 이 의식의 깊이를 수면 위로 끌어올려 탐색하고, 그 과정과 결과를 모든 사람들과 공유하려 합니다. 의식의 혁신을 통해 전쟁, 고통, 고난, 그리고 아픔을 넘어서, 아름다움, 즐거움, 그리고 긍정만이 가득한 평화로운 세상을 함께 만들어 나가자는 제안을 합니다. 이러한 비전의 타당성은 2011년 게놈 연구 결과, 80억 인류가 공통의 조상에서 비롯된 하나의 큰 가족임을 밝힌 유전학적 증거에 근거합니다. 우리는 의식이라는 무형의 '유전자'를 공유하는 동포이자 가족입니다. 의식은 무형일지라도 우리의 삶과 영성에 깊은 의미를 부여합니다. 전쟁이 멈추어야 하는 이유 역시 여기에 있습니다. 우리 모두는 영적으로 연결된 하나의 큰 가족이며, 이 의식의 깊은 이해와 공유를 통해, 우리는 더 나은, 평화로운 세상을 건설할 수 있습니다.

이제, 이 대담하고 흥미로운 탐험을 시작합시다. 여러분의 마음과 영혼을 열고, 우리가 알고 싶었으나 알지 못했던 답을 함께 찾아가 보겠습니다.

차례

Chapter 2

인식과 현실: 칸트의 인식론에서 시작하여 비물질적 세계관까지

Chapter 3

의식장의 세계의 개관

Chapter 4

의식의 깨달음: 연결, 변화, 그리고 영원한 여정으로의 초대

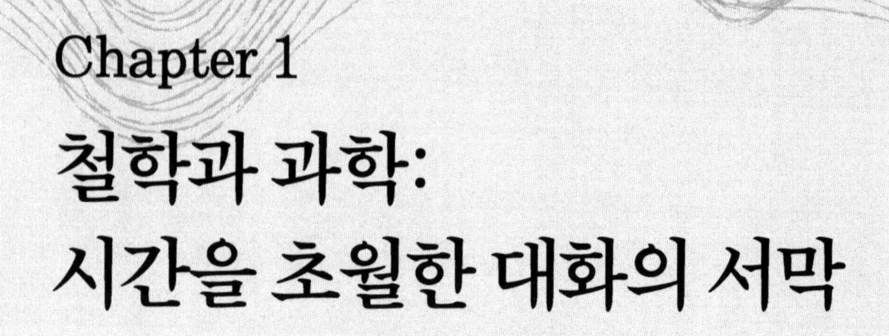

Chapter 1
철학과 과학: 시간을 초월한 대화의 서막

"과학과 철학은 서로를 풍성하게 만들고,
서로를 이해하는 데 필수적입니다."
- 알렉산더 폰 훔볼트(Alexander von Humboldt)

1. 인식론과 현대 과학의 만남: 탐구의 교차점

자연에 대한 인류의 탐구는 철학의 태동과 함께 시작되었습니다. 이 탐색의 여정은 고대 그리스의 밀레토스에서 탈레스, 아낙시만드로스,데모크리토스와 같은 사상가들에 의해 촉발되었으며, 그들은 신화나 신적 개입을 배제하고 자연 현상을 이해하고자 하는 순수한 호기심에서 출발했습니다. 이 초기의 호기심은 곧 자연철학의 새벽을 알렸고, 아리스토텔레스를 비롯한 고대 철학자들에 의해 체계적인 사유의 체계로 발전하였습니다.

헬레니즘 시대의 알렉산드리아 도서관에서는 천문학, 수학, 물리학 등 다양한 학문이 크게 발전하며, 인류의 지식 지평을 넓혔습니다. 이후, 과학 혁명이라 불리는 시기에 코페르니쿠스, 갈릴레이, 케플러, 뉴턴 등의 과학자들은 우주와 자연 법칙에 대한 인류의 이해를 한 차원 높은 수준으로 이끌었습니다. 이들의 업적은 자연을 관찰하고 이해하는 방법에 근본적인 전환점을 마련했으며, 우리가 우주를 바라보는 관점을 근본적으로 변화시켰습니다.

19세기에 들어서, 열역학의 법칙, 다윈의 진화론, 맥스웰의 전자기학은 과학의 체계와 전문성을 더욱 발전시켰습니다. 이러한 발전은 20세기에 이르러 아인슈타인의 상대성 이론과 양자역학의 혁명으로 이어졌습니다. 이 두 이론은 시간과 공간, 그리고 미시세계의 입자에 대한 우리의 기존 이해를 근본적으로 뒤흔들었으며, 현대 과학의 근간을 이루는 핵심 이론으로 자리잡았습니다.

이 책의 첫 장에서는 이처럼 철학과 과학이 시간을 초월하여 이루어 온 대화의 역사를 개괄적으로 다룹니다. 우리는 이 대화를 통해 어떻게 인류가 자연의 법칙을 이해하고, 우리가 살고 있는 우주에 대한 이해를 깊게 해왔는지 탐구하고자 합니다. 이 여정은 단순히 과거의 탐구에 대한 회고가 아닌, 현재와 미래에 대한 우리의 이해와 탐구 방향에 근본적인 영향을 미칩니다. 철학과 과학의 대화는 계속되며, 이 책은 그 대화에 여러분을 초대합니다.

임마누엘 칸트와 같은 철학자들은 이러한 과학적 발견과 지식의 진보가 우리의 인식 과정과 어떻게 연결되는지에 대한 근본적인 질문을 제기했습니다. 칸트는 우리가 경험하는 세계가 실제로는 우리 내부의 인식 과정을 통해 형성된다고 보았으며, 이것은 인식론적 전환을 가져왔습니다. 이 전환은 우리가 자연과 우주를 이해하는 방식에 근본적인 영향을 미쳤으며, 현대 과학, 특히 아인슈타인의 상대성 이론과 양자역학의 등장과 함께 더욱 명확해졌습니다.

이 두 현대 과학 이론은 시간과 공간, 미시세계의 입자에 대한 우리의 기존 이해를 근본적으로 뒤흔들었으며, 이는 칸트의 인식론적 질문과 깊은 연결성을 가집니다. 이러한 연결성은 우리가 세계를 경험하고 인식하는 방식, 그리고 이 경험과 인식이 현실에 어떤 영향을 미치는지에 대한 근본적인 탐구를 새롭게 합니다.

이 챕터는 철학과 과학의 대화가 어떻게 시간을 초월하여 인류의 자연과 우주에 대한 이해를 깊게 해왔는지를 탐구합니다. 특히, 칸트의 인식론과 현대 과학의 발견이 서로 어떻게 교차하는지, 그리고 이 교차점이 우리의 지식과 세계관에 어떤 의미를 가지는지에 대해 집중적으로 살펴봅니다. 이 대화는 과거의 탐구 뿐만 아니라 현재와 미래의 탐구 방향에도 근본적인 영향을 미치며, 이 책은 그 대화의 중요성을 탐색하고자 합니다.

2. 과학과 철학의 상호작용: 지식의 진보를 이끄는 교류

과학과 철학 사이의 교류는 인류 지식의 발전에 있어 불가분의 관계를 맺어왔습니다. 고대 그리스의 철학자들로부터 시작된 이 탐구는, 자연 세계와 우주에 대한 깊은 이해를 추구하는 과정에서 신학적, 철학적, 과학적 경계를 넘나들었습니다. 중세 시대를 거치며, 철학과 과학은 신학의 그늘 아래서 서로를 보완하는 형태로 발전해왔으나, 과학 혁명을 통해 두 분야는 점차 독립적인 영역으로 성장했습니다.

과학 혁명은 과학과 철학 사이의 교류가 어떻게 새로운 지식의 창출을 이끌어낼 수 있는지를 명확하게 보여주었습니다. 코페르니쿠스의 지동설, 갈릴레이의 천체 관측, 뉴턴의 만유인력 법칙은 자연 세계를 이해하는 방식에 혁명적인 변화를 가져왔으며, 이러한 과학적 발견들은 철학적 사유에도 깊은 영향을 미쳤습니다.

20세기에 들어서며, 양자역학과 상대성 이론은 과학과 철학이 서로 깊이 연결되어 있음을 다시 한번 강조했습니다. 아인슈타인의 상대성 이론은 시간과 공간에 대한 우리의 이해를 근본적으로 변화시켰으며, 하이젠베르그의 불확정성 원리는 관측하는 주체와 대상 사이의 관계를 새롭게 조명했습니다. 이러한 과학적 발견들은 존재와 인식에 대한 철학적 질문을 새롭게 던지게 하며, 과학과 철학 사이의 상호작용이 어떻게 지식의 진보를 이끌어내는지를 보여주었습니다.

이 책의 둘째 장에서는 과학과 철학 사이의 상호작용이 지식의 발전에 어떤 중요한 역할을 해왔는지를 생각해보는 시간이 되기를 바랍니다. 우리는 고대로부터 현대에 이르기까지, 두 분야 사이의 교류가 어떻게 서로를 도전하고, 보완하며, 궁극적으로는 인류의 이해를 확장 시켜왔는지를 살펴볼 것입니다. 과학적 발견과 철학적 사유가 어떻게 서로를 비추고, 때로는 서로에게 도전하면서도 궁극적으로는 우리의 세계를 이해하는 방식을 풍부하게 하는지를 탐색합니다.

이 장을 통해, 독자 여러분은 과학과 철학이 어떻게 서로를 비추고, 때로는 서로에게 도전하면서도 궁극적으로는 우리의 이해를 깊게 하고, 우리가 세계를 바라보는 방식을 변화시킬 수 있는지를 발견하게 될 것입니다.

3. 과학의 독립과 발전: 자연을 이해하는 새로운 지평

과학이라는 체계는 자연 현상을 관찰하고 실험을 통해 이해하는 과정에서 독특한 방법론을 발전시켜왔습니다. 이 과정은 코페르니쿠스의 지동설에서 시작하여, 과학 혁명을 거치며 근대 과학의 근간을 이루는 뉴턴의 운동 법칙과 만유인력 법칙으로 이어졌습니다. 이러한 발전은 과학을 철학이나 신학과는 다른 독립된 지적 활동으로 자리매김하게 했으며, 우리가 우주와 자연을 바라보는 방식에 근본적인 전환점을 마련했습니다.

다윈의 진화론은 생명의 다양성과 복잡성이 자연 선택과 적자생존의 원리에 의해 설명될 수 있음을 제시했습니다. 이 이론은 생명의 기원과 발전에 대한 우리의 이해를 근본적으로 변화시켰으며, 생물학 뿐만 아니라 사회과학과 인문학에도 깊은 영향을 미쳤습니다.

20세기에 이르러, 아인슈타인의 상대성 이론과 양자역학의 등장은 과학의 지평을 더욱 확장 시켰습니다. 상대성 이론은 **시간과 공간의 개념을 재정의했으며,** 우주의 구조와 대규모 우주 현상을 이해하는 데 결정적인 역할을 했습니다. 한편, 양자역학은 미시세계의 입자들이 따르는 확률적 법칙들을 밝혀내며, 물질의 본성에 대한 우리의 이해를 근본적으로 전환시켰습니다.

이 책의 세 번째 장에서는 과학이 어떻게 자연 현상에 대한 깊은 이해를 구축해왔는지, 그리고 이러한 이해가 어떻게 인류의 지식을 확장 시키고 세상을 바라보는 우리의 방식을 변화시켰는지를 중심으로 생각해보는 시간이 되기를 바랍니다. 과학 혁명으로 시작된 여정은 우리가 우주와 자연, 그리고 우리 자신을 이해하는 방식에 지속적으로 영향을 미쳤으며, 이러한 과정에서 과학은 독립적이며, 역동적인 지적 활동으로 서의 위치를 확고히 했습니다.

과학의 독립과 발전은 단순히 지식의 축적이 아니라, 인류가 세상을 인식하고 해석하는 방식에 근본적인 변화를 가져왔습니다. 이 장을 통해, 독자들은 과학적 발견과 이론이 어떻게 우리의 세계관을 형성하고, 인간의 지적 호기심과 탐구 정신이 어떻게 끊임없는 발전을 이끌어냈는지를 이해할 수 있을 것입니다. 과학의 발전은 우리가 살고 있는 세계에 대한 깊은 사랑과 존경, 그리고 무한한 호기심에서 비롯되었습니다. 이 장은 그 여정을 따라가며, 과학이 우리에게 제공하는 무한한 가능성과 지평을 기대하게 합니다.

4. 현대 과학의 결론과 철학과의 연결: 깊이 있는 탐구로의 초대

현대 과학의 두 거대한 이론, 양자역학과 상대성이론은 우리가 우주와 현실을 이해하는 방식에 혁명적인 변화를 가져왔습니다. 이 변화는 단순히 과학적 발견에 그치지 않고, 시간과 공간, 현실의 본질, 그리고 우주의 근본 구조에 대한 철학적 질문을 새롭게 던지게 하였습니다. 이 두 이론은 우리의 세계관을 확장 시키며, 지식의 한계와 가능성에 대해 깊이 있는 새로운 철학적 탐구를 유도합니다.

양자역학은 관찰자의 역할이 현실을 형성하는 데 중요함을 밝혀내며, 미시세계의 입자들이 여러 상태에 동시에 존재할 수 있음을 보여줍니다. 이 발견은 우리에게 현실이 고정되고 객관적인 것이 아니라, 유동적이며 관찰자와의 상호작용에 의해 변화될 수 있음을 시사합니다. 이로 인해, 현실의 본질에 대한 우리의 이해는 관찰자의 관점과 의식의 중요성을 중심으로 새롭게 구성되어야 함을 시사합니다.

상대성이론은 시간과 공간이 절대적이고 불변하는 구조가 아니라, 물질과 에너지의 분포에 의해 변화될 수 있는 상대적인 개념임을 밝혀냈습니다. 이 이론은 시공간의 곡률과 시간의 상대성을 통해, 우리가 이 두 개념을 이해하는 방식에 근본적인 도전을 제기합니다. 이러한 도전은 시간과 공간에 대한 철학적 탐구를 촉진하며, 우리로 하여금 이 기본적인 개념들에 대해 더 깊이 사유하도록 합니다.

양자역학과 상대성이론은 또한 우주의 구조와 기원에 대한 새로운 이해를 제공합니다. 양자역학은 우주 초기의 미시적 현상을 탐구하는 데 필수적이며, 상대성이론은 우주의 대규모 구조와 팽창을 설명하는 데 중요한 역할을 합니다. 이 두 이론은 우주의 기원과 진화에 대한 우리의 이해를 심화 시키며, 존재와 우주에 대한 근본적인 질문에 대해 새로운 시각을 제공합니다.

이 책의 네 번째 장에서는 현대 과학이 제시하는 결론과 이 결론이 철학과 어떻게 연결되는지를 중심으로 생각해보는 시간이 되기를 기대합니다. 양자역학과 상대성이론을 통해 드러난 우주와 현실의 본질에 대한 새로운 이해는, 과학적 발견과 철학적 사유가 어떻게 서로를 깊게 비추고 도전하는지를 보여줍니다. 이 장은 우리가 살고 있는 세계와 우주에 대한 깊이 있는 질문을 던지는 출발점이 되며, 과학과 철학이 지식의 한계를 넘어 새로운 가능성을 탐색하는 여정에 여러분을 초대합니다.

5. 철학과 과학의 미래:
의식과 비물질의 시대로의 전환

철학과 과학의 경계에서, 현대 이론들이 제시하는 근본적인 변화는 우리가 세계를 바라보는 관점에 혁명적인 전환을 암시합니다. 특히 카를로 로벨리와 같은 과학자들의 연구는, 상대성이론과 양자역학을 통합하여 우주와 존재의 본질에 대한 새로운 이해를 제시합니다. 이러한 접근은 물질과 존재가 단순히 독립된 요소가 아니라, 서로 긴밀하게 연결되어 있으며, 이 연결은 관찰자의 역할과 의식에 의해 더욱 강조됩니다.

카를로 로벨리의 작업은 우주를 바라보는 우리의 관점을 인식론적으로 전환시키며, 이는 의식과 비물질의 시대로의 진입을 암시합니다. 이 새로운 시대에서는 관찰자의 의식이 현실을 형성하는 데 핵심적인 역할을 하며, 우주와 존재의 이해는 관찰자와 그의 인식 과정에 깊이 뿌리를 두게 됩니다.

이 책의 다섯 번째 장에서는 철학과 과학의 미래, 그리고 이 두 분야가 어떻게 의식의 시대와 비물질을 중심으로 한 새로운 패러다임을 이끌어낼 수 있는지를 탐구합니다. 우리는 과학적 발견과 철학적 사유가 어떻게 서로 교차하며, 이를 통해 우주와 인간 존재에 대한 근본적인 질문에 대한 새로운 해석을 제공하는지 살펴봅니다.

의식의 시대는 물질적 세계의 이해를 넘어서, 우리의 인식과 의식이 현실을 어떻게 형성하고 변화시킬 수 있는지에 대한 깊은 탐구를 요구합니다. 이 시대에서는 우리의 인식이 우주의 근본 구조와 작동 원리에 영향을 미칠 수 있음을 인정하며, 이로 인해 우주에 대한 우리의 이해는 더욱 확장됩니다.

비물질을 중심으로 한 새로운 시대는 또한 우리가 시간, 공간, 존재의 본질에 대해 가졌던 기존의 개념을 재검토하게 합니다. 이는 물질적 현실 너머의 존재와 그 속성에 대한 깊은 탐구를 통해, 우리가 우주와 자신에 대해 가지는 근본적인 이해를 새롭게 정의할 기회를 제공합니다.

이 장을 통해 독자들은 철학과 과학이 어떻게 미래의 지식 탐구를 이끌어갈 수 있는지, 그리고 이 새로운 시대가 우리에게 어떤 가능성과 도전을 제시하는지에 대해 탐색하게 됩니다. 의식과 비물질을 중심으로 한 이 새로운 패러다임은, 우리가 살아가는 방식과 우주를 이해하는 방식에 근본적인 변화를 가져올 것입니다. 이 변화는 과학과 철학이 서로를 보완하며, 우리의 지식과 이해를 끊임없이 확장해 나가는 과정에서 발생합니다.

6. 관찰자의 의식과 세계의 관계: 의식 중심의 우주 해석

카를로 로벨리의 작업은 현대 과학과 철학이 어떻게 우리가 세계를 이해하는 방식에 근본적인 변화를 제안하는지를 보여줍니다. 특히, 그의 저서 "우주는 인간의 시간 속에 살지 않는다", "보이는 세상은 실재가 아니다", 그리고 "나 없이는 존재하지 않는 세상"에서 로벨리는 루프 양자중력 이론을 통해 세계를 상호관계와 정보의 관점에서 재해석합니다. 이러한 접근 방식은 관찰자의 의식이 현실을 형성하는 데 중추적인 역할을 하며, 의식이 세계의 근본적인 실체임을 암시합니다.

로벨리의 이론을 확장하여, 우리가 인식하는 세계는 의식을 통해 구성되는 관계적 존재의 네트워크로 이해될 수 있습니다. 이는 만물이 의식에 의해 인식되고, 의식에 의해 서로 연결되며 존재한다는 개념을 제안합니다. 이 관점에서 보면, 현실은 객관적이고 고정된 것이 아니라, 관찰자의 의식과 상호작용하는 동적인 과정으로 이해됩니다.

이 책의 여섯 번째 장에서는 관찰자의 의식과 세계의 관계를 중심으로, 의식 중심의 우주 해석이 어떻게 우리의 세계관을 확장 시키고, 우주와 존재에 대한 근본적인 질문을 새로운 방식으로 탐구할 수 있게 하는지를 탐구합니다. 우리는 의식이 현실을 어떻게 형성하고, 우리의 인식과 경험이 어떻게 우주를 구성하는 데 기여하는지를 살펴봅니다.

관찰자의 의식과 세계의 관계에 대한 이 새로운 이해는 과학과 철학, 심리학과 영성에 이르기까지 다양한 분야에 걸쳐 깊은 영향을 미칩니다. 의식의 역할을 중심으로 한 우주의 해석은 우리가 자연과 우주, 그리고 우리 자신을 이해하는 방식에 혁명적인 전환을 암시합니다. 이러한 접근 방식은 우리가 현실과의 상호작용을 재고하게 만들며, 우리의 인식과 의식이 우주의 근본 구조에 어떻게 영향을 미치는지에 대한 깊은 탐구를 가능하게 합니다.

따라서, 이 장은 의식과 세계의 관계에 대한 현대 과학과 철학의 최신 이해를 바탕으로, 우리의 세계관을 확장하고, 존재와 우주에 대한 근본적인 질문에 대해 새로운 시각을 제공합니다. 관찰자의 의식이 우주의 본질을 어떻게 형성하는지에 대한 탐구는 우리로 하여금 존재의 신비와 우주의 무한한 가능성을 새롭게 인식하게 하며, 이는 과학과 철학이 향후 탐구해야 할 중요한 영역입니다.

7. 관계론적 존재론의 뒷받침과 의식의 진화

로벨리의 관계론적 존재론은 우리가 우주와 존재를 이해하는 방식에 혁명적인 변화를 제시합니다. 그는 세계가 개별적인 실체들로 독립적으로 존재하는 것이 아니라, 이들 사이의 관계와 상호작용을 통해 형성되고 인식된다고 주장합니다. 이 관점은 의식과 현실 사이의 깊은 연관성을 강조하며, 우리의 인식과 세계를 이해하는 방식에 대한 새로운 관점을 제공합니다. 이러한 접근 방식은 관찰자의 의식이 현실을 형성하는 데 중추적인 역할을 하며, 의식이 세계의 근본적인 실체임을 시사합니다.

이 책의 일곱 번째 장에서는 로벨리의 관계론적 존재론을 바탕으로, 의식의 진화가 우주의 인식과 그 해석에 어떠한 변화를 가져오는지를 탐구합니다. 의식이 우주와 존재의 해석에 중심 역할을 하게 됨으로써, 우리는 우주의 구조와 기원, 그리고 그 본질에 대해 새로운 관점에서 접근할 수 있습니다. 의식의 진화는 물질과 에너지, 시간과 공간을 넘어서는 우주의 이해를 가능하게 하며, 이는 우리가 우주를 바라보는 방식에 혁명적인 변화를 야기합니다.

우리는 또한 의식의 진화가 인류의 미래와 우주와의 관계에 어떤 영향을 미칠지 탐구합니다. 의식이 우주의 근본적인 구성 요소로서 인정됨에 따라, 인류의 지속 가능한 발전과 우주와의 조화로운 상호작용은 의식의 발전과 깊이 연결됩니다. 우리의 의식이 진화함에 따라, 우리는 우주의 더 깊은 이해와 더욱 지속 가능한 미래를 향한 새로운 길을 모색하게 됩니다.

이 장은 의식의 진화가 우리의 우주 인식, 인간의 존재 방식, 그리고 우리가 우주와 상호작용하는 방식에 어떠한 근본적인 변화를 가져올 수 있는지에 대한 탐구를 제공합니다. 우리가 우주를 바라보는 관점에서 의식의 중요성을 인정함으로써, 우리는 우주의 미래와 인류의 역할에 대해 새롭고 깊이 있는 질문을 할 수 있게 됩니다. 의식의 진화는 우리가 우주와 교감하고, 우주의 신비를 탐구하는 방식에 새로운 차원을 추가합니다.

결국, 관계론적 존재론과 의식의 진화에 대한 이해는 우리가 우주와 어떻게 상호작용하고, 우주의 일부로서 우리의 역할을 어떻게 수행할지에 대한 깊은 성찰을 요구합니다. 이러한 성찰은 우리가 우주의 근본적인 질문에 접근하는 방식을 변화시키며, 우주의 깊은 이해와 조화로운 공존을 향한 길을 열어줍니다. 이 장은 의식의 진화가 우리에게 제시하는 무한한 가능성과 우주와의 깊은 연결을 탐색하는 여정을 제안합니다.

8. 관계적 존재론 입장을 취하는 학자들: 의식과 우주의 깊은 연결 탐구

카를로 로벨리와 데이비드 봄의 작업은 우주와 현실에 대한 우리의 근본적인 이해를 재고하고, 양자역학의 복잡한 개념을 철학적으로 탐구하는 데 중요한 역할을 합니다. 봄은 양자역학을 통해 세계를 이해하는 과정에서 "전체성과 불가분성"의 개념을 강조하며, 세계가 분리된 부분들의 합이 아니라, 서로 깊이 연결되어 있는 전체로서 이해되어야 함을 주장합니다. 이러한 관점은 우주가 근본적으로 상호 연결된 전체로서 존재한다는 로벨리의 관계론적 존재론을 뒷받침합니다.

"어윈 슈뢰딩거와 존 벨, 그리고 로저 펜로즈와 같은 학자들의 연구는 이러한 주제와 맥락을 같이 합니다. 슈뢰딩거의 '슈뢰딩거의 고양이' 실험은 양자 상태의 중첩과 이 상태가 관측에 의해 어떻게 '결정'되는지에 대한 중요한 철학적 질문을 제기합니다. 이 생각 실험은 관측자와 양자 시스템 간의 상호작용이 현실의 본질을 어떻게 규정하는지에 대한 깊은 탐구로 이어지며, 양자역학이 단지 물리적 현상을 넘어서 관측자와 현실 간의 상호작용에 대해 새로운 질문을 던질 수 있음을 보여줍니다. 이러한 관측의 과정에서, '관측'이라는 행위 자체가 관측자의 의식적 선택과 해석에 의해 이루어진다는 점에서, 관측과 의식은 서로 깊이 연결되어 있음을 알 수 있습니다. 즉, 관측자의 의식이 현실의 상태를 결정하는 데 결정적인 역할을 함으로써, 우리는 **관측이 곧 의식의 활동**이라는 생각을 갖게 됩니다. 이는 양자역학의 해석을 넘어서 의식의 본질과 우주의 근본적인 구조에 대한 탐구로 이어질 수 있는 효과를 가집니다."

존 벨의 "벨의 부등식"을 통한 연구는 양자얽힘과 비국소성의 개념을 실험적으로 검증하는 이론적 토대를 마련했으며, 우주가 근본적으로 상호 연결된 전체로서 존재한다는 봄의 주장을 과학적으로 뒷받침합니다. 이는 물리적 세계의 근본적인 본질에 대한 우리의 이해를 심화 시키는 데 큰 역할을 합니다.

로저 펜로즈는 양자역학과 일반 상대성이론의 통합을 시도하며 의식과 물리적 세계 사이의 관계에 대한 독창적인 접근을 제안합니다. 그의 이론은 우주의 기본 원리를 재해석하며 의식이 기본 물리적 법칙과 어떻게 연결될 수 있는지에 대해 탐구합니다. 펜로즈의 작업은 현실과 의식 사이의 깊은 연결을 탐색하며, 물리학과 의식의 문제를 연결짓는 새로운 길을 제시합니다.

이러한 학자들의 연구와 이론은 우리가 세계를 이해하는 방식에 중요한 영향을 미치며, 관찰자의 의식이 현실을 형성하는 데 결정적인 역할을 함을 강조합니다. 이들의 작업은 관찰자와 우주 사이의 깊은 연결을 탐구하며, 현실의 본질, 의식의 역할, 그리고 우주의 근본 구조에 대한 우리의 이해를 근본적으로 확장 시킵니다. 이러한 관점은 우리가 우주와 우리 자신을 바라보는 방식을 근본적으로 변화시키며, 인식의 본질과 우주의 근본적인 구조에 대한 우리의 이해를 심화 시키는 길을 열어줍니다.

9. 존재의 환성에 대한 로벨리의 관점: 상호관계와 정보로서의 우주

존재가 관계로 맺어진다는 관점에서, 우리가 '존재'라고 인식하는 것은 근본적으로 '환(幻)'이라는 개념으로 확장됩니다. 로벨리에 따르면, 물질을 포함한 모든 존재는 광자와 같은 기본 입자의 행동과 밀접하게 연결되어 있으며, 이러한 입자들이 한 장소에 고정되어 있지 않고 움직이는 양자역학의 특성은 **존재 자체가 고정되거나 불변하지 않음을 의미**합니다. 이러한 논의를 바탕으로, 이 책에서는 '환(幻)' 또는 '환성(幻性)'이라는 표현을 사용하여 로벨리의 관계론적 존재론을 설명하기로 합니다. 초기에 '환성'이라는 용어는 로벨리가 직접적으로 언급한 것이 아닐 수 있으나, 그의 이론과 관련된 깊은 철학적, 물리학적 고찰을 통해 우리나 로벨리의 이론을 해석하는 자들이 이와 같은 용어로 확장하여 사용하기에 이르렀습니다. 따라서, 이 책에서는 '환' 또는 '환성'으로 로벨리의 관계론적 존재론을 설명함으로써, 우리가 인식하는 현실과 존재의 본질에 대한 보다 깊은 이해를 추구하고자 합니다.

카를로 로벨리의 철학적 탐구는 우리가 우주와 그 구성 요소를 이해하는 방식에 근본적인 질문을 던집니다. 그는 존재하는 모든 것이 상호관계에 의해 정의되고 하나의 정보로서 존재한다고 주장합니다. 이러한 관점에서, 우리가 '존재'라고 인식하는 것은 근본적으로 '환(幻)'이라는 개념으로 확장됩니다. 로벨리에 따르면, 물질을 포함한 모든 존재는 광자와 같은 기본 입자의 행동과 밀접하게 연결되어 있으며, 이러한 입자들이 한 장소에 고정되어 있지 않고 우주를 여행하는 양자역학의 특성은 존재 자체가 고정되거나 불변하지 않음을 의미합니다.

로벨리의 관점은 전통적인 물리학의 고정된 현실 개념을 넘어서, 우리가 경험하는 현실이 상호작용과 관계를 통해 형성된다고 해석하게 합니다. 이 이론은 **존재와 현실이 단순히 외부에서 주어진 것이 아니라, 관찰자와의 관계 속**에서 지속적으로 생성되고 변화하는 과정임을 강조합니다. 따라서, 현실의 '환성'은 우리의 인식과 그 인식이 이루어지는 상호작용이 얼마나 중요한지를 드러내며, 이는 우리가 세계를 인식하는 방식이 근본적으로 주관적임을 시사합니다. 또한, 이러한 관점은 외부 세계와 우리 사이의 경계가 상호작용을 통해 모호해질 수 있음을 나타내며, 우리의 인식과 현실 사이에는 복잡한 관계의 네트워크가 존재함을 보여줍니다.

이 관점은 또한 우주와 그 구성 요소가 상호 연결된 정보의 네트워크로 이해될 수 있음을 시사합니다. 우주의 근본 구조가 정보에 기반을 두고 있으며, 이 정보는 관찰자와의 상호작용을 통해 현실로 변환됩니다. 따라서, 존재의 본질은 고정된 물리적 현실이 아니라, 변화하고 상호작용하는 정보의 흐름으로 이해될 수 있습니다.

로벨리의 '존재의 환성'에 대한 관점은 과학과 철학, 심지어 예술과 영성에 이르기까지 다양한 분야에 영향을 미칩니다. 이 이론은 우리가 우주를 바라보는 방식 뿐만 아니라, 우리 자신과 우리가 속한 세계에 대한 이해를 근본적으로 변화시킵니다. 존재의 환성에 대한 이해는 우리가 현실을 인식하고 상호작용하는 방식에 대한 깊은 성찰을 요구하며, 우주의 근본적인 본질에 대한 새로운 시각을 제공합니다.

존재의 '환성'이라는 개념은 실제로 우리가 경험하는 세상의 비물리적, 관계적 본질을 강조하는 중요한 통찰을 제공합니다. 이 관점은 우리가 인식하는 현실이 단순히 물리적 객체의 집합이 아니라, **인식 과정에서 생성되는 이미지와 개념들의 복합체**임을 시사합니다. 이는 세상에 존재하는 모든 것들이 우리의 인식과 상호작용을 통해 의미를 가지며, 이러한 **의미는 인간의 마음과 의식 속에서 형성**되는 것임을 나타냅니다. 따라서, 우리가 세계를 경험하는 방식은 근본적으로 주관적이며, 현실을 구성하는 데 있어 우리의 인식과 그 인식에 대한 해석이 중요한 역할을 합니다. 이러한 이해는 우리가 세계를 바라보는 방식과, 그 세계와의 관계를 재고하는 데 있어 새로운 관점을 제공하며, 존재와 현실의 본질에 대한 더 깊은 탐구로 이끕니다.

이 아홉 번째 장에서는 로벨리의 존재의 환성에 대한 관점을 통해, 우리가 우주와 그 안에서의 우리 자신의 위치를 재고할 수 있는 방법을 탐구합니다. 우주를 정보와 상호관계의 측면에서 이해함으로써, 우리는 존재의 본질과 우주의 구조에 대한 더 깊은 이해를 추구할 수 있습니다. 로벨리와 같은 학자들의 연구는 우리에게 우주를 다루는 새로운 방식을 제시하며, 존재와 현실에 대한 우리의 근본적인 질문에 대해 새로운 답을 탐색하는 여정을 제공합니다.

10. 환에 대한 철학적 해석: 의식과 현실의 상호작용

카를로 로벨리의 이론은 존재와 현실의 본질에 대해 근본적인 철학적 해석을 제공합니다. 이 해석에 따르면, 현실은 단순히 외부에서 주어지는 고정된 것이 아니라, 인식자의 의식과 인식 과정을 통해 지속적으로 형성되고 재해석됩니다. 이러한 관점은 현실의 본질을 이해하는 데 있어 물리적 현상 뿐만 아니라 인식의 과정과 의식의 역할을 중심으로 고려해야 함을 강조합니다.

로벨리의 접근 방식은 존재의 환성이라는 개념을 통해 우리가 현실을 인식하는 방식에 대한 근본적인 질문을 제기합니다. 존재의 환성은 현실이 인식자의 내부에서 형성되며, 인식 과정에 따라 달라질 수 있음을 시사합니다. 이는 인식과 현실이 분리된 독립적인 존재가 아니라, 상호작용하는 과정에서 서로를 정의하고 형성한다는 것을 의미합니다.

이 철학적 해석은 현실을 인식하는 우리의 방식에 대해 깊은 성찰을 요구합니다. **현실은 인식자의 의식에 의해 만들어진 해석의 결과물**이며, 이는 우리가 경험하는 세계가 주관적인 인식에 의해 형성되는 '환'이라는 것을 의미합니다. 따라서, 현실의 본질을 이해하려면 의식과 인식 과정을 깊이 이해하고, 이러한 과정이 현실을 어떻게 형성하고 변화시키는지를 탐구해야 합니다.

또한, 이러한 접근 방식은 인식의 과정이 단순히 개인의 의식 내에서만 일어나는 것이 아니라, 우리를 둘러싼 세계와의 상호작용을 통해 이루어짐을 강조합니다. 인식자와 현실 사이의 상호작용은 인식의 과정을 통해 현실을 형성하고, 이는 다시 인식자의 의식에 영향을 미칩니다. 이러한 상호 의존적인 관계는 현실의 본질이 상호관계와 정보의 교환으로 이루어진다는 로벨리의 주장을 뒷받침합니다.

열 번째 장에서는 로벨리의 이론을 통해 제시된 존재의 환성에 대한 철학적 해석을 더 깊이 탐구합니다. 이는 현실과 의식 사이의 복잡한 관계를 이해하고, 우리가 세계를 인식하고 해석하는 방식에 대한 새로운 시각을 제공합니다. 이 철학적 탐구는 현실의 본질과 인식의 과정에 대한 우리의 이해를 심화 시키며, 의식과 현실이 어떻게 상호작용하는지에 대한 깊은 통찰을 제공합니다. 이러한 이해는 우리가 우주와 우리 자신에 대해 가지는 근본적인 질문에 대한 답을 찾는 데 중요한 역할을 할 것입니다.

11. 로벨리의 환성에 대한 탐구: 현대 과학과 철학의 교차점

카를로 로벨리의 저작은 현실과 존재에 대한 우리의 이해를 근본적으로 변화시키는 새로운 해석을 제시합니다. 그의 저서들, 특히 "우주는 인간의 시간 속에 살지 않는다", "보이는 세상은 실재가 아니다", 그리고 "나 없이는 존재하지 않는 세상"에서 그는 양자중력 이론을 활용해 우리가 세계를 인식하는 방식에 대한 깊은 통찰을 제공합니다. 이러한 저작들을 통해 로벨리는 현실과 존재가 단순한 물리적 사실을 넘어서 인식자와의 상호작용에서 형성되는 과정임을 탐구합니다.

이 문장에서 보이는 세상이 실재가 아니란 것은 세상이 물리적이지 않다는 것을 암시하고, 우주는 인간의 시간 속에 살지 않는다는 것은 존재에 절대적인 시간을 부인하는 것이고, "나 없이는 존재하지 않는 세상"이란 의식이 없으면 세상이 존재하지 않는다는 비물질적 요소를 강조하고 있는 책 제목임을 짐작할 수 있습니다. 이러한 표현들을 통해 카를로 로벨리의 사상은 비물질적이고 비시간적인 의식의 세계를 암시하고 있음을 알 수 있습니다.

로벨리의 이론은 물리학과 철학 사이의 경계를 모호하게 만들며, 존재의 환성에 대한 그의 관점은 현실이 관찰자의 의식과 긴밀하게 연결되어 있음을 강조합니다. 이러한 관점에서 현실은 상호관계의 맥락에서만 의미를 갖게 되며, 이 관계는 관찰자의 인식 과정 내에서 구성됩니다. 로벨리의 작업은 우리가 세계를 경험하고 이해하는 방식에 대한 근본적인 재고를 요구하며, 현대 과학이 제공하는 새로운 발견들이 우리의 세계관에 어떻게 영향을 미치는지를 탐구합니다.

이 열 한 번째 장에서는 로벨리의 주요 저작들을 통해 그의 존재의 환성에 대한 이론을 더 깊이 이해하고자 합니다. 로벨리는 양자중력 이론을 통해 현실과 존재의 본질에 대한 새로운 해석을 제시하며, 이는 우리가 세계를 인식하고 해석하는 방식에 대한 새로운 시각을 제공합니다. 로벨리의 이론은 물리학과 철학이 어떻게 서로를 보완하며 우리의 세계관을 풍부하게 만드는지를 보여주며, 현실의 본질, 의식의 역할, 그리고 우리가 세계와 상호작용하는 방식에 대한 깊은 통찰을 제공합니다.

로벨리의 저작과 그의 이론은 현대 과학의 복잡한 개념을 철학적으로 탐구하며, 존재와 현실의 근본적인 문제에 대한 우리의 이해를 확장합니다. 이러한 탐구는 우리가 존재의 본질과 우주의 구조에 대해 가지는 근본적인 질문에 대한 새로운 답을 찾는 데 중요한 역할을 할 것입니다. 로벨리의 저작을 통해 우리는 현실과 존재에 대한 깊은 탐구를 계속할 수 있으며, 이는 우리의 세계관을 근본적으로 변화시키는 새로운 방향을 제시할 것입니다.

Chapter 2

인식과 현실 : 칸트의 인식론에서 시작하여 비물질적 세계관까지

"두 가지 것이 내 마음을
항상 새롭게 하고 경외심으로 가득 차게 한다.
그것은 하늘 위의 별들과 내 안의 도덕 법칙이다."
- 임마누엘 칸트

1. 칸트의 인식론:
현대 과학과의 교차점

철학과 과학의 교차로에서, 임마누엘 칸트는 인식의 근본적 문제를 조명함으로써 지식의 경계를 확장하였습니다. 그의 인식론은 우리가 세계를 경험하는 방식에 대한 근본적인 전환을 제안합니다. 칸트의 사상은 표상과 물자체의 구분을 통해, 우리가 경험하는 세계가 실제로 우리의 인식 내에서 어떻게 구성되는지를 탐구합니다. 이러한 인식론적 전환은 우리가 자연과 우주를 이해하는 방식에 근본적인 영향을 미쳤으며, 현대 과학의 발전과도 긴밀하게 연결됩니다.

칸트가 제시한 인식론적 문제는 현대 과학, 특히 양자역학과 상대성이론에서 발견된 현상들과 깊은 연관성을 가집니다. 이 과학적 이론들은 관찰자의 역할과 인식 과정이 현상의 결과에 어떻게 영향을 미치는지를 보여주며, 칸트의 인식론적 사상과 맥을 같이 합니다. 양자역학의 불확정성과 상대성이론의 시공간 개념은 우리가 세계를 인식하는 방식에 대한 근본적인 재고를 요구하며, 칸트가 제기한 표상과 물자체에 대한 논의를 현대적 맥락에서 재해석하는 데 중요한 통찰을 제공합니다.

본론에서는 칸트의 인식론이 현대 과학의 발견과 어떻게 연결되는지, 그리고 이 연결점이 우리에게 어떤 새로운 이해와 가능성을 열어주는지를 심도 있게 탐구합니다. 우리는 칸트가 제시한 표상의 개념을 통해 현대 과학이 발견한 세계의 본질을 이해하려고 시도하며, 이 과정에서 양자역학과 상대성이론이 제시하는 세계관과 칸트의 인식론이 어떻게 상호작용하는지를 분석할 것입니다.

또한, 칸트의 '물자체'에 대한 논의는 우리가 현실을 인식하는 근본적인 한계와 가능성에 대해 깊이 성찰하게 만듭니다. 우리는 킨트의 인식론을 바탕으로, 현대 과학이 우리에게 제시하는 현실의 본질과 우주의 근본적인 구조에 대한 새로운 시각을 모색할 것입니다. 이러한 탐구는 인식의 한계를 넘어서는 새로운 지식의 영역으로 우리를 인도하며, 의식장의 개념으로 유도하는 근거를 마련합니다.

이 챕터를 통해 우리는 칸트의 인식론이 현대 과학과 어떻게 연결되며, 이 연결이 우리의 세계관과 지식의 경계를 어떻게 확장 시키는지를 탐구할 것입니다. 칸트의 철학적 사상과 현대 과학의 발견 사이의 대화는 우리가 세계를 이해하는 방식에 근본적인 영향을 미치며, 이는 의식장으로의 전환을 가능하게 하는 중요한 단계가 될 것입니다.

철학에서 칸트가 던진 물음은 '표상'과 '물자체'였습니다. 먼저, 철학에서 우리가 고대부터 가졌던 자연에 대한 개념을 살펴보겠습니다. 우리는 자연을, 보고 느끼는 그대로 인식해왔습니다. 하늘을 보면 그것이 하늘이고, 땅을 보면 그것이 땅이며, 꽃을 보면 그것이 바로 꽃입니다. 그러나, 철학의 역사 속에서 이러한 직관적 인식에 의문을 제기한 사람이 있습니다. 바로 임마누엘 칸트입니다. 칸트는 우리가 자연을 보는 방식을 근본적으로 복잡하게 만들었습니다. "꽃이 그저 꽃이면 좋겠다고 생각하지 않으셨나요?

하지만 칸트는 우리가 보고 느끼는 그 꽃이 실제로 그 꽃이 아니라고 주장했습니다. 이러한 관점에서 칸트는 인간의 인식 과정을 근본적으로 재검토하게 만들었습니다. 그는 우리가 외부 세계를 인식하는 방식이 단순한 감각의 수집이 아니라, 인식하는 주체의 활동적인 구성 과정임을 강조했습니다. 이는 인간의 지각과 인식이 객관적인 세계를 그대로 반영하는 것이 아니라, 우리의 인식 체계와 지적 구조에 의해 형성되고, 해석된다는 것을 의미합니다.

칸트는 이를 '표상'이라고 불렀습니다. 표상은 우리 내부에서 생성되는 세계의 이미지나 개념을 의미하며, 이는 우리가 외부 세계를 경험하는 유일한 방식입니다. 이와 동시에, 그는 우리가 절대적으로 알 수 없는 '물자체'라는 개념을 도입했습니다. 물자체는 우리의 인식을 넘어서는 외부 세계의 실재를 지칭하며, 우리의 인식 체계를 통해 직접적으로 경험될 수 없습니다.

칸트의 이러한 인식론적 전환은 철학과 과학에 깊은 영향을 미쳤습니다. 그는 우리가 세계를 경험하고 이해하는 방식에 대한 근본적인 질문을 제기함으로써, 지식의 본질과 한계에 대한 새로운 탐구를 촉진했습니다. 또한, 칸트의 사상은 우리가 현실을 인식하고 해석하는 과정에서 주관성과 구성성의 중요성을 인식하게 만들었습니다. 이는 나아가 현대 과학의 이론과 발견, 특히 양자역학과 상대성이론이 제기하는 질문들과 교차하며, 우리가 세계를 이해하는 방식을 근본적으로 재조명하는 계기를 마련했습니다.

칸트는 우리가 경험하는 모든 대상—화단의 꽃을 보는 것처럼—

이 그 자체로 존재하는 실체가 아니라, 우리 내부에서 생성된 표상에 불과하다고 주장했습니다. 그에 따르면, '꽃'이라는 개념, 우리가 그 꽃을 인지하는 시간과 공간, 그 형태까지도 외부의 객관적 실재가 아니라 우리의 인식 과정에서 형성된 것입니다. 이러한 관점은 인식의 본질을 근본적으로 재해석하는 인식론적 전환을 가져왔습니다. "우리가 접하는 모든 것, 우주에서 지구에 이르기까지, 실제로는 우리 인식의 방식을 통해 존재한다는 칸트의 혁신적인 주장은, 자연을 바라보는 우리의 행위 자체가 사실은 내면에서 생성된 이미지에 지나지 않음을 의미합니다."

칸트의 주장은 궁극적으로 '물자체'라는 개념으로 확장됩니다. 그는 우리의 인식 범위를 초월하는, 우리가 직접 경험할 수 없는 '물자체'의 존재를 제시합니다. 이 챕터에서는 칸트의 이러한 인식론적 발견이 어떻게 현대 과학, 특히 양자역학과 상대성이론과 연결되는지에 대해 심층적으로 탐구합니다. 우리는 칸트가 제기한 이론적 토대가 현대 과학의 주요 발견과 어떻게 상호작용하는지 살펴보며, 이를 통해 우리의 세계관과 지식의 경계가 어떻게 확장될 수 있는지를 탐색할 것입니다.

'물자체'에 대한 칸트의 숙제는 여전히 우리에게 남아 있으며, 이 책에서 우리는 그 숙제에 도전할 것입니다. 우리가 일상에서 경험하는 자연과 만물에 대한 인식은, 대부분 직관적이고 단순합니다. 하늘을 보고, 꽃을 느끼며, 강물의 흐름을 듣습니다. 이 모든 경험은 우리에게 자연스러운 세계의 모습으로 다가옵니다. 하지만, 철학의 역사 속에서 이러한 직관적 인식에 대한 근본적인 의문을 제기합니다. 칸트는 우리가 자연을 경험하는 방식, 즉 우리가 세상을 보고 느끼는 모든 것이 실제로는 우리 내부의 인식 과정을 통해 형성된다고 주장했습니다. 이것은 단순히 물리적 대상이 우리에게 직접적으로 드러나는 것이 아니라, 우리의 인식 체계를 통해 중재 되고 재구성된다는 의미입니다. "칸트는 표상의 개념을 통해, 우리가 경험하는 세계가 실제로는 우리의 인식 체계에 의해 구성된다고 설명합니다.

이로써, 우리가 보고 느끼는 모든 것은, 실제로는 우리 내부에서 생성된 이미지라고 할 수 있습니다." 이러한 칸트의 사상은, 우리가 세상을 경험하는 방식에 대한 근본적인 질문을 던집니다. 만약 우리가 경험하는 모든 것이 우리의 인식에 의해 형성된다면, 실제로 '자체'로 존재하는 세계는 어떤 모습일까요?

칸트는 이를 '물자체'라고 명명했고, 이 물자체는 우리의 인식을 초월한 존재로서, 우리가 절대적으로 알 수 없는 영역에 속한다고 했습니다. "칸트에 의하면, 물자체는 우리의 인식 체계를 통과하지 않고는 접근할 수 없는, 인간의 이해를 넘어서는 실재입니다. 이는 우리가 세계를 인식하는 방식의 근본적 한계를 지적하는 것입니다." 이 사상은 철학 뿐만 아니라 과학계에도 깊은 영향을 미쳤습니다.

특히 양자역학에서 발견된 현상들은 칸트의 이론과 유사한 방식으로, 관찰자의 역할이 현상의 결과에 영향을 미친다는 점에서, 우리가 세계를 인식하는 방식에 대한 새로운 질문을 제기합니다. "현대 과학, 특히 양자역학의 발견은 칸트의 인식론적 사상과 맥을 같이 합니다. 우리가 관찰하는 과정 자체가 결과에 영향을 미치며, 이는 인식의 주관성과 세계의 본질에 대한 새로운 이해를 제시합니다.” 칸트의 철학은 우리가 세계를 인식하고 이해하는 방식에 대한 근본적인 질문을 던집니다. 그의 사상은 우리가 표상과 물자체 사이의 관계를 다시 생각하게 만들며, 이는 오늘날에도 여전히 우리의 지적 탐구에 중대한 영향을 미치고 있습니다. “칸트의 표상과 물자체에 대한 논의는, 우리가 세계를 어떻게 인식하고 이해하는지에 대한 근본적인 탐구입니다. 이 챕터에서 우리는 칸트가 남긴 숙제, 즉 ‘물자체’의 본질에 대해 함께 고민하고 탐색할 것입니다.”

2. 인식론과 표상의 관계

인간의 인식 과정에서 형성되는 표상이 실제 세계와 어떻게 연결되는지, 칸트의 관점에서 설명합니다.

칸트의 인식론과 양자역학 사이의 깊은 연결 고리는, 인간이 세계를 인식하고 해석하는 방식의 근본을 탐구하는 데 있어 중요한 통찰을 제공합니다. 칸트가 우리에게 보여준 것은, 인식 과정에서 형성되는 표상이 실제로는 외부 세계의 물자체와는 별개의 것이라는 점입니다. 이러한 표상은 우리 내부의 인식 기관을 통해 재구성된, 주관적으로 해석된 세계의 이미지입니다. 양자역학이 우리에게 보여준 것은, 입자와 파동의 상태가 관찰자의 관찰에 의해 결정되며, 이로 인해 외부 세계에 대한 우리의 인식이 실제로는 관찰 과정에서 형성되고 변화한다는 점입니다.

이 두 이론을 결합함으로써, 우리는 인식과 관찰이 단순히 외부 세계를 반영하는 것이 아니라, 외부 세계와의 상호작용을 통해 주관적으로 생성되고 해석되는 과정임을 이해하게 됩니다. 이는 인간의 인식이 얼마나 복잡하고, 우리가 세계를 이해하는 방식이 얼마나 주관적인지를 보여주는 강력한 예입니다.

칸트의 인식론이 제시하는 '표상'의 개념은 철학적 및 과학적 영역에서 중대한 의미를 지닙니다. 이는 고대부터 지속된 우리의 세계 인식 방식을 근본적으로 변화시키는 새로운 관점으로의 전환을 요구하기 때문입니다. 더욱이 충격적인 사실은, 내부 인식에 의해 형성된 이 표상이 비물질적 속성을 지닌다는 것입니다. 이는 물리적 세계의 본질에 대한 우리의 이해를 근본적으로 흔들어 놓는 심각한 결론으로 이어집니다. 우리가 보고, 알고 있는 모든 것—자연과 만물이 실제로는 비물질적인 본질에 의해 정의될 수 있다는 사실은, 우리가 세계를 인식하고 해석하는 방식에 대한 근본적인 재고를 요구합니다.

물리학에서 물질과 비물질의 경계를 입자와 파동으로 구분하고 있습니다. 만물의 기초가 입자이면 거시세계의 모든 것도 물질의 속성이라는 것으로 판단하고, 파동이면 이는 거시세계의 만물도 비물질의 속성임을 나타내는 것입니다. 그런데 인식론에서 파악된 결과로 이것을 생각하면 입자조차 비물질이란 결론에 도달하게 됩니다.왜냐하면 인식론에 따르면 인간 세상에 존재하는 모든 것이 표상이라고 결론을 지었기 때문입니다.그리고 그 표상은 사람의 인식이 구성한 결과물이란 것입니다. 인식이 구성한 것의 속성은 비물질입니다.

그렇다면 양자역학에서 입자는 어떻게 얻은 소산물일까요? 관찰 결과 얻은 것이죠? 물리학에서 관찰되었다는 것은 곧 철학에서 인식되었다는 것과 동일한 것입니다. 따라서 물질의 증표로 얻은 입자지만 이것 역시 인식론으로 분석하면 비물질의 범주에 들 수밖에 없습니다.

그래서 칸트의 철학이 제시하는 '표상'이 비물질적 속성을 가진다는 해석은, 현대 과학, 특히 양자역학의 발견과 깊이 연결되어 있습니다. 이는 물리학이라는 과학의 분야가 본질적으로 물질을 연구하는 학문임에도 불구하고, **그 핵심 대상인 '입자'가 비물질적 속성을 지니고 있음을 밝혀냈다**는 점에서 혁명적입니다. 과학계에서 물질의 대명사로 여겨졌던 입자가 비물질적 성질을 지닌다는 인식은, 물리학의 기초를 뒤흔드는 충격적인 전환점을 제공합니다.

이는 과학과 철학이 지닌 근본적인 세계관을 재평가하게 만드는 사건입니다. 칸트의 사상에서 출발한 이 아이디어는, 자연에 존재하는 대상세계를 우리가 인식하는 과정에서 만들어진 표상으로 본다면, 그러한 표상이 곧 비물질의 성격을 띠게 됨을 명확히 합니다. 표상이라는 개념이 비물질적 속성을 지니며, 이는 우리가 인식하는 세계의 본질이 실제로는 우리의 내부 인식 과정에 의해 형성된다는 사실을 시사합니다.

이러한 칸트의 인식론적 접근과 양자역학의 발견은 과학계에 근본적인 도전을 제기합니다. 물질과 비물질의 경계가 모호해지고, 우리가 세계를 인식하는 방식이 실제로 세계가 작동하는 방식에 깊이 개입한다는 사실이 밝혀지면서, 물리학의 근본 가정과 연구 방향에 대한 근본적인 질문을 던지게 됩니다. 이는 과학계에 충격적인 전환을 의미하며, 물질을 넘어서는 새로운 현실의 이해를 모색하게 만드는 중대한 계기를 제공합니다.

칸트의 인식론과 양자역학의 발견이 던지는 이러한 문제는, 입자와 파동의 중첩성, 그리고 양자역학의 다양한 현상들까지도 근본적인 의미를 재고하게 만드는 대사건입니다. **입자가 비물질적 속성을 지니고 있다면, 이는 우주에 존재하는 모든 '물질'이 실제로는 비물**

질적 본질을 가진다는 극단적인 결론으로 이어집니다. 이러한 관점에서 볼 때, 입자와 파동으로 나누는 전통적인 과학적 구분에 대한 의미는 근본적으로 도전 받게 됩니다.

양자역학의 연구 결과 중 하나인 입자와 파동의 이중성은, 관찰자의 인식과 관찰 과정이 현상에 미치는 영향을 강조합니다. 이는 우주와 그 구성 요소를 이해하는 방식에 대한 우리의 기본 가정을 근본적으로 변화시키는 것입니다. 만약 우주 속 모든 것이 비물질적 본질을 지닌다면, '물질'과 '비물질' 사이의 경계는 무너지고, 우리가 우주를 이해하고 설명하는 방식은 근본적으로 재구성되어야 합니다.

이러한 인식은 과학계에 큰 충격을 주며, 우주의 본질에 대한 우리의 이해를 새로운 차원으로 이끕니다. 입자와 파동의 구분이 의미를 상실하는 순간, 우리는 물질을 넘어서는 새로운 현실의 이해를 모색해야 하며, 이는 과학 뿐만 아니라 철학적, 심리적 차원에서도 근본적인 변화를 요구합니다. 이는 과학적 발견과 철학적 사유가 상호 작용하며 우리의 세계관을 형성하는 방식에 대한 새로운 이해를 제시하며, 우주와 인식의 본질에 대한 깊이 있는 탐색을 가능하게 합니다.

따라서, 표상이나 입자가 비물질적인 개념으로 해석될 수 있다는 사실은, 우리의 인식 과정이 외부 세계에 대한 우리의 이해를 어떻게 형성하고 구성하는지를 보여줍니다. 이러한 관점에서 볼 때, 세계가 '공'이라는 설명을 가능하게 합니다. 이 주장은 일부 종교가 지향하는 것에 동조하는 논리로 흐르게 됩니다. 그래서 실제로는 이에 대한 우리의 인식 과정에 대한 깊은 성찰을 요구합니다. 세계는 우리의 인식과 관찰을 통해 우리에게 나타나며, 이 과정에서 우리의 주관적 해석이 중요한 역할을 합니다. 따라서 세계를 단순히 허공으로 보는 것이 아니라, 우리가 세계를 인식하고 해석하는 방식이 세계를 어떻게 형성하고 구성하는지에 대한 이해가 필요합니다.

이러한 이해는 철학과 과학이 서로 협력하며 더 깊이 탐구해야 할 주제입니다. 철학은 인간의 인식과 해석의 본질에 대한 깊은 통찰을 제공하며, 과학은 이러한 인식 과정이 실제로 어떻게 일어나는지에 대한 구체적인 이해를 제공합니다. 이 두 분야의 협력을 통해, 우리는 인간의 인식 능력의 한계와 가능성에 대해 더 깊이 이해하게 될 것이며, 이는 우리가 세계와 우리 자신에 대해 가지는 근본적인 이해를 변화시킬 수 있습니다.

결론적으로, 칸트의 인식론과 양자역학 사이의 대화는 인간의 인식과 세계의 본질에 대한 우리의 이해를 확장시키는 데 중요한 역할을 합니다. 이러한 대화는 인간이 외부 세계를 어떻게 인식하고 해석하는지, 그리고 이 과정이 우리의 존재와 세계관을 어떻게 형성하는지에 대한 근본적인 질문을 제기합니다. 철학과 과학의 교차점에서, 우리는 세계를 보는 새로운 방식을 발견할 수 있으며, 이는 우리가 살아가는 세계에 대한 더 깊은 이해와 존재의 의미를 탐구하는 데 중요한 기여를 할 것입니다.

3. 표상을 통한 입자의 숨은 정체

표상과 입자의 상응 관계는, 실제로 우리가 경험하는 세계가 어떤 방식으로 구성되어 있는지에 대한 중요한 통찰을 제공합니다. 칸트의 철학적 통찰과 양자역학의 발견 사이의 이 연결 고리는, 현실을 이해하는 우리의 방식에 근본적인 질문을 던집니다. 만약 표상이 우리가 인식하는 물질의 전부라면, 우리가 '실체'라고 여기는 것들은 모두 인식의 산물에 불과한 것일까요?

이 문제는 물리학과 철학, 그리고 인지과학 사이의 경계를 넘나드는 복잡한 논의를 필요로 합니다. 아인슈타인의 상대성 이론은 관찰자의 위치와 속도가 관찰된 현상에 영향을 미친다고 말합니다. 이는 관찰자의 상태에 따라 우리가 경험하는 현실이 달라질 수 있음을 시사합니다. 카를로 로벨리의 관계론적 존재론은 이를 한층 더 나아가, 모든 것이 상호 관계 속에서만 의미를 갖는다고 주장합니다. 이러한 관점에서 볼 때, 입자와 파동의 이중성은 단지 우리의 인식 방식이 얼마나 현실을 구성하는 데 중요한 역할을 하는지를 보여주는 예일뿐입니다.

실제로 이러한 관점은 우리가 물리적 세계를 이해하는 방식에 근본적인 변화를 요구합니다. 만약 모든 물질적 실체가 인식의 산물이라면, 이는 과학적 방법론과 실증주의적 세계관에도 중대한 도전을 제기합니다. 이는 물질 세계가 아닌, **인식과 그 과정에서 생성되는 '표상'의 세계에서 우리가 살고 있음을 의미**합니다.

또한, 이 논의는 우리의 인식이 어떻게 현실을 구성하는지에 대한 더 깊은 이해를 필요로 합니다. 뇌과학과 인지과학의 연구는 인간의 인식 과정이 어떻게 외부 세계를 내부적으로 재구성하는지를 밝혀내고 있습니다. 이러한 연구는 인간의 의식이 실제로 어떻게 작동하는지, 그리고 우리가 경험하는 '현실'이 실제로 어떤 것인지에 대한 우리의 이해를 심화 시키는 데 중요한 역할을 합니다.

결국, 표상을 통한 입자의 숨은 정체에 대한 탐구는, 우리가 세계를 어떻게 인식하고, 그 인식이 현실을 어떻게 형성하는지에 대한 근본적인 질문을 던집니다. 이는 물리학, 철학, 인지과학의 경계를 넘어선, 인간 인식의 본질에 대한 탐구로 이어집니다. 우리가 세계를 경험하는 방식이 실제로 어떠한 지, 그리고 그 경험이 우리에게 '현실'을 어떻게 제시하는지에 대한 깊은 성찰을 요구하는 문제입니다.

표상을 통한 입자의 숨은 정체에 관한 탐구는 인간의 인식 방식과 현실의 본질 사이의 복잡한 관계를 탐색하는 과정입니다. 이러한 탐구는 다양한 학문 분야의 이론과 발견을 통합하여, 우리가 경험하는 세계의 구조에 대한 깊은 이해를 추구합니다.

그리고 표상을 통한 입자의 숨은 비밀은 관찰과 인식이 현실을 형성하는 방식에 깊이 뿌리를 두고 있습니다. 표상과 입자 모두 관찰에 의해 얻어진 결과물이며, 이 관찰이라는 행위는 궁극적으로 인식의 과정을 통해 나타납니다. 이 과정에서 표상의 실체를 이해하는 것은 입자의 실체를 이해하는 것과 직결되며, 반대로 입자의 실체를 아는 것은 표상의 본질을 파악하는 것을 의미합니다.

이러한 상호 연관성은 관찰자의 역할이 현실 형성에 결정적임을 시사합니다. 즉, 우리가 세계를 인식하는 방식, 특히 우리가 만들어 내는 표상들은 그 자체로 우주의 근본적인 성질을 반영합니다. 이는 현대 과학, 특히 양자역학에서 관찰된 현상과 깊은 연관이 있습니다. **양자역학에서 입자는 관찰되기 전에는 여러 가능성을 동시에 지니며, 관찰자의 관찰 행위에 의해 특정 상태로 '붕괴'**됩니다. 이는 **입자의 '실체'가 관찰자의 인식과 불가분의 관계에 있음**을 보여줍니다. 즉 양자역학에서 양자의 중첩이나 하이젠베르크의 불확정성 원리는 핵심을 이루는 중요한 양자역학의 근본 이론에 해당합니다. 그리고 그 기준은 관측입니다. 그런데 중첩과 불확정성은 관찰 이전의 상태입니다. 그리고 중첩의 붕괴와 확정은 관찰 후의 상태입니다.

이를 인식론에 의하여 설명하면 관찰 이전은 아직 그 대상이 인식되지 않은 상태를 말하고, 관찰 후는 그 대상이 인식 안으로 들어왔다는 의미와 상통합니다. 인식론에서 표상세계는 오직 인식의 결과물이라는 점에서 관찰 전은 인식의 밖에 있는 물자체로서 초월적이며 초월적인 것은 물리학에서 무의미한 존재입니다.

이를 서로 비교하여 설명하면, 관찰되기 전의 양자역학에서 중첩과 불확정의 상태는 인식론에서 대상이 아직 인식되기 전의 상태와 동일함을 알 수 있습니다. 인식되기 전의 그 대상은 '물자체'로 존재하는 상태로 대응이 가능합니다. 이는 칸트의 인식론에서 언급되는 개념으로, 우리가 직접적으로 알 수 없는 세계를 말합니다.

양자역학에서 관찰되기 전, 즉 중첩과 불확정의 상태는 여러 가능성이 공존하는 상태를 의미합니다. 마찬가지로, 인식론에서 인식되기 전의 물자체는 아직 표상으로 나타나지 않은 상태, 즉 우리의 인식이 미치지 않은 상태입니다.

관찰된 후, 양자역학에서는 중첩이 붕괴하고 상태가 확정됩니다. 이는 특정한 결과가 나타나게 되는 것을 의미합니다. 인식론에서도 이와 유사하게, 대상이 인식되어 표상으로 나타난 상태는 더 이상 물자체로서의 초월적 상태가 아니며, 우리의 인식 안에서 구체적인 형태로 나타난 것입니다.

따라서, 인식론에서 인식되기 전의 물자체는 초월적이며 확인할 수 없는 상태이고, 이는 양자역학에서 중첩과 불확정의 상태와 같습니다. 이는 인간의 표상세계를 떠난 초월적 상태로서, 우리가 직접적으로 경험할 수 없는 영역을 의미합니다.

아인슈타인과 보어의 논쟁에서, 관측에 의해 달이 존재하는가의 문제는 이러한 개념과 연관이 있습니다. 양자역학에서 관측 전의 불확정 상태는 파동[달이 없음]에 대응되고, 관측 후 확정될 때는 입자[달이 있음]에 대응됩니다. 즉, 관측에 의해 상태가 정해진다는 점에서 인식론의 물자체가 인식되어 표상으로 나타나는 과정과 유사한 점이 있습니다. 이는 다시 인식 전은 물자체로 대응되고, 인식 후는 표상과 대응하는 것을 알 수 있습니다. 이 결과에 따르면 관찰과 인식에 의하여 파동과 입자, 표상과 물자체가 결정된다는 사실을 간파할 수 있습니다. 이 결과는 또 파동과 입자, 표상과 물자체가 둘로 구별되는 것이 아니라, 하나로 통합되어 있고, 통합된 파동과 입자, 표상과 물자체가 모두 의식 안에 있음을 유추하게 합니다.

요약하면:

- **인식되기 전의 상태 [인식론]:** 물자체, 초월적, 인식되지 않은 상태.
- **관찰되기 전의 상태 [양자역학]:** 중첩, 불확정, 여러 가능성이 공존하는 상태. **<-파동**
- **인식된 후의 상태 [인식론]:** 표상, 인식된 상태, 구체적인 형태로 나타난 상태.
- **관찰된 후의 상태 [양자역학]:** 중첩 붕괴, 확정된 상태, 특정한 결과로 나타난 상태. **<-입자**

이는 우리가 관찰과 인식을 통해 세상을 이해하는 방식에 대한 깊은 통찰을 제공합니다. 우리가 인식하기 전의 세계는 여러 가능성을 포함한 불확정의 상태로 존재하며, 인식과 관찰을 통해 구체적인 형태로 나타나는 과정을 통해 현실을 이해하게 되는 것입니다.

양자역학에서 관찰되기 전의 상태는 파동과 입자의 중첩이며, 불확정의 원리가 적용됩니다. 그러나 관찰 후는 중첩의 붕괴와 동시에 확정이 됩니다. 양자역학에서 관찰 되기 전의 상태는 인식론에서 표상이 되지 않은 상태입니다. 여기서 인식론에서 있어서 의미있는 일화가 존재합니다.

이 복잡하고 깊이 있는 주제를 명확히 설명하기 위해, 우리는 먼저 양자역학과 인식론의 기본 개념을 이해해야 합니다. 그 후, 이러한 개념들을 통해 "달은 관찰되지 않을 때도 존재하는가?"라는 질문에 대해 아인슈타인과 보어의 대화를 예로 들며 해석해보겠습니다.

양자역학의 기본 이해

양자역학에서, 입자의 상태는 관찰되기 전에는 확정되지 않은 여러 가능성을 동시에 가지고 있는 것으로 표현됩니다. 이를 '중첩 상태'라고 합니다. 관찰자가 입자를 관찰하는 순간, 입자는 하나의 특정 상태로 '붕괴'되며, 이는 양자역학의 핵심 원리 중 하나인 '파동함수의 붕괴'를 나타냅니다. 이 과정에서, '하이젠베르크의 불확정성 원리'가 중요한 역할을 합니다. 이 원리에 따르면, 입자의 위치와 운동량을 동시에 정확히 알 수 없으며, 이는 양자 세계의 근본적인 불확실성을 나타냅니다.

인식론과의 연결

인식론에서는 인식의 대상이 되기 전까지는 그 대상이 '물자체'로 존재하며, 이는 우리가 경험할 수 있는 표상의 세계와는 별개의 것으로 간주됩니다. 이는 즉, 어떤 대상이 우리의 인식 안으로 들어오기 전까지는 우리에게 미지의, 확인할 수 없는 상태에 있다는 것을 의미합니다. 관찰되지 않은 양자의 상태와 비교하면, 관찰 전의 중첩과 불확정성은 인식론에서 아직 인식되지 않은 '미지의 상태'와 유사합니다.

제가 이해하기 시작한 것은, 양자역학의 불확정성 원리와 양자중첩이 사실은 우리의 인식에 의해 크게 영향을 받는다는 점입니다. 인식되기 전의 상태는 물자체와 연결되어 있고, 관찰되기 전의 상태는 파동과 연결될 수 있다고 볼 수 있습니다. 만약 물자체가 우리의 표상 밖에 있다고 한다면, 파동 또한 표상의 바깥에 존재하는 개념으로 연결될 수 있습니다.

양자역학에서 입자의 불확정적 상태와 양자중첩이 인간의 관찰 및 인식 과정에 의해 결정될 수 있다는 것은, 우리가 세계를 경험하는 방식에 근본적인 질문을 던집니다. 관찰되기 전과 인식되기 전의 상태를 연결 지음으로써, 세계를 이해하는 방식에 대한 근본적인 의문을 제기합니다.

인식론에서, '물자체'는 우리가 경험할 수 없는 것들의 근본적 실체를 의미합니다. 양자역학에서 파동 상태와 입자상태도 이와 유사하게, 관찰되기 전에는 우리의 인식 밖에 존재하며, 인식 과정을 통해 특정한 현상으로 나타납니다. 따라서, 관찰과 인식은 세계를 이해하고 현실을 구성하는 데 필수적인 역할을 한다는 것을 깨닫게 됩니다. 그리고 파동이나 입자는 관찰 혹은 인식되기 전까지는 칸트의 인식론의 결과로 볼 때, 물자체에 해당합니다. 물자체는 우리가 살고 있는 세상에서 발견되지 아니하는 것입니다. 그런데 과학은, 특히 과학 중, 물리학은 관찰이 가능하고, 실험으로 증명 가능한, 그리고 확인가능한 물질을 다루는 학문분야라고 할 수 있습니다. 이런 근거로 볼 때, 관찰되기 전, 파동이나 입자는 물리학의 대상에 편입될 수 없다고 할 수 있습니다. 그 결과 우리는 관찰된 즉 인식된 것만으로 우주와 만물을 해석해야 한다는 선이 그어집니다. 관찰되고 인식되는 우주와 만물은 우리가 보고 느끼고 있는 그런 것들입니다. 그것은 곧 우리 인식 내부가 생성한 표상입니다. 그래서 그것들은 모두 인식에 의하여 만들어진 비물질적 속성을 가진 것으로 해석할 수밖에 없습니다.

이는 아인슈타인과 보어가 관찰을 하지 아니하면 있느냐 없느냐고 했던 달에 얽힌 양자역학과 고전물리학의 진위를 우리가 배심원이 되어 판단할 수 있을 것입니다. 만일 관찰하지 아니할 때, 달은 그 자체로 존재하지 않는다는 결론이 나면, 그 달은 관찰과 인식에 전적으로 의지하고 있음을 의미합니다. 그리고 달이 관찰의 결과로 얻은 것이 되면 현대과학에서 달은 물질로 규정하며, 물질의 기본은 입자이므로 관찰을 하면 입자, 그러면 관찰되지 아니할 상태는 파동과 연결이 가능하며, 관찰 이전의 것은 물리학의 범주를 이탈하므로 파동은 원래 없거나 무의미한 것으로 결론 지을 수 있을 것입니다.

아인슈타인과 보어의 대화를 통한 달의 해석

아인슈타인과 보어의 대화에서 나온 "달은 관찰되지 않을 때도 존재하는가?"라는 질문은, 양자역학과 인식론의 관점에서 깊은 의미를 지닙니다. 양자역학에서는 달이 관찰되기 전에는 여러 가능성의 상태에 있을 수 있으며, 관찰에 의해 하나의 상태로 확정됩니다. 인식론적 관점에서 보면, 달은 우리가 인식하기 전까지는 우리의 표상세계에는 존재하지 않으며, 인식에 의해 우리의 현실로 들어오게 됩니다.

이러한 관점은 우리가 현실을 어떻게 인식하고 이해하는지에 대한 근본적인 질문을 제기합니다. 현실은 우리의 관찰과 인식에 의해 형성되는 것인가, 아니면 우리의 인식과 독립적으로 존재하는 것인가? 아인슈타인은 후자의 견해를 지지했으며, 이는 과학적 현실의 객관성을 강조하는 것입니다. 반면, 양자역학의 해석은 관찰자와 대상 사이의 상호작용이 현실을 형성하는 데 중요한 역할을 한다는 점을 강조합니다.

결론적으로, 아인슈타인과 보어의 대화와 관련된 이 질문은 과학과 철학이 서로 교차하는 지점에서 중요한 의미를 갖습니다. 이는 우리가 세계를 어떻게 이해하고, 현실이란 무엇인가에 대한 탐구를 계속하도록 도전하는 질문입니다.

따라서, 표상을 통한 입자의 숨은 비밀을 탐구하는 것은 우리가 세계를 인식하고, 그 인식이 어떻게 현실을 형성하는지에 대한 근본적인 이해를 심화 시키는 과정입니다. 이는 과학적 발견 뿐만 아니라, 철학적 사유에도 중요한 영향을 미치며, 현실의 본질에 대한 우리의 이해를 근본적으로 변화시킬 수 있는 통찰을 제공합니다.

첫째, 칸트의 인식론은 우리가 세계를 경험하는 방식이 선험적 범주와 인식기관을 통해 형성된다고 주장합니다. 이는 우리가 경험하는 모든 것이 내부적 인식 과정을 통해 생성된 표상이라는 의미입니다. 이 내부적 인식 기능에는 시간, 공간, 개념 등이 다 들어있습니다. 시간 공간 개념은 물리세계를 구축하는 핵심의 조건들입니다. 이 중, 시간은 특히 물리적인 것이 아니라는 점은 표상론의 타당성이 매우 강조되어야 하는 대목이 아닐 수 없습니다. 시간은 보이지 않습니다. 시간은 비물질입니다. 비물질인 시간이 물리 세계를 주관하고 있습니다. 왜냐하면 상대성이론을 통하여 밝혀진 것은 만물은 시간에 의하여 존재성이 결정되기에 그렇고 만일 시간이 없다면 만물은 존재할 수 없습니다.

여기서 중요한 점은, 이 표상이 실제 물질적 실체를 직접 반영하는 것이 아니라, 우리의 인식 과정을 통해 구성된 결과물이라는 것입니다. 이는 곧 현실이 우리의 인식에 의해 어떻게 형성되고 있는지를 보여주는 것입니다.

둘째, 양자역학의 발견, 특히 입자와 파동의 이중성은 물질의 본질에 대한 우리의 이해를 근본적으로 변화시켰습니다. 양자역학은 관찰자의 역할이 현상을 결정하는 데 중요함을 보여주며, 이는 관찰자 없이는 입자의 상태가 결정되지 않는다는 것을 의미합니다. 이는 칸트의 인식론과 어느 정도 상통하는 부분이 있으며, 현실이 관찰 과정에 따라 어떻게 달라질 수 있는지를 시사합니다.

셋째, 아인슈타인의 상대성 이론과 카를로 로벨리의 관계론적 존재론은 우리가 세계를 인식하고 이해하는 방식에 더 깊은 차원을 추가합니다. 상대성 이론은 관찰자의 위치와 속도가 관찰된 현상에 영향을 미친다고 말하며, 로벨리의 존재론은 모든 존재가 상호 관계 속에서만 의미를 갖는다고 주장합니다. 이는 현실이 단순히 고정된 실체가 아니라, 관찰자와의 관계 속에서 변화하고 형성되는 동적인 과정임을 보여줍니다.

이런 여러 과학자들의 주장에 의하면 달은 관찰의 결과로 얻을 수 있고, 관찰을 통하지 않고는 달은 규명되지 아니한다는 결론에 도달할 수 있습니다. 결국 고전 물리학과 양자물리학, 즉 아인슈타인과 보어류의 과학적 논리를 두고 벌인 진위는 양자역학의 승리로 자리매김하고 있습니다. 여기서 덤으로 양자역학에서 입자와 파동에 대한 해석, 그리고 관찰의 결과로 얻은 것은 달이고, 달은 입자로 규정되므로 입자는 관찰의 결과로 나온 결과치임을 알 수 있습니다. 또 관찰은 곧 인식이란 점에서 인식 후 얻은 것은 표상에 해당하니 표상은 곧 인식이 만든 비물질적 속성을 가진다는 비중 있는 결과를 얻게 되는 것입니다. 그리고 파동은 관찰 전 상태 즉 중첩상태, 불확정의 상태이며, 이는 또 인식론에 대입하면 물자체란 거물에 걸리므로 파동의 생명력은 사라지고 맙니다.

이런 결론을 통하여 달은 관측되기 전은 불확정 상태가 아니라, 없다는 표현이 맞습니다. 이는 내가 인식하기 전에는 물자체도 존재하지 않는다는 것을 의미합니다. 그렇다면 이 달과 물자체의 정체는 무엇일까요? 그 달과 물자체는 도대체 어디에 있는 걸까요?

이 질문에 대한 답은 이 책의 결론에서 다루겠지만,우리의 인식을 담당하는 다층적 대의식장 이론에서 그 해답을 찾을 수 있을 것이라고 생각합니다. 저 밖에, 저 허공에 빛나는 저 달과 물자체가 없다면, 그것들이 존재할 수 있는 곳은 오직 관찰자, 즉 우리의 의식 안밖에 없을 것입니다. 그 달은 아마도 나의 우리의 의식장 안에, 우리 내면에 있을 수밖에 없을 것입니다.

여기서 달콤한 팁을 하나 공유하자면, 달은 우리의 의식 안에 있고, 우리의 의식은 대의식장 안에 있다는 것입니다. 이는 우리와 달, 그리고 우주가 큰 의식장이라는 곳에 존재한다는 의미입니다. 이는 뒤에 논할 다층적 대의식장이론에서 더욱 자세히 설명될 것입니다. 의식장과 의식을 쉽게 설명하면, 우리가 살고 있는 이 표상세계는 마치 영화 속의 영화를 보는 것처럼 주관과 객관이 함께 다층적 의식장 안에 있으며 이곳에서 이루어지고 있음을 암시합니다.

이러한 다양한 이론과 발견을 통합해보면, 우리가 경험하는 세계는 우리의 인식과 관찰에 의해 크게 영향을 받으며, 심지어 형성될 수도 있다는 사실이 드러납니다. 표상을 통한 입자의 숨은 정체에 대한 탐구는 결국 우리가 '현실'이라고 부르는 것이 실제로 어떻게 구성되어 있는지, 그리고 그 구성 과정에 우리 자신이 어떻게 기여하고 있는지를 근본적으로 질문하는 것입니다.

이 모든 것은 인간의 인식과 의식, 그리고 우리가 살고 있는 세계의 본질에 대해 더 깊이 생각해보게 만듭니다. 현실과 우리의 인식 사이의 이러한 상호 작용을 이해하는 것은 우리가 세계를 어떻게 경험하고, 또 그것을 어떻게 해석해야 하는지에 대한 깊은 통찰을 제공합니다.

4. 인식론과 표상의 상호 협주

인식론에서 표상은 칸트의 인식론에 따라, 선험적으로 내재하는 시간과 공간의 틀 내에, 12개의 범주에 의해 해석된 내적 생성물로 이해됩니다. 이 내적 생성물의 특성은 그것이 비물질적인 본성을 가진다는 것입니다. 그러나 우리가 경험하는 표상은 비물질적이지 않은 것처럼 보입니다. 그럼에도 불구하고, 표상이 인간의 내부에서 생성되므로, 이는 비물질적인 본성을 지닌 것으로 간주될 수 있습니다. 결국, 이러한 비물질적인 본성은 물질적 현상처럼 경험되지만, 궁극적으로는 개념적인 물질, 즉 비물질적인 현상으로 이해될 수 있습니다.

이와 같은 맥락에서, 양자역학의 입자와 파동, 그리고 상대성이론에서의 대상도 비물질적인 본성을 지니면서도 물질적 현상처럼 경험될 수 있다는 결론에 도달합니다. 이런 경험이 우리 인간에게 있게 되는 근원은 우리가 영적으로 분류 지을 수 있는 의식이란 신비한 인식기구를 가지고 있기 때문입니다. 이는 모든 입자, 파동, 대상이 개념적인 현상으로 이해되어야 함을 시사합니다. 이러한 개념적인 현상을 우리가 경험하는 방식은 의식의 작용에 의한 것입니다. 의식은 비물질적인 현상을 물질적으로 느끼게 하는 기능을 수행합니다. 최근의 AI 기술이 정적인 사진으로 동적인 영상을 만들거나 사람의 모습과 말[언어]을 기반으로 다양한 언어로 강의하는 영상을 생성할 수 있는 것처럼, 인간의 의식 또한 비물질을 물질처럼 경험하게 만드는 능력을 지니고 있습니다.

따라서, 우리가 경험하는 세계는 의식에 의해 형성되는 것으로 이해될 수 있으며, 이는 양자역학과 상대성이론을 통해 제시된 현실의 본질에 대한 현대적인 이해와 일치합니다. 이러한 관점은 의식이 만물을 형성하는 주요 힘임을 강조하며, 의식과 물질 사이의 경계를 모호하게 만듭니다. 이는 물리학과 철학, 그리고 인식론이 어떻게 상호작용하며 우리의 세계관을 형성하는지에 대한 깊은 통찰을 제공합니다.

양자역학과 상대성이론이 제시하는 우주의 비물질적, 관계적 본성은 의식의 역할을 새롭게 조명합니다. 양자역학에서 관찰자의 측정이 결과에 영향을 미친다는 사실은 의식이 현실을 형성하는 데 중요한 역할을 할 수 있음을 시사합니다. 또한, 상대성이론은 우리가 시간과 공간을 경험하는 방식이 상대적임을 보여줌으로써, 우리의 인식이 어떻게 우주를 이해하는지에 대한 근본적인 질문을 던집니다.

양자역학과 상대성이론이 과학계에 던진 도전과 그 이론들이 철학적 사유와 어떻게 교차하는지를 탐구하는 내용입니다. 이를 대화식으로 꾸며 보겠습니다.

과학자 A: "양자역학에 대한 논의가 정말 100년 넘게 지속되었죠. 이제 양자역학은 물리학의 핵심으로 자리잡았습니다. 이론의 복잡성과 심오함에도 불구하고, 사람들 사이에서 점점 더 많은 관심을 받고 있어요."

과학자 B: "그렇죠. 양자역학과 아인슈타인의 상대성이론은 과학의 양대 산맥입니다. 이 두 이론은 자연을 보는 우리의 방식을 근본적으로 변화시켰죠."

철학자 C: "상대성원리의 '상대' 개념은 인간과 자연의 상호작용을 의미합니다. 이는 관찰자와 자연이 분리될 수 없다는 깊은 철학적 함의를 지니고 있어요."

과학자 A: "정확히 말하면, 상대성이론은 모든 존재가 시간, 공간, 그리고 속도에 의해 상대적으로 결정된다고 설명합니다. 이것은 우리가 존재를 이해하는 방식에 큰 전환점이 되었죠."

철학자 C: "이것은 칸트가 이야기한 표상의 개념과도 맞닿아 있습니다. 칸트는 우리가 인식하는 세계가 실제로는 우리 내부에서 형성된다고 주장했으니까요."

과학자 B: "양자역학으로 넘어가 보면, 파동과 입자의 이중성은 우리의 상식을 뒤흔듭니다. 이 이론에 따르면, 아원자 입자들은 관찰되지 않는 한 동시에 파동과 입자의 상태에 있을 수 있어요."

철학자 C: "그렇다면, 이는 칸트의 인식론과 어떻게 연결될 수 있을까요? 칸트는 우리가 세계를 인식하는 방식이 결국 우리가 세계를 형성하는 방식이라고 봤으니까요."

과학자 A: "맞아요. 양자역학에서 관찰자의 역할이 중요한 것처럼, 칸트의 철학에서도 인식하는 주체가 현상을 형성합니다. 관찰자의 관찰이 결과를 결정하는 것이죠."

과학자 B: "이러한 관점에서, 자연을 관찰하는 우리의 역할은 자연과의 상호작용을 통해 정의됩니다. 양자역학은 이 상호작용이 어떻게 이루어지는지를 구체적으로 보여줍니다."

철학자 C: "결국, 칸트가 남긴 물자체에 대한 숙제와 양자역학의 파동과 입자 문제는 서로 깊게 연결되어 있습니다. 우리가 자연을 어떻게 인식하고, 그 인식이 자연을 어떻게 형성하는지에 대한 근본적인 질문을 던지고 있죠."

과학자 A: "양자역학과 철학, 특히 칸트의 인식론은 우리가 세계를 이해하는 방식을 근본적으로 확장 시켜 줍니다. 이것은 과학과 철학이 어떻게 서로를 풍부하게 만드는지를 보여주는 완벽한 예입니다."

이 대화는 양자역학과 칸트의 철학이 어떻게 서로 연결되며, 이 연결점이 우리가 세계를 인식하고 해석하는 방식에 어떤 의미를 지니는지 탐구합니다. 과학과 철학은 서로 다른 경로를 통해 비슷한 결론에 도달하며, 이 과정에서 우리의 지식과 이해는 더욱 깊어집니다.

이 대화는 양자역학과 상대성이론, 그리고 칸트의 철학이 어떻게 우리의 세계관을 확장 시키고, 우리가 세계를 인식하는 방식에 대한 깊은 질문을 제기하는지를 탐구합니다. 과학과 철학은 서로 다른 방식으로 같은 근본적인 질문들을 탐구하며, 이러한 상호작용은 우리 지식의 경계를 넓히는 데 중요한 역할을 합니다.

양자역학과 관련하여, 과학자들 사이에서는 이론의 복잡성과 미스터리한 현상들이 왜 발생하는지에 대한 깊은 의문이 여전히 남아 있습니다. 이와 관련하여, 리처드 파인만은 "양자역학을 이해하는 사람은 아무도 없다"라는 유명한 말을 남겼습니다. 이는 양자역학이 가진 근본적인 불확실성과 예측 불가능성을 강조하는 발언으로, 과학자들조차도 이 이론의 전체적인 그림을 완전히 이해했다고 말하기 어려운 현실을 반영합니다.

그러나 이탈리아의 우주론자 카를로 로벨리는 양자역학의 이해에 새로운 차원을 제시합니다. 로벨리는 "세상이 견고하다고 느끼는 것은 우리가 거시적인 관점에서 바라보기 때문이며, 실제로는 불연속적인 사건들과 상호작용이 드문드문 흩어져 있는 세계"라고 설명합니다. 이는 양자역학의 관점에서 볼 때, 모든 것은 상호작용하는 과정 속에서만 의미를 가지며, 인간 역시 이러한 상호작용의 일부라는 사실을 강조합니다. 로벨리의 이러한 '관계론적' 해석은 물질 세계가 본질적으로 관계 속에서 형성되고, 이해될 수 있음을 시사합니다.

로벨리의 해석을 파인만의 견해와 결합해 본다면, 양자역학의 심오한 이론들과 그 현상들이 우리에게 보여주는 것은, 세계를 이해하는 데 있어서 인간의 관점과 관계가 중요하다는 점입니다. 양자역학이 제공하는 불확실성과 불연속성은 우리가 세계와 상호작용하는 방식을 재고하게 만들며, 이는 결국 모든 존재가 상호 연결되어 있음을 인정하고 이해하는 데 도움을 줍니다. 로벨리가 말한 바와 같이, 양자역학은 인간으로 하여금 오만해질 수 없게 하며, 우리 자신과 우리가 속한 세계를 보는 관점을 근본적으로 변화시킵니다. 이렇게 양자역학은 물질 세계의 본성을 관계론적 관점에서 재해석하며,

우리가 세계와 우리 자신을 이해하는 방식에 깊은 영향을 미치고 있습니다.

철학과 과학의 교차점에서 도출된 이러한 개념은 우리가 자연과 만물의 존재를 이해하는 방식에 대해 근본적인 질문을 던집니다. 이 질문의 핵심은 모든 것을 우리가 인식하는 방식, 즉 '표상'을 통해만 볼 수 있다는 것입니다. 이는 표상의 속성이 내재적 인식의 결과라는 결론으로 이어집니다. 이러한 관점에서 보면, 과학적 개념인 입자 또한 표상의 하나로 볼 수 있으며, 이는 입자가 내재적 인식의 생성물이라는 주장을 뒷받침합니다.

5. 물자체와 파동: 의미와 본질

물자체와 파동의 개념은, 인간이 외부 세계와 상호작용하는 방식의 근본을 탐구하는 데 있어 중심적인 역할을 합니다. 칸트의 물자체는 우리가 직접 인식할 수 없는 외부 세계의 근본적 실체를 나타내며, 양자역학의 파동은 관찰되지 않는 상태에서의 입자의 잠재적 특성을 표현합니다. 이 두 개념은 각각의 분야에서 인간의 인식 한계와 그 한계를 넘어서려는 시도를 상징합니다.

물자체와 파동을 둘러싼 탐구는 우리가 외부 세계를 어떻게 인식하고, 그 인식이 우리에게 어떤 영향을 미치는지에 대한 깊은 이해를 제공합니다. 칸트는 물자체에 대해 우리가 직접적으로 알 수 없다고 주장함으로써, 인식의 한계를 명확히 하였습니다. 이는 인간의 인식이 주관적이며, 우리 내부의 인식 체계에 의해 형성된다는 것을 의미합니다. 즉, 우리가 경험하는 세계는 외부에서 독립적으로 존재하는 것이 아니라, 우리의 인식 과정을 통해 재구성되고 해석된 것입니다.

양자역학에서의 파동 개념 역시 유사한 문제를 제기합니다. 입자의 상태가 관찰에 의해 결정된다는 사실은, 외부 세계의 실체가 우리의 관찰과 인식에 의존한다는 것을 보여줍니다. 이는 우리가 외부 세계를 객관적으로 파악하는 것이 아니라, 우리의 관찰과 해석을 통해 그 실체를 구성한다는 것을 의미합니다.

이러한 관점에서, 물자체와 파동에 대한 탐구는 우리가 세계를 이해하는 방식에 대한 근본적인 질문을 제기합니다. 우리의 인식은 어떻게 외부 세계와 상호작용하며, 이 상호작용은 우리가 세계를 어떻게 경험하고 해석하는지에 어떤 영향을 미치는가? 물자체와 파동에 대한 이해를 깊게 함으로써, 우리는 인식의 본질과 한계, 그리고 그 한계를 넘어서는 지식의 가능성에 대해 더 깊이 사유할 수 있습니다.

또한, 이러한 탐구는 우리가 세계에 대해 가질 수 있는 지식의 본질과 그 한계를 재고하게 합니다. 우리의 인식이 주관적이며 한정적임을 인정함으로써, 우리는 더 겸손하고 개방적인 태도로 세계와 그 복잡성을 접근할 수 있습니다. 이는 과학적 탐구와 철학적 사유 모두에 중요한 교훈을 제공합니다.

물자체와 파동에 대한 탐구는 우리의 인식과 세계 이해에 대한 근본적인 성찰을 요구합니다. 이는 우리가 세계를 어떻게 파악하며, 그 속에서 우리의 위치를 어떻게 정의할지에 대한 귀중한 통찰을 제공합니다.

칸트의 표상세계 개념과 양자역학의 입자에 관한 분석을 연결 짓는 것은, 인식된 세계가 우리 내부의 인식 구조에 의해 형성된다는 근본적인 통찰로 이어집니다. 이러한 관점에서, 우리는 물질을 직접 경험하는 것이 아니라, 표상을 통해 그것을 감관하고 해석합니다. 과학이 입자나 물질로 분류하고 있는 모든 것들도 실제로는 우리 내부에서 반영된 결과물이며, 이는 궁극적으로 우리의 인식 구조와 표상세계에 의해 해석됩니다.

현대 과학에서, 입자를 물질의 근본적인 구성 요소로 취급하지만, 양자역학에서 보여주는 입자의 비물질적 속성은 입자조차도 관찰과 인식의 과정을 통해 우리에게 나타나는 것임을 시사합니다. 이는 입자가 실질적인 물질적 실체이기보다는 관찰에 의해 형성된 표상의 일부라는 생각으로 이어집니다. 이러한 관점에서, 입자가 비물질적 속성을 가진다면, 파동의 비물질성은 더욱 명확해 집니다. 이에 따라서 관찰 전 현상으로 나타나는 파동은, 인식 전 물자체로 나타나는 것과의 관계를 통하여 물자체 역시 비물질로 해석될 수밖에 없습니다. 이렇게 되면 우리가 직관하는 대상세계도 비물질이란 것을 반영합니다.

이로부터 물질의 실재성에 대한 궁극적인 질문이 제기됩니다. 만약 입자와 파동이 우리의 인식 과정과 표상세계를 통해 해석되는 비물질적 속성을 가진다면, 우리가 일반적으로 '물질'이라고 부르는 것의 실재성은 어떤 의미를 가질까요? 이러한 질문은 물질의 본질과 우리가 세계를 인식하는 방식에 대한 근본적인 재고를 요구합니다.

이러한 깊이 있는 관점에서 출발하면, 우리가 세계를 인식하는 방식이 물질과 비물질의 경계를 모호하게 만든다는 결론에 도달할 수 있습니다. 입자의 비물질적 속성과 파동의 비물질성이 명확해지면서, 관찰되기 전에 나타나는 파동 상태는 인식되기 전의 물자체와 유사한 비물질적 성격을 가지게 됩니다. 이로 인해, 물자체도 비물질적으로 해석될 수밖에 없는 상황이 벌어집니다. 이와 같은 사고방식은 우리가 경험하는 대상세계 역시 궁극적으로 비물질적이라는 개념을 반영하게 됩니다.

이는 인간의 인식 과정이 외부 세계를 단순히 반영하는 것이 아니라, 그것을 구성하는 데 기여한다는 사실을 강조합니다. 칸트가 제시한 이념에서 우리는 현상의 세계를 경험할 수 있으며, 이 현상은 우리의 인식 구조와 감각 기관에 의해 형성된다는 것을 알 수 있습니다. 따라서, 우리가 인식하는 세계는 우리 내부의 인식 구조에 의해 해석된 것이며, 이는 물리적 실체를 넘어서는 무엇인가를 시사합니다.

이러한 관점에서, 물질의 실재성에 대한 질문은 더 이상 단순히 물리학적인 문제가 아니라, 인식론적 문제로 확장됩니다. **우리가 경험하는 모든 것이 인식 과정을 통해 형성되고 해석된다면, '물질'이라는 개념 자체도 우리의 인식과 해석에 의존하는 것입니다.** 따라서, 우리가 직관하는 대상세계의 본질을 이해하려면, 물질과 비물질의 구분을 넘어서는 새로운 관점이 필요합니다.

이러한 사유는 과학과 철학의 경계를 넘나들며, 우리가 세계와 현실을 어떻게 이해하고 인식하는지에 대한 근본적인 질문을 제기합니다. 우리의 인식과 그것이 형성하는 세계의 본질에 대한 탐구는, 과학적 탐구와 철학적 사유를 결합하여 세계를 이해하는 보다 포괄적인 방법론을 요구합니다.

칸트의 표상세계 개념과 양자역학을 통해 입자의 비물질적 속성을 분석하는 과정은, 우리가 인식하는 세계가 실제로는 내적 구성에서 비롯된다는 매우 심오한 결론으로 이어집니다. 이런 관점에서 볼 때, 우리가 경험하는 물질적 세계의 실체는 실제로는 존재하지 않는 것으로 여겨지며, 이는 외부 세계의 실체에 대해서도 근본적인 의문을 제기합니다.

이러한 사고 방식에 따르면, 물자체는 단순히 우리가 외부 세계에서 경험하는 것이 아니라, 우리 내면의 경험과 밀접하게 연결되어 있음을 알 수 있습니다. 이와 동시에, 입자와 관련된 파동 역시 우리 의식의 내부에서 발견될 수 있는 것으로 해석될 수 있습니다. 이는 **우리의 인식과 의식이 실제로 외부 세계를 형성하는 데 중요한 역할을 한다는 것을 의미합니다.**

칸트는 이러한 관점을 통해 우리가 세계를 경험하는 방식이 사실은 주관적인 인식 구조에 의해 결정된다고 주장했습니다. 즉, 우리가 인식하는 현상의 세계는 우리의 감각과 이성에 의해 형성되며, 이는 결국 우리 내부의 인식 구조에 의존한다는 것입니다. 따라서, 외부 세계의 '실체'에 대한 우리의 인식은 우리 내부의 인식 구조와 해석에 근거한 것입니다.

양자역학에서 나타나는 입자의 비물질적 속성은 이러한 칸트의 사상과 잘 어울립니다. 양자역학의 관측자 의존성과 파동 함수의 붕괴는 관찰이 현실을 형성하는 데 결정적인 역할을 함을 보여줍니다. 즉, 입자의 상태는 관찰자의 관찰에 따라 결정되며, 이는 인식된 세계가 실제로는 관찰자의 내적 구성과 인식 과정에서 비롯된다는 사실을 뒷받침합니다.

결론적으로, 칸트의 표상세계 개념과 양자역학을 통한 입자의 비물질적 속성 분석은 우리가 세계를 인식하는 방식에 대한 근본적인 이해를 제공합니다. 이는 외부 세계의 '실체'와 우리가 경험하는 현상의 세계가 사실은 우리의 인식 과정과 내적 구성에서 비롯된다는 심오한 통찰을 제시합니다. 따라서, 물질적 세계의 실체에 대한 우리의 이해는 끊임없이 질문과 탐구의 대상이 됩니다.

이러한 해석은 현대 과학, 특히 양자역학의 발견과 임마누엘 칸트의 철학적 주장 사이의 깊은 연결을 보여줍니다. 칸트가 논한 '물자체'는 우리 인식의 한계를 넘어서는, 인식할 수 없는 실체를 의미합니다. 이는 양자역학에서 발견된 **파동**의 비물질적 속성과 상호 작용하는 방식으로, 우리가 경험하는 세계가 실제로는 우리의 인식과 의식에 의해 형성된다는 주장으로 이어집니다.

양자역학의 입자는 관측되지 않는 한 다양한 상태의 중첩에 존재할 수 있으며, 이는 인식론적 관점에서 볼 때, 우리의 인식이 현실을 어떤 방식으로 든 '만들어내는' 과정과 유사합니다. 따라서, 물자체와 파동의 비물질적 속성을 우리의 내면적 경험과 연결 짓는 것은, 우리가 세계를 경험하는 방식에 대한 근본적인 이해를 제공합니다.

이는 의식의 내부에 존재하는 파동과 물자체에 대한 새로운 해석을 제시하며, 외부 세계가 우리의 의식에 의해 어떻게 형성되고 인식되는지에 대한 더 깊은 통찰을 제공합니다. 이러한 관점은 물리적 세계와 우리가 인식하는 세계 사이의 경계를 모호하게 만들며, 의식과 현실 사이의 깊은 연결을 강조합니다.

결국, 이러한 해석은 우리가 세계를 이해하고 경험하는 방식에 대한 근본적인 질문을 던집니다. 우리의 의식과 인식이 현실을 어떻게 형성하는지, 그리고 이러한 과정이 우리에게 물자체와 같은 실체에 대한 진정한 이해를 어떻게 제공할 수 있는지에 대한 탐구는 계속됩니다.

6. 관찰자의 중심적 물자체와 파동

물자체와 파동의 연결

칸트의 철학에서 물자체는 인식할 수 없는, 그러나 모든 현상의 근원으로 여겨지는 '것 자체'를 의미합니다. 이와 대조적으로, 양자역학에서 파동은 관찰되지 않을 때의 자연 상태를 나타내며, 이는 세계가 관찰자 없이는 명확하게 정의될 수 없다는 현대 물리학의 기본 원리 중 하나입니다.

인식과 현실의 구성

물자체와 파동을 통한 탐구는 인식과 현실이 어떻게 상호작용하는지를 보여줍니다. 인간의 인식 기관은 외부 세계를 경험하는 유일한 창으로, 이를 통해 우리가 경험하는 세계는 사실상 인식 과정에서 생성되는 것임을 시사합니다. 이는 세계가 주관적 인식에 의해 형성되고, 객관적 현실이라는 것이 인식과 관찰의 과정에 의존한다는 것을 의미합니다.

비물질적 현실의 수용

물자체와 파동의 탐구는 우리가 살고 있는 세계가 본질적으로 비물질적일 수 있음을 시사합니다. 입자와 파동의 이중성, 그리고 표상과 물자체 사이의 관계를 통해, 현실이 인간의 인식과 관찰에 의해 형성되는 비물질적 구성물임을 이해할 수 있습니다.

관찰자의 중심적 역할

세계를 형성하는 데 있어 관찰자의 역할은 결정적입니다. 인식론과 양자역학 모두에서, 관찰자의 존재와 행위가 현실을 결정짓는 핵심적인 요소로 작용합니다. 이는 인간의 의식과 인식이 우주와 현실을 구성하는 데 중심적인 역할을 한다는 것을 강조합니다.

물자체와 파동을 통해 우리는 현실의 본질이 단순한 물리적 실체가 아니라, 인간의 인식과 관찰에 의해 형성되는 복잡한 구조임을 이해하게 됩니다. 이러한 이해는 우리에게 세계를 바라보는 새로운 시각을 제공하며, 현실을 구성하는 근본적인 원리에 대한 탐색을 촉진합니다. 결국, 이 탐구는 인간의 인식이 현실을 어떻게 형성하는지, 그리고 우리가 살고 있는 세계의 본질이 무엇인지에 대한 근본적인 질문에 대한 답을 찾는 과정입니다.

7. 물자체를 통해서 알 수 있는 것

이 책의 탐구는 현대 과학, 철학, 그리고 의식 연구의 교차점에서 펼쳐지는 광범위한 지식의 통합을 시도합니다. 칸트의 물자체에 대한 철학적 탐구부터 시작하여, 양자역학의 파동과 입자의 이중성, 그리고 의식의 구조와 기능에 이르기까지, 다양한 학문 분야의 성과를 종합하여 우리가 살고 있는 세계의 본질에 대한 새로운 이해를 제공하고자 합니다.

의식과 현실의 상호작용

우리의 인식은 의식의 작동 방식과 깊이 연결되어 있습니다. 의식의 구조는 경험을 해석하고, 현실을 구성하는 데 중심적인 역할을 합니다. 이러한 관점에서, 현실은 주관적인 의식의 생성물로 볼 수 있으며, 이는 우리가 경험하는 모든 것이 의식의 필터를 통해 해석되고 구성된다는 것을 의미합니다. 따라서, 현실과 의식 사이의 경계는 모호하며, 우리가 경험하는 세계는 의식의 활동에 의해 형성되는 것입니다.

양자역학과 의식

양자역학에서 파동과 입자의 이중성은 현실의 본질을 이해하는 데 중요한 열쇠를 제공합니다. 입자와 파동의 중첩 상태는 관찰자의 관찰이 현실을 형성하는 방식을 시사하며, 이는 의식이 현실을 구성하는 과정과 유사합니다. 이러한 관점에서, 우리가 경험하는 현실은 의식의 작동과 양자역학적 현상 사이의 상호작용에 의해 형성되는 것으로 볼 수 있습니다.

가상의 세계와 의식의 세계

현대 기술, 특히 가상현실과 인공지능의 발전은 우리가 현실과 가상 사이의 경계를 재고하게 만듭니다. 가상의 세계가 점점 더 현실적으로 느껴지게 되면서, 우리는 의식이 현실을 어떻게 구성하는지에 대해 더 깊이 사유할 필요가 있습니다. 의식이 생성하는 현실은 어느 정도 가상의 성격을 가지며, 이는 우리가 현실을 인식하고 이해하는 방식에 근본적인 질문을 던집니다.

이 책은 이러한 복합적인 주제를 탐구하면서, 의식과 현실 사이의 복잡한 관계를 이해하려고 합니다. 우리의 인식, 양자역학의 발견, 그리고 의식의 작동 방식을 통합적으로 조망함으로써, 우리는 세계와 우리 자신에 대한 보다 깊은 이해에 도달할 수 있습니다. 이러한 통합적 접근은 우리가 살고 있는 세계의 본질에 대한 새로운 통찰을 제공하며, 우리가 세계를 바라보는 방식을 근본적으로 변화시킬 수 있는 가능성을 열어줍니다.

8. 비물질성의 의미

양자역학과 상대성이론, 그리고 의식 사이의 상호작용은 현대 과학과 철학의 중심적인 논의를 형성합니다. 이러한 논의는 주체와 객체, 즉 관찰자와 관찰 대상 사이의 관계를 새로운 방식으로 탐구하며, 이 과정에서 인식론적 관점이 중요한 역할을 수행함을 드러냅니다. 양자역학과 상대성이론에서 관찰자의 위치는 인식론에서의 인식 또는 의식과 동등한 중요성을 갖습니다. 이는 인식론에서의 표상이 양자역학과 상대성이론에서의 입자나 대상물에 상응한다는 것을 의미합니다. 따라서, 인식론의 표상과 양자역학, 상대성이론의 대상은 일치한다고 볼 수 있습니다.

비물질성의 의미

내재적 인식의 소산물인 표상이 비물질적이라는 개념은 입자와 파동을 포함한 모든 자연 현상이 실질적으로 비물질적인 성질을 가짐을 시사합니다. 이러한 주장은 우리가 외부 세계를 경험하고 이해하는 모든 방식이 궁극적으로 의식에서 비롯된다는 근본적인 이해를 제공합니다. 따라서, 우리가 '실재'로 여기는 모든 것은 의식의 피조물일 뿐입니다.

의식의 역할

이러한 관점은 표상, 입자, 물자체, 파동 등 우리가 인식하는 모든 현상이 의식의 작용에 의해 생성된다는 강력한 유추를 제공합니다. 이 유추는 의식이 단순히 외부 세계를 수동적으로 반영하는 것이 아니라, 외부 세계를 적극적으로 생성하고 형성하는 능동적인 역할을 수행함을 암시합니다. 즉, 우리의 의식은 자연과 만물의 존재를 형성하고 정의하는 근본적인 힘입니다.

철학과 과학의 대화는 우리에게 세계와 자연의 본질에 대한 새로운 시각을 제공합니다. 이 시각에서는 모든 존재가 비물질적인 성질을 가지며, 이는 궁극적으로 내재적 인식과 의식의 결과로 이해됩니다. 이러한 이해는 인간의 인식과 의식이 자연을 이해하고 해석하는 데 얼마나 중요한지를 강조하며, 우리가 세계를 바라보는 방식에 근본적인 변화를 요구합니다.

내재적 인식의 소산물이 비물질적이라는 개념은 우리가 경험하는 세계의 본질에 대한 근본적인 재해석을 요구합니다. 이러한 해석은 카를로 로벨리의 관계론적 존재론과 매우 밀접하게 연결되어 있으며, 로벨리의 이론은 존재를 관계, 정보, 개념, 그리고 환상으로 보는 데서 그 근거를 찾습니다.

관계론적 존재론과 의식

카를로 로벨리의 관계론적 존재론은 세계와 그 안에 있는 모든 것이 상호 연결되어 있고, 이러한 연결망 속에서만 의미를 갖는다고 주장합니다. 이는 존재가 독립적인 실체로서가 아니라, 다른 것 들과의 관계 속에서 정의됨을 의미합니다. 이 관점에서, 정보와 개념은 이러한 관계를 형성하고 해석하는 데 필수적인 요소가 됩니다. 로벨리는 이러한 관점을 통해 존재를 환상으로 보는 것까지 나아갑니다. 즉, 우리가 '실재'라고 여기는 것은 우리의 인식과 해석에 의해 생성된 환상일 뿐입니다.

이러한 해석은 의식이 단순한 관찰자가 아니라, 우주와 존재를 생성하고 해석하는 능동적인 참여자임을 시사합니다. 의식은 외부 세계와의 관계를 통해 정보를 수집하고, 이 정보를 바탕으로 개념을 형성하며, 이를 통해 우리가 경험하는 세계를 구성합니다. 따라서, 우리의 의식과 그 작용은 우리가 '실재'로 인식하는 모든 것을 형성하는 근본적인 힘이 됩니다.

로벨리의 이론과의 공명

로벨리의 관계론적 존재론은 자연 현상을 포함한 모든 존재가 궁극적으로 비물질적인 성질을 가진다는 주장과 깊이 공명합니다. 이는 우리가 외부 세계를 경험하고 이해하는 모든 방식이 의식에서 비롯되며, 이 의식에 의해 형성된다는 근본적인 이해를 제공합니다. 로벨리의 이론은 우리가 세계를 바라보는 방식에 근본적인 변화를 요구하며, 존재의 본질을 다시 생각해보게 만듭니다.

결론적으로, 내재적 인식의 소산물이 비물질적이라는 개념과 로벨리의 관계론적 존재론은 우리가 세계를 이해하는 방식에 대한 근본적인 질문을 던집니다. 이는 존재와 실재에 대한 우리의 이해를 근본적으로 확장 시키며, 의식의 역할을 새롭게 조명합니다.

9. 꿈과 각성의 공통점

우리 삶에서 꿈은 의식의 놀라운 능력을 드러내는 중요한 증거물입니다. 꿈 속 세계와 우리가 각성한 상태에서 경험하는 현실은 모두 물질로 구성된 것처럼 느껴집니다. 그러나 꿈은 우리가 아침에 눈을 뜰 때 그 모든 현실감 넘치는 물질들이 사실은 우리 의식이 창조한 것임을 깨닫게 합니다. 이는 짧은 주기로 인해 꿈과 현실 사이의 경계가 명확하게 드러나기 때문입니다.

반면, 우리의 '현실'은 70년, 80년이라는 긴 시간 동안 지속되기 때문에, 우리는 그것이 의식에 의해 형성된 것임을 직접적으로 깨닫지 못합니다. 만약 꿈을 70년 동안 꾸고, '현실'을 단 하룻밤 동안 경험한다면, 우리는 아마도 현실을 꿈처럼 여길 것입니다. 이러한 가상의 상황은 우리에게 중요한 사실 하나를 일깨워 줍니다: 현실 역시 의식의 작용에 의해 생성된 것이라는 깨달음입니다.

이러한 관점에서 볼 때, 꿈은 우리에게 현실이라고 여기는 세계 역시 우리의 의식에 의해 형성되고, 경험되며, 해석된다는 강력한 증거를 제공합니다. 꿈과 현실 사이의 경계가 의식에 의해 얼마나 유동적으로 조성될 수 있는지를 보여주며, 우리의 의식이 어떻게 우리가 경험하는 모든 '물질적' 현실을 구성하는지를 시사합니다.

현실과 꿈은 모두 의식에서 발생한 것이지만, 현실에서는 그 출처를 알아보기 어렵습니다. 의식은 우리가 경험하는 모든 것을 포함하고 있으며, 외부 세계를 주관과 분리하여 연출합니다. 그런데 꿈 속에서도 현실에서 경험하는 모든 것을 재현할 수 있습니다. 그렇기에 우리는 꿈에서도 시간, 공간, 사건, 사고, 물질 등을 경험할 수 있습니다. 하지만 현실에서는 그것들이 의식이 만든 것임을 인식하기 어렵습니다. 우리는 현실에서 보는 모든 것을 실제로 경험하고 있으며, 이것이 의식의 결과라는 생각을 들지 않습니다. 그러나 꿈을 통해 생각하면 현실도 의식의 소산물임을 깨닫게 됩니다.

따라서, 꿈을 통해 우리는 현실도 결국 의식의 한 형태로 볼 수 있으며, 이는 우리가 우주와 존재에 대해 가지는 이해를 근본적으로 확장시키는 통찰을 제공합니다. 이러한 인식은 우리가 세계를 바라보는 방식에 근본적인 변화를 요구하며, 의식과 물질, 주관과 객관 사이의 관계를 새롭게 조명합니다.

10. 인식과 관찰과 뇌과학에서의 시신경

인식론과 양자역학의 탐구는 우리가 세계를 인식하는 근본적인 방식에 대해 중요한 질문을 제기합니다. 이 두 분야는 고대 철학부터 현대 물리학까지 이어지는 광범위한 지식의 스펙트럼을 아우르며, 인간의 인식 과정과 그 본질에 대해 깊이 있는 통찰을 제공합니다. 이러한 복잡한 이론적 배경 위에 뇌과학과 인지과학이라는 새로운 차원이 추가되면서, 우리는 인식과 관찰이라는 기본적인 인간 활동에 대해 더욱 세밀하게 이해할 수 있게 되었습니다.

뇌과학은 인식과 관찰 과정에서 중추적인 역할을 하는 눈과 시신경의 기능을 구체적으로 밝혀 냄으로써, 우리가 외부 세계를 어떻게 인식하게 되는지에 대한 과학적 근거를 제시합니다. **눈은 외부로부터 빛을 수집하는 센서 역할을 하며, 이렇게 수집된 빛은 시신경을 통해 뇌로 전달되어 시각 정보로 변환**됩니다. 뇌에서는 이 시각 정보를 여러 가지 복잡한 처리 과정을 거쳐 해석하고, 최종적으로 우리가 인식하는 대상의 이미지를 생성합니다.

뇌과학의 발전은 칸트의 인식론과의 깊은 연결을 과학적으로 입증합니다. 눈과 시신경의 기능을 통해 외부 세계의 빛을 수집하고 뇌로 전달하는 과정은, 뇌가 시각 정보를 해석하여 우리가 인식하는 대상의 이미지를 생성하는 방식으로 이루어집니다. 뇌과학의 진보는 칸트의 인식론과의 밀접한 연결을 과학적으로 밝혀내며, 우리가 외부 세계를 인식하는 과정이 실제로 어떻게 이루어지는지를 설명합니다. 우리의 감각 시스템이 외부 세계의 정보를 수집하고 이를 뇌가 해석하여 인식의 대상을 구성하는 과정은, 칸트가 이야기한 시간과 공간의 선험적 조건과 인식의 12가지 범주가 실제로 우리의 뇌 작용을 통해 체험되는 것을 확인시켜 줍니다. 이러한 과학적 발견은 칸트의 주장처럼, 우리가 인식하는 세계와 그 자체로 존재하는 외부 세계[물자체]가 서로 다름을 강조합니다. 우리가 인식하는 것은 물질로 여겨질 수 있지만, 깊은 사유를 통해 그것이 실제로는 비물질적 성질을 가지고 있음을 깨닫게 됩니다. 그러나 물자체는 물질로 여겨집니다. 이것은 둘이 근본적으로 다른 본성을 지닌다는 인식론적 깨달음을 제공합니다.

우리가 일상에서 경험하는 세계를 물질적 현실로 받아들이지만, 실제로 우리가 살아가는 세계는 우리의 인식 과정에 의해 형성된 것입니다. 칸트가 언급한 '물자체'는 우리의 인식과는 독립적으로 존재하는 외부 세계를 의미하는데, 이는 우리가 직접 경험할 수 없는, 확인할 수 없는 영역입니다. 따라서 물자체의 실체는 우리가 현재 살아가고 있는 세계와는 별개로, 우리의 인식 범위 밖에 있는 미확인 비행물체와 같이 불확실한 존재로 남습니다. 이 물자체에 대한 것은 우리가 살고 있는 세계 밖의 것이며, 이는 우리의 세계가 오직 인식의 범위 안에 있는 것만 경험할 수 있다는 관점에서는 물자체는 의식의 밖의 것처럼 인식됩니다.

그러나 한편 물자체 또한 우리의 의식이 남긴 것에 불과합니다. 물자체가 거론되었다는 자체가 이미 물자체도 인식의 범주안에 들어온 것이기 때문입니다. 그리고 물자체는 우리의 인식 밖에 고유하게 존재하는 것이라는 자체가 이미 인식의 소산물이라는 증거입니다. 밖에 있다는 그것 조차 우리의 인식이 결정한 것이기 때문입니다.

이러한 관점에서 보면, 물자체의 개념 자체도 우리 의식의 산물이라는 점이 분명해집니다. 우리가 물자체에 대해 가지는 의문도, 실제로 의식에서 비롯된 것이며, 이로 인해 물자체는 우리 의식의 틀을 벗어날 수 없습니다. 따라서 물질로 인식되는 물자체도 궁극적으로는 의식에 의해 생성된 비물질적 존재임이 밝혀지는 것입니다. 이는 칸트가 말한 표상세계가 곧 물자체와 동일한 비물질에 귀속된다는 논리를 우리들에게 제공합니다. 이는 또 우리가 물질 세계로 생각하고 있는 대상세계 곧 물자체의 세계의 존재에 대하여 의문을 가지게 됩니다. 이는 뒤에 펼쳐질 의식장의 세계를 예고하는 신호탄이 됩니다.

그럼에도 불구하고 칸트의 인식론에서 도출된 표상의 개념은 뇌과학의 발견을 통해 간접적이라도 과학적 유효성을 얻게 되었다는 사실은, 철학과 과학이 서로를 보완하며 우리의 인식과 세계 이해에 깊은 통찰을 제공하는 상호작용을 강조합니다.

이 과정은 인식과 관찰이 단순히 외부에서 들어오는 정보를 수동적으로 받아들이는 것이 아니라, 능동적인 해석과 생성의 과정임을 보여줍니다. 이러한 발견은 칸트의 표상 개념과 양자역학에서의 입자와 파동의 이중성을 과학적으로 뒷받침합니다. 칸트는 우리가 외부 세계를 인식하는 과정이 주관적인 해석을 통해 이루어진다고 주장했으며, 양자역학은 관찰자의 역할이 물리적 현상의 결과에 결정적인 영향을 미친다는 것을 보여줍니다.

뇌과학에서의 이러한 연구 결과는 우리가 인식하는 세계가 실제로는 우리 내부의 인식 과정을 통해 재구성되는 것임을 시사합니다. 우리의 뇌와 시신경은 외부 세계로부터 들어오는 정보를 받아들이고, 이를 기반으로 우리가 인식하는 세계의 표상을 생성합니다. 이 과정은 표상, 입자, 그리고 물자체와 같은 철학적 개념들이 실제로 우리 내부에서 어떻게 형성되는지에 대한 깊은 이해를 가능하게 합니다.

결국, 철학과 과학, 그리고 뇌과학의 교차점에서 우리는 인식과 관찰의 본질에 대해 더 깊이 탐구할 수 있습니다. 이러한 탐구는 우리가 세계를 이해하고 해석하는 방식을 근본적으로 확장 시키며, 인간의 인식 능력과 그 한계에 대한 새로운 통찰을 제공합니다. 우리의 인식과 관찰 과정은 외부 세계와의 복잡한 상호작용을 통해 이루어지며, 이 과정에서 생성되는 표상과 입자는 우리가 세계를 이해하는 데 필수적인 역할을 합니다. 이러한 과학적 발견과 철학적 사유는 우리가 세계와 우리 자신에 대해 가지는 깊은 이해를 새롭게 조명합니다.

11. 제럴드 에델만의 저서 "Second Nature 세컨드 네이처"

제럴드 에델만의 저서 《세컨드 네이처 "Second Nature: Brain Science and Human Knowledge"》는 인간의 인식과 지식이 어떻게 뇌의 생물학적 작용에 의해 형성되는지를 탐구합니다. 에델만은 뇌의 다양한 기능과 작용을 통해 인간의 인식, 의식, 지식이 어떻게 발달하는지 설명하면서, 특히 시신경의 작용과 정보 전달 과정을 포함하여 뇌가 세계를 어떻게 인식하고 해석하는지에 대한 깊이 있는 통찰을 제공합니다.

시신경의 작용과 정보 전달 과정

시신경은 눈에서 뇌로 시각 정보를 전달하는 중요한 역할을 합니다. 빛은 눈의 망막에 도달하고, 망막에서는 이 빛을 전기 신호로 변환하는 광수용체가 있습니다. 이 전기 신호는 망막을 통해 시신경을 거쳐 뇌의 시각 피질로 전달됩니다. 뇌의 시각 피질에서 이러한 신호는 다양한 시각적 요소로 분해되며, 이 정보는 색상, 형태, 움직임 등을 인식하는 데 사용됩니다.

에델만은 이 과정을 통해 인간의 인식이 단순히 외부 세계의 직접적인 반영이 아니라, 뇌의 복잡한 처리 과정을 통해 생성되는 결과임을 강조합니다. 이는 인간의 지식과 인식이 뇌의 구조와 기능에 깊이 뿌리박고 있음을 시사하며, 우리가 세계를 이해하는 방식이 얼마나 주관적이고 구성적인지를 드러냅니다.

세컨드 네이처, "Second Nature"의 핵심 주제

"세컨드 네이처Second Nature"에서 에델만은 이러한 뇌의 작용을 바탕으로 인간의 지식, 인식, 의식이 어떻게 형성되고 발달하는지 탐구합니다. 이 책의 제목인 "세컨드 네이처,Second Nature"가 곧 칸트가 말한 '표상의 자연'을 그대로 나타낸 제목입니다. 이는 곧 우리는 표상의 세계에서 살고 있다는 것을 강력히 시사하고 있습니다. 그는 인간의 지식이 단순한 정보의 축적이 아니라, 뇌의 동적인 활동과 경험을 통한 지속적인 재구성 과정임을 주장합니다. 이를 통해, 우리의 지식과 인식은 끊임없이 변화하고 적응하는 뇌의 능력에 의해 가능해진다고 설명합니다.

에델만은 또한 인간의 인식과 지식이 진화적으로 어떻게 발달했는지에 대해서도 탐구하며, 이러한 과정이 생물학적 기반을 갖고 있음을 강조합니다. 그는 인간의 인식 능력이 우리의 생물학적 조건, 특히 뇌의 구조와 기능에 깊이 의존하고 있다고 주장하면서, 이를 통해 인간 지식의 본성에 대한 새로운 이해를 제시합니다.

"세컨드 네이처Second Nature"는 뇌 과학과 인간 지식 사이의 복잡한 관계를 탐구하는 중요한 저작입니다. 에델만은 시신경의 작용과 같은 구체적인 예를 들어, 우리가 세계를 어떻게 인식하고 지식을 어떻게 형성하는지에 대한 깊이 있는 통찰을 제공합니다. 이 책은 뇌의 생물학적 작용이 인간의 인식, 지식, 의식의 발달에 어떤 역할을 하는지 이해하는 데 큰 기여를 합니다. 우리는 뇌의 생물학적 작용이 인간의 인식, 지식, 그리고 의식의 발달에 어떠한 결정적인 역할을 하는지에 대한 깊은 이해를 얻게 됩니다. 제럴드 에델만의 고차의식에 대한 개념은 이러한 이해를 한층 더 확장 시킵니다. 그는 의식을 단순히 감각의 집합이 아니라, 복잡한 생물학적 과정을 통해 형성되는 고차원적 현상으로 보았습니다. 이러한 관점은 우리가 세계를 인식하고 경험하는 방식을 넘어서, 인간이 세상과 상호작용하는 근본적인 메커니즘에 대한 근본적인 질문을 제기합니다. 에델만의 이론은 우리의 의식에 대한 탐구를 깊이 있게 마무리 짓는 데 있어 핵심적인 역할을 합니다. 그의 연구는 우리의 의식이 단지 뇌의 작동 결과물이 아니라, 복잡한 상호작용과 진화의 산물임을 보여주며, 우리가 우주와 자신을 이해하는 방식에 새로운 차원을 추가합니다.

뇌의 출력과 입력 과정을 통한 의식의 세계

의식의 세계를 뇌과학의 관점에서 설명하는 접근 방식은 우리가 경험하는 현실이 뇌에 의해 생성되는 과정을 탐구합니다. 이러한 설명은 뇌의 작용을 통해 외부 세계의 정보가 어떻게 인식되고, 해석되며, 마침내 우리의 의식 속에서 구현되는지에 대한 과학적 이해를 제공합니다.

출력 [표상세계]: 뇌는 외부에서 받은 감각 정보를 통합하고 해석하여 우리가 경험하는 현실, 즉 표상세계를 '조립'합니다. 이 과정에서 뇌는 감각 정보를 개념화하고, 이를 우리가 인식할 수 있는 형태로 변환합니다.

입력 [물자체세계]: 외부 세계에서 오는 감각 정보는 뇌로의 '입력'으로 작용합니다. 이 정보는 뇌의 감각 시스템을 통해 전기신호로 변환되고, 이 신호들이 뇌 내에서 처리되어 인식의 기반이 됩니다.

비물질성의 개념

이러한 과정에서 중요한 점은 입력된 물질(예: 빛)도, 출력된 현실(표상)도 궁극적으로는 뇌의 작용에 의해 생성된 비물질적 개념이라는 것입니다. 이는 모든 인식과 경험이 뇌의 해석과정을 통해 생성된다는 의미로, 외부 세계와 우리가 경험하는 세계 사이에는 뇌의 중재가 존재합니다.

파동과 입자의 개념화

에델만의 "Second Nature"와 같은 이론은 이러한 뇌의 조립 과정을 더 깊이 탐구하며, 뇌가 생성하는 세계를 '두 번째 자연'으로 묘사합니다. 여기서 파동과 입자 같은 물리적 현상도 뇌에 의해 해석되고 개념화되는 과정을 거치며, 이는 모든 현상이 뇌의 작용과 의식의 결과로 볼 수 있음을 시사합니다.

의식의 세계: 모든 것은 의식

이 관점에서, 의식장은 개인의 의식 뿐만 아니라, 우리가 경험하는 전체 현실을 생성하는 근본적인 필드로 이해될 수 있습니다. 이는 의식이 단순한 감각 정보의 수용자가 아니라, 활동적인 창조자이며, 우리가 '현실'이라고 인식하는 모든 것은 의식의 생성물이라는 근본적인 관점을 제시합니다.

이러한 해석은 의식과 현실의 관계, 뇌의 작용 방식, 그리고 우리가 세계를 경험하는 방식에 대한 근본적인 재고를 요구합니다. 의식의 세계는 물리적 현실과 의식 사이의 경계를 허물고, 우리의 인식과 경험이 어떻게 형성되는지에 대한 새로운 이해를 가능하게 합니다.

여기서 우리는 외부에 있을 것 같은 물리적 대상물들이 주관체인 시각세포와 시신경 그리고 전체 뇌활동을 통해 입력되고 재생산되어 출력될 수 있는지 아이러니하지 않을 수 없습니다. 외부에 있는 대상물은 견고하며, 때로는 산처럼 크고, 우주처럼 거대하고, 참지 못할 만큼 차갑거나 뜨겁기도 합니다. 그런 대상물들이 어떻게 작디작은 1.3리터밖에 안 되는 뇌 안으로 들어가 그 거대한 형태 그대로 재현될 수 있는지 알 수 없습니다. 그런데 우리의 뇌와 인식기능은 물리적인 형태로 대상물을 받아들이지 않고, 전기 신호나 신경 신호로 받아들입니다. 전기 신호나 신경 신호로 들어온 정보가 어떻게 물리적인 생생한 실물 그대로 출력될 수 있는지, 모든 것이 의문스럽지 않을 수 없습니다.

우리는 흔히 외부의 세계가 단단하고 변화하지 않는 실제로 존재한다고 믿습니다. 그러나 이 세계가 우리의 작은 뇌 안에, 어떻게 거대한 산이나 우주와 같은 형상으로 재현될 수 있는지 생각해 보면 그저 놀랍기만 합니다. 외부의 대상이 시각세포를 통해 전기 신호로 변환되어 뇌에 전달되고, 뇌는 이를 다시 실물처럼 생생한 형태로 인식하게 됩니다. 이는 우리가 상상하기 어려운 복잡한 과정이며, 의문을 제기하지 않을 수 없습니다.

우리의 뇌는 외부의 물리적 세계를 전기 신호의 형태로 받아들이고, 이를 통해 인식합니다. 그러한 전기 신호가 어떻게 물리적이고 생생한 실물 그대로 출력될 수 있는지 이해하려면, 인식의 과정을 더 깊이 탐구해야 합니다. 이 과정은 신경과학과 인지과학의 영역으로, 뇌의 복잡한 구조와 기능을 밝히는 중요한 주제입니다.

이는 우리에게 철학적 질문을 던지게 합니다. 우리가 인식하는 세계는 실제로 존재하는가, 아니면 우리의 의식이 만들어낸 것인가? 이런 질문들은 우리의 인식과 의식의 본질을 더 깊이 이해하려는 노력의 일환으로, 인간의 지성과 호기심을 자극합니다.

이런 여러 가지 신비스러운 것들을 통해 우리는 외부의 세계와 이를 감각하는 주관이 서로 분리된 것이 아니라, 일체를 형성하고 있다고 볼 수 있습니다. 즉, 외부 세계인 객관도 의식장 안에 있으며, 감각하는 주관자도 의식 안에 있다고 할 때, 이러한 뇌의 작동으로 도출된 이 세계가 해석됩니다. 다시 말해, 객관의 의식장이 있고, 이것이 곧 우리가 보는 영화 안의 모든 세계가 됩니다. 그리고 그 영화 안에서 객관의 영화 속 각 부분을 감각하는 주관이 존재합니다.

이렇게 볼 때, 이 모든 것은 영화와 그 영화 안에서 이루어지는 일들과 존재들인 것입니다. 이는 우리가 살고 있는 세계가 큰 의식장이 있고 그것이 객관이 되는 것입니다. 그리고 그 의식장 안에서 그 객관을 둘러보는 주관들이 있다는 것입니다. 이렇게 주관과 객관이 모두 대의식장이란 곳에서 함께 존재한다고 해석할 수 있습니다. 우리의 의식과 표상세계의 관계가 마치 그런 유형으로 이루어졌다는 것입니다.

이해하기 쉽게 말하자면, 우리는 영화 속 등장인물과 같고, 그 영화는 의식장이 형성한 세계입니다. 우리 자신이 주인공이며, 우리의 인식과 경험이 영화의 내용입니다. 이 영화는 대의식장에서 상영되고 있으며, 우리 모두는 그 영화의 일부인 동시에 관객이기도 합니다. 이런 관점에서 보면, 우리의 삶과 세계는 거대한 의식장에서 펼쳐지는 하나의 장면들이며, 주관과 객관이 서로 분리되지 않고 함께 존재하는 하나의 일체라는 것입니다.

따라서 우리의 경험과 인식은 단순히 개인의 주관적인 것이 아니라, 이 거대한 의식장 안에서의 상호작용의 결과입니다. 이는 주관적인 경험과 객관적인 현실이 모두 큰 의식장의 일부라는 철학적 통찰을 제공합니다. 우리는 그 의식장의 일부로서, 그 안에서 살아가고 있으며, 우리의 인식은 그 의식장에 의해 구성되고 영향을 받습니다.

12. 에델만의 '세컨드 네이처'와 칸트의 인식론 사이의 연결 고리

에델만의 '세컨드 네이처'와 칸트의 인식론 사이의 연결 고리를 찾는 것은 흥미로운 과제입니다. 칸트는 인간의 인식이 주관적 조건에 의해 구성되고, 우리가 경험하는 세계는 표상의 세계로, 이는 우리의 감각과 이성에 의해 형성된다고 주장했습니다. 즉, 우리가 경험하는 현상은 우리의 인식 체계에 의해 형성되는 것으로, '자체(an sich)' 즉, 물체가 자체로서 가지는 본성은 우리에게 알려지지 않습니다.

에델만의 이론에서도 유사한 주장을 발견할 수 있습니다. 그는 인간의 의식과 세계 인식이 신경생물학적 과정에 의해 형성된다고 보았습니다. 즉, 우리의 뇌가 외부 세계를 해석하고 의미를 부여하는 과정을 통해 우리가 경험하는 현실을 생성한다는 점에서 칸트의 현상학적 접근과 일맥상통합니다. 에델만의 '세컨드 네이처'는 우리의 뇌가 생성하는 가상의 자연, 즉 인간이 해석하고 인식하는 세계를 가리키며, 이는 칸트가 말하는 표상의 세계와 유사한 개념입니다.

두 이론의 공통점은 다음과 같습니다.

주관성의 역할: 두 이론 모두 인간의 인식이 주관적 조건에 의해

형성된다고 봅니다. 칸트는 이를 순수이성비판에서의 '순수개념'과 '시공간의 선험적 형식'을 통해 설명하고, 에델만은 신경과학적 메커니즘을 통해 이를 설명합니다.

인식된 세계의 구성: 칸트와 에델만 모두 인간이 인식하는 세계는 외부에서 주어진 것이 아니라 인식 주체에 의해 구성된다고 보았습니다. 즉, 우리가 경험하는 세계는 우리의 인식 체계에 의해 형성되고 재구성된다는 점에서 일치합니다.

표상과 물자체의 구분: 칸트는 우리가 경험하는 모든 것이 표상이라고 주장하며, 이는 우리의 인식 체계에 의해 형성된다고 보았습니다. 에델만의 경우, 신경다윈주의적 관점에서 볼 때, 우리가 경험하는 세계 역시 뇌의 신경생물학적 과정에 의해 형성되며, 이는 '세컨드 네이처'라는 개념으로 표현됩니다.

이러한 공통점을 통해, 칸트의 인식론과 에델만의 신경과학적 이론 사이에는 인간의 인식과 세계 인식이 주관적 조건에 의해 구성된다는 근본적인 연결성이 존재함을 볼 수 있습니다. 이는 철학과 신경과학이 인간의 인식과 의식에 대한 이해를 심화 시킬 수 있는 서로 보완적인 접근 방식을 제공한다는 것을 시사합니다. 이에 따라, 칸트가 논한 표상의 개념이 에델만이 제시한 세컨드 네이처와 일맥상통하는, 동일한 현실의 두 가지 해석임을 알 수 있습니다.

13. 비물질 세계관을 제시한 과학자들과 사상가들

이러한 세계관에 대해 생각하고, 비슷한 이론을 제시한 과학자들과 사상가들은 여러 분야에 걸쳐 있습니다. 홀로그램 우주론, 가상 우주론, 시뮬레이션 우주론 등은 현대 물리학, 철학, 그리고 기술의 발전과 함께 주목받는 이론들입니다. 이러한 이론들은 우리가 경험하는 현실의 본질과 우주의 근본적인 구조에 대한 근본적인 질문을 제기합니다.

홀로그램 우주론

레너드 서스킨드와 제라드 투프트: 이 두 이론물리학자는 홀로그램 원리에 대한 아이디어를 발전시켰습니다. 홀로그램 우주론은 우주가 실제로는 2차원 정보의 홀로그램처럼 3차원 공간에 투영된 것일 수 있다는 개념을 제시합니다. 이는 우리가 경험하는 3차원 우주가 기본적으로 2차원 표면에 존재하는 정보의 투영일 수 있다는 아이디어를 탐구합니다. 이를 쉽게 비유하면 2차원 표면은 어떤 빌딩을 짓기 위한 설계도에 해당하고, 3차원은 그 설계대로 지어진 건물을 의미합니다. 이는 또 2차원 공간은 칸트의 인식론에서 물자체로 있을 때이며, 3차원은 표상으로 나타났을 때와 연계가 가능합니다.

인식론적 관점에서, 2차원의 정보가 12범주로 분류되는 개념의 단계에 대응한다는 생각은 우리가 세계를 어떻게 인식하고 이해하는지에 대한 깊은 질문을 제기합니다. 이러한 분류는 우리의 인식과 지식의 구조를 탐구하는 데 있어 중요한 차원을 제공할 수 있습니다. 또한, 3차원 우주가 현상화된 표상의 세계에 대응한다는 아이디어는 형이상학적이고 인식론적인 탐구를 넘어, 우리가 우주를 경험하는 방식과 그것이 우리의 이해에 어떤 영향을 미치는지에 대해 더 깊이 생각해 보게 합니다.

홀로그램 우주론은 아직까지 많은 연구와 실험적 검증이 필요한 이론이지만, 우주의 근본적인 성질에 대한 우리의 이해를 근본적으로 변화시킬 잠재력을 가지고 있습니다. 이 이론은 물리학, 철학, 그리고 인식론의 교차점에서 중요한 질문들을 제기하며, 우리가 우주를 바라보는 방식을 재해석할 수 있는 새로운 통찰을 제공합니다.

가상우주론 및 시뮬레이션 우주론

닉 보스트롬: 옥스퍼드 대학교의 철학자이자 미래학자인 닉 보스트롬은 우리가 고도로 발달된 문명에 의해 생성된 시뮬레이션 안에서 살고 있을 가능성을 제시한 "시뮬레이션 가설"을 발표했습니다. 그의 이론은 기술적으로 발달된 문명이 자신들의 조상들의 삶을 시뮬레이션할 수 있을 정도로 발전할 가능성이 있으며, 우리가 그러한 시뮬레이션 중 하나일 수 있다는 가정에 기반합니다.

닉 보스트롬의 시뮬레이션 가설은 현대 철학과 미래학에서 매우 도전적이고 흥미로운 개념입니다. 이 가설은 기술적으로 발달된 문명이 자신들의 조상들의 삶을 시뮬레이션할 수 있는 능력을 가질 정도로 발전할 수 있으며, 따라서 현재 우리가 경험하는 현실이 그러한 시뮬레이션 중 하나일 가능성이 있다는 아이디어에 근거합니다. 이러한 관점은 인간의 인식과 의식이 현실을 구성하는 데 중요한 역할을 한다는 깊은 철학적 문제를 제기합니다.

시뮬레이션 가설은 또한 우리가 경험하는 세계가 어떻게 내부 인식에 의해 발현될 수 있는지에 대한 질문과 연결됩니다. 이는 현실이 주관적 인식에 의해 형성되고, 우리가 경험하는 모든 것이 어떤 식으로 든 인간의 의식과 밀접하게 연결되어 있음을 시사합니다. 이 가설에 따르면, 세계와 우주의 원리가 마치 컴퓨터 프로그램처럼 프로그램화 되어 있다고 이해할 수 있으며, 우리의 삶과 경험이 그러한 프로그램에 의해 조정되고 있다는 것입니다.

보스트롬의 사상은 또한 인간 삶의 구조와 패턴, 예를 들어 탄생, 성장, 노화, 죽음과 같은 사건들이 우연의 산물이 아닐 수 있다는 가능성을 탐구합니다. 이는 우리가 경험하는 삶의 법칙이나 패턴이 어떤 보이지 않는 규칙이나 프로그램에 의해 정해져 있을 수 있음을 시사합니다. 이러한 관점에서 볼 때, 인류가 비슷한 삶의 환경을 공유하는 것은 큰 지점에서 보편적인 패턴이나 구조가 존재함을 나타낼 수 있습니다.

시뮬레이션 가설은 단지 과학적 또는 기술적 질문을 넘어서, 우리가 자신의 존재와 우리가 살고 있는 세계의 본질에 대해 어떻게 생각하는지에 대한 근본적인 질문을 던집니다. 이 가설은 현대 철학, 인식론, 그리고 의식 연구에 중요한 기여를 하며, 우리의 현실에 대한 이해를 재고하게 만듭니다.

일론 머스크의 견해

일론 머스크: 기술 기업가이자 스페이스X와 테슬라의 CEO인 일론 머스크는 공개적으로 우리가 고도로 발달한 문명의 시뮬레이션 안에서 살고 있을 가능성이 매우 높다고 언급한 바 있습니다. 그는 이러한 견해를 통해 현실의 본질에 대한 근본적인 질문을 제기합니다.

일론 머스크가 시뮬레이션 가설에 대해 공개적으로 언급함으로써, 이 개념은 더 넓은 대중의 관심을 받게 되었습니다. 머스크는 고도로 발달한 문명에 의해 생성된 시뮬레이션 안에서 살고 있을 가능성이 매우 높다고 주장함으로써, 현실의 본질에 대한 근본적인 질문을 던집니다. 이러한 관점은 닉 보스트롬이 제안한 시뮬레이션 가설과 깊은 공감대를 형성하며, 현실과 의식, 그리고 우리가 경험하는 세계의 본질에 대해 다시 생각해보게 합니다.

머스크의 견해에 따르면, 시뮬레이션은 단순히 물리적 컴퓨터가 작동하는 것이 아니라, 인간의 의식 구조 자체가 프로그램에 의해 운영되는 모델로서 기능한다는 것을 의미합니다. 이는 우리의 의식과 인식이 어떻게 현실을 구성하고, 우리가 살고 있는 세계를 어떻게 인지하고 경험하는지에 대한 더 깊은 이해를 요구합니다. 머스크와 보스트롬의 사상은 현실이 단순히 우리가 물리적으로 관찰하고 경험하는 것을 넘어서, 보다 복잡하고 상호작용하는 의식의 산물일 수 있음을 시사합니다.

이러한 관점은 우리가 현실을 인식하는 방식, 의식의 본질, 그리고 인간이 경험하는 세계의 구조에 대한 근본적인 질문을 제기합니다. 시뮬레이션 가설은 철학, 인식론, 물리학, 컴퓨터 과학 등 다양한 분야에서 중요한 논의를 촉발하며, 우리가 살고 있는 세계에 대한 이해를 확장하는 데 기여할 수 있습니다.

일론 머스크와 같은 인물이 이 가설을 지지함으로써, 시뮬레이션 가설은 단순한 학문적 탐구를 넘어서 실제로 우리 삶과 기술, 미래에 대한 근본적인 질문으로 자리 잡게 되었습니다. 이는 우리가 기술과 의식에 대해 어떻게 생각하고, 미래의 발전 가능성을 어떻게 준비해야 하는지에 대한 중요한 통찰을 제공합니다.

이러한 이론과 견해들은 현실과 존재에 대한 우리의 이해를 근본적으로 확장시키는 동시에, 과학과 철학의 경계를 넘나드는 탐구를 촉진합니다. 이들의 연구와 견해는 현실의 본질에 대한 우리의 인식을 근본적으로 재고하게 만들며, 우리가 살고 있는 세계에 대한 더 깊은 이해를 추구하게 만듭니다.

14. 의식의 세계관을 위한 우리의 대화

"의식의 세계관을 위한 우리의 대화"라는 주제로 챕터2를 마무리하고, 챕터3에서는 이 세상이 의식으로 작동되는 세계임을 본격적으로 펼쳐보려고 합니다.

존재론적 질문에서 시작해 보겠습니다. "과거부터 지금까지 인간의 인식이나 의식을 거치지 않고 존재하는 것이 있을까요?" 이 질문은 우리가 세계를 이해하는 방식의 근본을 탐구합니다. 만약 모든 것이 인간의 인식과 의식을 통해서만 존재한다면, 이는 칸트의 표상론과 에델만의 세컨드 네이처 주장이 타당함을 의미합니다. 즉, 우리가 경험하는 모든 것, 우주와 지구, 사람의 몸, 심지어 우리 뇌의 물질적 구성까지도 인간의 인식을 통해 존재하는 것입니다.

이 질문은 우리의 존재와 인식의 관계를 깊이 있게 파헤칩니다. 만약 인간의 인식이나 의식 없이 존재하는 것이 없다고 가정하면, 이는 우리가 세상을 어떻게 경험하고 이해하는지에 대한 새로운 통찰을 제공합니다. 칸트는 우리가 세상을 인식하는 방식이 우리의 주관적 경험에 의존한다고 보았습니다. 우리의 인식은 외부 세계의 물자체에 도달할 수 없으며, 오직 표상만을 통해 세상을 경험할 수 있습니다. 따라서 물자체는 우리의 인식 밖에 존재하는 것이며, 우리는 그 실체를 알 수 없습니다.

에델만의 세컨드 네이처 주장은 이러한 인식론을 신경과학적으로 뒷받침합니다. 우리의 뇌는 외부 세계의 자극을 받아들여 그것을 전기 신호로 변환하고, 이를 통해 우리의 의식과 인식이 형성됩니다. 외부 세계의 물리적 대상들이 우리의 뇌에서 재생산되어 출력되는 과정은 복잡하고 신비스럽지만, 이는 우리의 인식이 뇌의 활동에 의해 형성된다는 것을 의미합니다.

이러한 관점에서 보면, 우리가 경험하는 모든 것, 즉 우주와 지구, 사람의 몸, 심지어 우리 뇌의 물질적 구성까지도 인간의 인식을 통해 존재한다고 볼 수 있습니다. 이는 우리가 세상을 경험하는 방식이 우리의 의식과 인식에 의해 만들어진다는 것을 시사합니다. 우리의 의식이 존재하지 않는다면, 세상도 존재하지 않을 것입니다.

이러한 존재론적 관점은 우리의 세계관과 철학적 이해를 근본적으로 바꾸어 놓을 수 있습니다. 우리는 더 이상 세상을 독립된 외부 세계로 보지 않고, 우리의 의식과 인식의 산물로 이해하게 됩니다. 이는 우리가 경험하는 모든 것이 우리의 의식에 의해 형성된다는 것을 의미하며, 우리의 존재와 세상의 존재가 불가분의 관계에 있음을 시사합니다.

결론적으로, 인간의 인식이나 의식을 거치지 않고 존재하는 것이 있을까요? 이 질문에 대한 답은 우리가 세상을 어떻게 이해하고 경험하는지에 대한 깊은 통찰을 제공합니다. 만약 모든 것이 우리의 인식을 통해서만 존재한다면, 이는 우리의 존재와 세계의 존재가 하나로 연결되어 있음을 의미합니다. 우리의 의식이 사라지면, 세상도 사라질 것입니다. 이는 칸트의 표상론과 에델만의 세컨드 네이처 주장이 타당함을 입증하며, 우리의 세계관과 철학적 이해를 근본적으로 바꾸어 놓을 수 있습니다.

이 관점에서 볼 때, 인간의 몸도 자체적으로 스스로를 증명할 수 없는, 의식을 통해서만 이해될 수 있는 물질로 간주됩니다. 우리가 보고, 느끼고, 생각하는 모든 것은 인간 의식의 영역 안에서 형성되고 존재합니다. 이는 우리가 경험하는 세계가 오로지 인식과 의식을 통해서만 접근 가능한 세계라는 것을 의미합니다. 실제로 우리 주변의 세계를 해석하고 이해하는 과정은 의식이라는 필터를 통해 이루어지며, 우리의 감각은 이러한 의식의 작용을 가능하게 하는 수단입니다. 예를 들어, 시각 경험은 눈이라는 매개체를 통해 이루어지지만, 만약 눈이 없거나 시각이 작동하지 않는다면, 그 경험은 발생하지 않습니다. 따라서 인간 세계에서 경험되는 모든 것은 의식이라는 근본적 매개체를 통해 해석되고 인식되며, 인간의 세상에 존재하는 모든 것은 이 의식을 통해 구성된 것이라 할 수 있습니다.

우리 모든 인간은 뇌와 의식이란 창을 통해서 외부 세계와 모든 것을 인식합니다. 따라서 인간 세상 속에서 논의되고 발견되는 일체의 것은 모두 인식 내지는 의식의 산물입니다. 최소한 우리 인간 세계에 있어서는 이것 외의 것은 일체 없습니다. 그래서 인간 세상 속의 모든 것은 의식의 소산물입니다. 이는 인간 세상 전체가 영적인 공간으로 둘러싸여 있음을 시사합니다. 이것이 바로 대의식장의 세계입니다.

인간의 의식은 물질과 공간과 시간의 개념을 창조합니다. 인간이 의식장 안에서 살고 있다는 것은, 인간 아닌 것이 우리와 세상을 봤을 때 이 세상은 허공이 될 수 있고, 무가 될 수 있음을 의미합니다. 모든 것은 영성(靈性)으로 이루어진 의식의 공간이기 때문입니다.

인간은 마치 신과 같이 실상은 모습이 없을 테니까요. 우리 인간은 인간끼리 인간과 인간 세상을 볼 수 있고, 그 재료는 모두 의식이란 개념으로 만들어졌습니다. 우리가 의식으로 보는 이 세상의 모든 보이는 것은 의식의 조화로서 가능합니다. 그래서 인간 세상과 인간에게 있는 모든 것은 개념입니다. 그리고 그 개념은 영적인 것입니다. 저 산도 들도 물도 강도 모두 개념입니다.

이러한 관점에서 보면, 우리가 경험하는 모든 것은 우리의 의식이 만들어낸 것입니다. 물질적 세계도, 시간과 공간도, 우리의 감각을 통해 인식되는 모든 것들이 우리의 의식에 의해 형성됩니다. 이는 우리가 경험하는 세상이 실제로는 우리의 의식 안에 존재하며, 그 모든 것이 의식의 결과물이라는 것을 의미합니다.

예를 들어, 우리가 보는 산과 들, 물과 강은 실제로 존재하는 물리적 대상물이 아니라, 우리의 의식이 만들어낸 개념입니다. 이 개념들은 우리의 의식이 외부 자극을 받아들여 그것을 해석하고 재구성하는 과정을 통해 형성됩니다. 따라서 우리가 경험하는 세상은 우리의 의식이 창조한 하나의 작품이며, 이 작품은 우리의 의식이 허용하는 범위 내에서만 존재합니다.

이는 인간 세상 전체가 영적인 공간으로 둘러싸여 있으며, 우리의 의식이 그 중심에 있다는 것을 시사합니다. 우리가 경험하는 모든 것은 우리의 의식이 창조한 것이며, 이는 우리 존재의 본질과 깊이 연관되어 있습니다. 우리의 의식이 없다면, 우리가 경험하는 세상도 존재하지 않을 것입니다.

우리의 의식이 세상을 창조하고, 우리는 그 의식의 창조물 속에서 살아갑니다. 이는 우리의 존재와 세상의 존재가 불가분의 관계에 있음을 시사하며, 우리의 의식이 우리의 현실을 형성하는 중요한 역할을 한다는 것을 보여줍니다.

이것을 간단하게 설명하기 위해, 인간의 의식을 하나의 "렌즈"에 비유할 수 있습니다. 이 렌즈를 통해 우리는 주변 세계를 볼 수 있고, 그것을 해석하고 이해할 수 있습니다. 이 렌즈가 없다면 세계는 우리에게 전혀 다르게 보이거나 아예 보이지 않을 것입니다. 세계는 오로지 이 렌즈, 즉 우리 의식을 통해서만 인식되므로, 의식은 우리가 세계를 경험하고 구성하는 데 있어 필수적인 역할을 합니다. 이 말은 곧 세계에 있다는 것은 이미 그것이 의식을 통과한 것으로 볼 수 있다는 것입니다.

이것은 우리가 살아가는 세계가 의식 속에서 형성되고, 의식에 의해 유지되는 강력한 메시지를 전달합니다. 이 세계는 우리가 생각하고 느끼는 방식에 의해 형성되며, 우리의 인식과 의식은 그 세계를 이해하고 경험하는 유일한 방법입니다.

따라서, 우리의 대화는 이러한 사실을 논리적이면서도 이해하기 쉬운 방식으로 표현해야 합니다. 우리는 의식의 세계관을 통해 우리가 살고 있는 세계를 보는 새로운 방식을 탐구하고, 이를 통해 우리 자신과 우리가 살고 있는 세계에 대한 더 깊은 이해를 얻을 수 있습니다.

고대 철학자부터 현대의 과학자, 심지어 가장 엄격한 무신론자에 이르기까지, 모든 학문과 사상의 발전은 궁극적으로 인간 의식의 산물입니다. 이는 의식이 단지 우리가 세계를 경험하는 방식 뿐만 아니라, 우리가 지식을 생성하고 학문적으로 진보하는 근본적인 기반임을 보여줍니다. 만유인력의 법칙을 발견한 뉴턴, 상대성 이론을 제시한 아인슈타인, 양자역학의 복잡한 세계를 탐구한 과학자들, 그리고 뇌과학의 최전선에서 작업하는 연구자들까지, 이 모든 발견과 이론은 인간 의식의 깊은 관여와 불가분의 관계 속에서 이루어졌습니다.

이러한 사실을 쉽게 표현하기 위해서, 우리는 모든 지식과 발견이 인간 의식의 "거울"이라고 생각할 수 있습니다. 이 거울은 우리가 세계를 바라보고 이해하는 방식을 반영하며, 동시에 우리의 사상과 이론이 형성되는 방식을 형성합니다. 고대 철학에서부터 현대 과학에 이르기까지, 모든 학문적 노력은 인간의 의식이 세계를 인식하고 해석하는 과정에서 비롯됩니다.

따라서, 철학적 또는 과학적 사상에 대한 논의에서 의식의 역할을 간과하는 것은 불가능합니다. 이는 의식이 우리가 세계를 이해하고, 그 안에서 의미를 찾으며, 새로운 지식을 생성하는 데 있어 필수불가결한 요소임을 의미합니다. 모든 학문과 사상의 발전은 인간의 의식이라는 근본적인 출발점에서 시작되며, 이는 우리가 지식을 구축하고 세계를 이해하는 방식에 깊은 영향을 미칩니다.

이러한 관점에서, 우리는 학문과 사상의 모든 영역에서 의식의 중요성과 영향력을 인정하고, 이를 통해 우리 자신과 우리가 살고 있는 세계에 대한 더 깊은 이해를 추구해야 합니다. 의식은 우리가 세계를 바라보는 창이자, 그 세계를 해석하고 이해하는 방식을 형성하는 근본적인 힘입니다.

표상론과 세컨드 네이처에 관한 논의는 깊이 있는 철학적 질문으로 이어집니다. 이 이론들은 의식과 존재의 관계를 근본적으로 탐구하며, 의식이 없으면 존재하는 것이 아무것도 없다는 극단적인 결론을 내립니다. 이는 의식이 우리가 세계를 인식하고 해석하는 유일한 수단이며, 모든 존재는 인식을 통해서만 의미를 갖는다는 생각을 반영합니다.

이러한 관점에서, 존재한다는 것은 의식이 있음을 의미합니다. 이는 존재와 의식 사이에 불가분의 관계가 있음을 시사하며, 모든 존재는 의식적 인식을 통해 형성되고 인지됩니다. 이는 우리가 세계를 경험하고 이해하는 방식에 대한 근본적인 질문을 제기하며, 의식이 어떻게 우리의 삶과 우리가 살고 있는 세계를 구성하는지에 대한 심도 있는 탐구를 요구합니다.

따라서, 이러한 이론들은 우리에게 의식의 본질과 그것이 우리의 존재와 어떻게 연결되어 있는지에 대해 더 깊이 생각해 볼 기회를 제공합니다. 의식 없이는 존재의 의미를 찾을 수 없으며, 모든 존재는 의식을 통해 그 의미와 가치를 갖습니다. 이는 인간의 인식과 의식이 우리가 세계를 이해하는데 중심적인 역할을 한다는 깊은 철학적 사상을 강조합니다.

이러한 관점에서 볼 때, 칸트의 표상 개념과 에델만의 세컨드 네이처 이론은 우리가 경험하는 현실이나 존재에 대한 인식이 결국 의식에 의해 형성되고 정의된다는 근본적인 주장을 공유하고 있습니다. 칸트에 따르면, 우리의 의식은 시간과 공간의 선험적 틀 내에서 경험을 구조화하며, 이를 통해 세계를 인식하고 이해합니다. 따라서 우리가 인식할 수 있는 모든 것은 의식에 의해 중재 되고, 실체가 있는 것으로 간주되는 것은 우리의 의식 속에 존재하는 현상에 불과합니다. 이와 유사하게, 에델만의 세컨드 네이처는 우리가 경험하는 현실이 신경생물학적 과정에 의해 내부적으로 생성되고 구성된다는 관점을 제시합니다. 즉, 우리의 의식과 뇌의 작동 방식이 현실을 형성하고, 따라서 우리가 경험하는 모든 것은 이러한 내부적 과정에 의해 결정된다고 볼 수 있습니다.

이 두 관점은 의식이 존재를 인식하고 형성하는 핵심 역할을 한다는 점에서 상호 보완적입니다. 또한, 이는 의식 없이는 우리가 경험하는 존재나 현실이 성립하지 않는다는, 다소 경직된 결론으로 이어집니다. 실체로 확인되는 것이 의식 외에는 없다는 이 주장은, 우리가 인식하는 세상의 모든 것이 결국 의식의 생성물이며, 의식이 없다면 우리가 경험하는 현실 자체도 존재하지 않을 것임을 의미합니다. 이러한 관점은 인식론적 주관주의나 현상학적 접근과도 일맥상통하며, 의식과 존재의 관계에 대한 깊은 철학적 탐구를 촉발합니다.

이 챕터를 마무리하며 제기된 질문은 인생에서 가장 크고, 근접하기 어려운 난제 중 하나입니다: "유일한 의식이 세상의 모든 것을 이끌 때, 인간의 죽음의 의미는 무엇인가?" 이 질문은 우리 모두에게 깊은 성찰을 요구하며, 죽음과 삶에 대한 새로운 비젼을 제공합니다. 죽음도 삶도 의식에 의존한다면 의식의 문제를 해결하면 죽음도 해결될 수 있다는 가능성을 확보할 수 있습니다. 그래서 의식의 힘은 우리들에게 삶과 존재에 대한 우리의 이해를 탐색하도록 도전합니다.

책의 뒤편에서 이러한 문제에 대해 더 깊이 대화를 이어가고자 하는 계획은 독자들에게 이 난제를 함께 탐구하고 고민하며, 죽음과 삶의 의미에 대해 더 깊은 이해를 구축하는 기회를 제공합니다. 이러한 대화는 죽음과 삶의 문제를 더 광범위하게 고민하는 선물이 될 수 있으며, 삶의 본질에 대한 우리의 이해를 심화 시키는 데 기여할 것입니다.

Chapter 3
의식장의 세계의 개관

"당신이 나를 보았을 때,
나를 나무에서, 나비에서, 당신이 아침에 마시는 차 한 잔에서,
또한 당신이 거울 속에서 보는 자신에서 볼 수 있다면,
그것이 바로 진정한 연결이다."
- 틱 낫 한 (Thich Nhat Hanh)

1. 우리가 살고 있는 세계의 본질 의식장

우리가 살고 있는 세계의 본질은 의식장이라는 광범위한 의식의 네트워크로 이해될 수 있습니다. 이 챕터의 내용은 현대 과학, 철학, 뇌과학, 그리고 의식 연구를 통합하여 우리가 경험하는 세계의 본질을 새롭게 조명합니다. 여기서 논의된 주제들은 다음과 같은 통합적 지식을 기반으로 합니다.

의식장의 개념을 통해 제시된 세계관은 전통적인 물리적 현실에 대한 인식을 근본적으로 전환하는 파격적인 관점을 제공합니다. 이 이론은 우리가 경험하는 모든 현상—자연, 공간, 시간, 심지어 우리 자신의 존재까지도—궁극적으로는 의식의 생성물이라는 주장을 중심으로 합니다. 이러한 관점에서, 외부 세계는 우리의 내부 의식장에 의해 만들어진 환상이며, 우리가 현실이라고 여기는 모든 것은 실제로는 의식의 표현입니다. 우리가 살고 있는 세계의 본질은 의식장이라는 광범위한 의식의 네트워크로 이해될 수 있습니다. 이 의식장은 개인의 의식이 서로 연결되어 전체적인 현실을 형성하는 근본적인 토대를 제공합니다. 즉, 우리가 경험하는 현실은 다양한 개인의 의식이 상호작용하며 생성된 결과물이며, 이러한 의식의 교류가 우리가 살고 있는 세계의 본질을 이루는 것입니다.

2. 의식장의 다층적 구조

의식장을 다층적 구조로 이해하는 것은 우리의 의식이 단일한 차원에 국한되지 않고, 여러 계층과 차원을 통해 다양한 현상과 경험을 생성한다는 개념을 시사합니다. 각각의 의식장 레벨은 대의식장 속에 각각 표상세계를 구현하는 의식장, 시간과 공간과 개념을 저장하는 의식장, 꿈과 상상을 구현하는 의식장, 그리고 개념과 의미지를 구현하는 의식장—은 우리가 경험하는 세계의 다양한 측면을 생성합니다.

의식장의 다층적 구조를 통해 우리는 의식이 단순히 하나의 차원에만 존재하는 것이 아니라, 다양한 레벨과 차원을 통해 서로 다른 현상과 경험을 만들어낸다는 사실을 이해할 수 있습니다. 이 구조에서는 다음과 같은 여러 의식장 레벨이 서로 상호작용합니다: 표상세계를 구현하는 의식장은 우리의 인식과 경험을 형성하며, 시간과 공간, 개념을 저장하는 의식장은 우리의 지식과 기억을 담당합니다. 꿈과 상상을 구현하는 의식장은 우리의 창조적 발현을 가능하게 하며, 개념과 의미지를 구현하는 의식장은 우리의 사고와 이해를 깊게 합니다. 이러한 다층적 구조는 우리가 경험하는 세계의 복잡성과 다양성을 이해하는 데 중요한 역할을 합니다.

우리가 살고 있는 세계가 의식이 주관하는 세계가 아니라, 현실적이며 물질적인 세계로 인식하는 절체절명의 이유가 있습니다. 그것은 우리의 감각체계와 의식의 작동 방식이 그런 식으로 설정되어 있기 때문입니다. 그래서 직관적으로 받아드리면 이 세계는 현실과 물질의 세계가 되고, 심오한 사유를 통하여 생각하면 비현실 비물질의 세계로 받아 드려집니다. 그 중에서도 가장 중요한 요소는, 우리가 물자체로 인식하는 것이 생생하고 역동적이며, 실제와 같이 느껴지는 강렬한 현장감 때문일 것입니다. 이것을 해명할 수 있는 것이 의식장의 다층 구조입니다. 우리의 의식장은 표상세계를 표방하는 의식장이 있고, 또 다른 차원의 물자체의 세계를 구현하는 다른 의식장이 있는 것입니다. 이것은 마치 현실 각성의 세계와 비현실 꿈의 세계가 각각 다르게 직관하지만 사실은 그 둘이 모두 우리의 의식에서 형성된 것이란 것을 알게 되는 것과 같습니다. 의식장의 다층 구조는 인간의 모든 것을 표현할 수 있는 구조로 되어 있다는 것을 시사합니다.

우리가 의식장 안에 살고 있음에도 불구하고 물리적 세계의 공간에 살고 있다고 착각하는 것은 칸트의 "순수이성비판"에서 제시한 물자체와 관련된 개념을 통해 설명할 수 있습니다. 예를 들어, 내가 꽃을 볼 때, 그 꽃은 내 의식 속에서 형성된 표상입니다. 이 표상은 내가 주관적으로 인식한 결과이며, 칸트의 용어로는 '현상'또는 '표상'에 해당합니다. 그러나 내가 그 꽃을 보지 않고 인식되지 않은 상태에서는, 그 꽃 자체는 '물자체'로 존재합니다. 칸트는 물자체가 우리가 직접 경험할 수 없는 본질이라고 설명했습니다.

우리는 이 물자체를 주관적인 인식의 외부에 있는 객관적인 물질 세계로 인식합니다. 즉, 주관인 나와 객관인 꽃, 그리고 그 꽃이 존재하는 우주 공간을 분리된 외부세계로 착각하게 됩니다. 이 착각을 풀어주는 것이 바로 의식의 다층구조입니다.

현재 나는 주관이며, 꽃과 그 꽃이 존재하는 공간, 그리고 우주는 객관입니다. 우리는 이 객관이 외부에 있는 물질세계로 존재한다고 생각합니다. 그러나 의식의 다층구조를 이해하면, 그 꽃과 그 꽃이 있는 우주 공간 또한 더 큰 차원의 의식장에 포함된다는 것을 알 수 있습니다. 이 책에서는 이 더 큰 차원의 의식장을 '대의식장'이라고 명명합니다.

따라서 우리가 외부 물질 세계라고 인식하는 것은 사실 대의식장이며, 이 대의식장 안에 꽃과 만물이 있고, 나도 포함되어 있습니다. 이는 모든 존재와 현상이 더 큰 범위의 대의식장 안에서 삶을 유지하고 있다는 의미입니다. 즉, 우리의 인식과 표상세계는 대의식장 안에서 이루어지는 일체의 과정과 현상입니다. 그리고 의식의 여러 층 가운데 가장 큰 대의식장은 우리가 물자체로 해석하는 그곳이며 이곳은 우리가 삶 속에서 자연현상으로 느끼는 그대로 설정이 되어 있는 의식장이라고 할 수 있습니다. 그래서 우리가 의식체이지만 외부 세계가 물질 세계로 읽히며 우리가 발견하게 되는 각종 물리현상을 만날 수 있게 되는 것으로 볼 수 있습니다.

이러한 이해는 주관과 객관, 나와 외부 세계가 모두 하나의 의식장 안에 있음을 의미합니다. 이는 물리적 세계와 의식의 세계가 분리되지 않고 하나의 큰 의식장에서 함께 존재하고 있음을 시사합니다.

의식장의 다층적 구조에 대한 설명은 인간 의식의 복잡성과 다양성을 이해하는 데 중요한 통찰을 제공합니다. 의식이 단순히 일차원적인 현상이 아니라, 여러 계층과 차원을 통해 우리가 경험하는 다양한 현상과 경험을 생성한다는 개념은 의식 연구에 있어서 혁신적인 접근 방식을 제시합니다. 의식은 육안으로 볼 수 없으니 의식의 다층적 구조를 이해하기 위해서 우리의 뇌가 기능별로 직능별로 되어 있는 것들을 통하여 이해해보겠습니다.

뇌는 매우 복잡한 구조로, 다양한 부위가 각각 특별한 기능을 담당합니다. 여기 뇌의 주요 부위와 그 기능들을 간략하게 나열해 보겠습니다. 뇌의 이러한 다양한 부위와 기능들이 상호 작용하여 우리의 생각, 감정, 행동을 조절하고 인식을 형성합니다. 칸트는 이러한 뇌 기능의 다층적 역할을 통해 인식이 어떻게 형성되고 있는지를 탐구하여, 인식이 의식 안에서 어떻게 만들어지는지를 이해하려고 했습니다. 그의 인식론은 뇌의 구조와 기능을 고려하여 인식의 본질을 탐구하는 데 기여했습니다.

대뇌피질 (Cerebral Cortex)

대뇌피질은 인간의 의식적 사고, 감정, 추론 등을 담당합니다. 크게 4가지 주요엽으로 구분됩니다.

전두엽 (Frontal Lobe): 의사결정, 문제 해결, 계획, 감정 조절, **동작의 발생 등을 담당합니다.**

전두엽(Frontal Lobe)은 대뇌 피질의 가장 앞쪽 부분에 위치한 영역으로, 인간 뇌에서 가장 큰 영역 중 하나입니다. 전두엽은 다양한 중요한 인지 기능을 담당하며, 인간의 인지적, 감정적, 행동적 기능을 조절하는 데 중요한 역할을 합니다.

전두엽은 다음과 같은 주요 기능을 수행합니다:

- **인지 기능:** 전두엽은 사고력, 추론, 계획, 판단력 등의 고차원 인지 기능을 조절합니다. 이는 우리가 문제를 해결하고 목표를 설정하며, 새로운 상황에 대처하는 데 도움을 줍니다.
- **운동 기능:** 전두엽은 운동 행동을 조절하고 실행하는 데 중요한 역할을 합니다. 이는 의지적으로 의도된 **운동을 계획하고 실행**함으로써 목표를 달성하는 데 도움을 줍니다.
- **감정 조절:** 전두엽은 감정을 조절하고 통제하는 데 관여합니다. 이는 우리가 감정적인 반응을 조절하고 상황에 적절하게 대응하는 데 도움을 줍니다.
- **사회적 기능:** 전두엽은 사회적 행동과 상호작용을 조절하는 데 중요한 역할을 합니다. 이는 다른 사람과의 대화, 사회적 상황에서의 행동, 그리고 사회적 관계 형성에 관여합니다.
- **자아의식:** 전두엽은 **자아의식을 형성하고** 유지하는 데 관여합니다. 이는 우리가 자신의 존재를 인식하고 자기 인식을 가지며, 다른 사람들과의 관계에서 **자신의 위치**를 이해하는 데 도움을 줍니다.

전두엽은 인간의 뇌에서 가장 발달된 영역 중 하나로, 다양한 뇌 기능을 통합하여 고차원의 인지 기능을 수행하는 데 중요한 역할을 합니다. 또한 전두엽의 기능 이상은 인지적, 감정적, 행동적 문제를 일으킬 수 있으며, 정상적인 기능은 우리가 일상 생활에서 적응적으로 행동하는 데 필수적입니다.

두정엽 (Parietal Lobe): 감각 정보 처리, 공간 인식, 글쓰기, 계산 능력 등을 담당합니다. 여기서 공간 인식은 **물질계를 표상화 시키는** 것과 관련이 있습니다.

두정엽(Parietal Lobe)은 대뇌 피질의 하나로, 두뇌의 후방 상부에 위치한 영역입니다. 인간의 두뇌는 양쪽 편포 대뇌 반구에 각각 하나씩 존재하는데, 두정엽은 그 중 하나입니다. 두정엽은 다양한 감각 정보를 처리하고 공간 인식, 몸의 자세와 움직임을 조절하는 데 관여합니다.

두정엽은 다음과 같은 주요 기능을 수행합니다:

- **감각 정보 처리:** 두정엽은 청각, 시각, 체성감각 등 다양한 감각 정보를 처리합니다. 시각 정보의 처리에는 물체의 위치, 크기, 형태 등을 이해하는 데 도움이 됩니다. **체성감각의 처리에는 몸의 움직임과 위치에 대한 정보**를 포함합니다.
- **공간 인식:** 두정엽은 우리가 주변 공간을 인식하고 내적으로 정렬하는 데 중요한 역할을 합니다. 이는 우리가 주변 환경에서 어디에 있는지, 어떤 방향으로 이동해야 하는지 등을 이해하는 데 도움을 줍니다.
- **몸의 자세와 움직임 조절:** 두정엽은 몸의 움직임을 조절하고 자세를 유지하는 데 중요한 역할을 합니다. 이는 우리가 일상적인 활동을 수행하고 환경과의 상호작용을 가능하게 합니다.

두정엽은 뇌의 다른 부분과 긴밀하게 연결되어 있으며, 각종 **감각 정보와 운동 제어**를 위한 정보를 교환하고 처리합니다. 따라서 두정엽의 정상적인 기능은 우리가 **일상적인 활동을 수행하고 외부 세계와 상호작용**하는 데 필수적입니다.

측두엽 (Temporal Lobe): 청각 정보 처리, 기억 저장, 언어 이해 등을 담당합니다.

측두엽(Temporal Lobe)은 대뇌 피질의 측면 부분에 위치한 영역으로, 뇌의 각종 인지 기능과 관련된 많은 기능을 담당합니다. 측두엽은 인지 기능뿐만 아니라 청각 기능과 기억, 감정과 행동 등 다양한 영역에서 중요한 역할을 합니다.

측두엽의 주요 기능은 다음과 같습니다:

- **청각 기능:** 측두엽은 청각 정보를 처리하고 해석하는 데 중요한 역할을 합니다. 오디토리 시스템은 측두엽 내의 구조들을 통해 음성 및 소리 신호를 처리하고 이를 언어나 다른 소리로 인식하게 됩니다.
- **기억:** 측두엽은 단기 및 장기 기억의 형성과 보존에 관여합니다. 특히 왼쪽 측두엽은 언어와 관련된 기억을 담당하고, 오른쪽 측두엽은 **시공간적인** 기억을 담당합니다.
- **감정:** 측두엽은 감정을 조절하고 통제하는 데도 관여합니다. 특히 대소뇌뇌, 부각, 외부 측두엽 및 내부 측두엽이 음악적 감정 및 시간 관련 감정을 처리하는 데 중요한 역할을 합니다.
- **언어 이해:** 측두엽은 언어 이해와 관련된 중요한 영역 중 하나입니다. 특히 왼쪽 측두엽의 정규자 및 의미 분리 영역은 언어 이해와 관련된 중요한 지역이며, 여기에서 언어 정보를 이해하고 처리합니다.

• **시각적 인식:** 측두엽은 얼굴 및 사물의 시각적 정보를 처리하고 인식하는 데도 관여합니다. 특히 대소뇌뇌는 **얼굴 인식** 및 시각적 정보 처리에 중요한 역할을 합니다.

측두엽은 뇌의 중요한 부분 중 하나로, 다양한 인지 기능과 관련된 다양한 기능을 수행합니다. 이 영역의 손상은 청각, 기억, 감정 및 언어 이해 등 다양한 영역에서 장애를 일으킬 수 있습니다.

후두엽 (Occipital Lobe): 시각 정보 처리, 이미지 인식 등을 담당합니다.

후두엽(Occipital Lobe)은 대뇌 피질의 후면 부분에 위치한 뇌의 영역입니다. 이 영역은 시각 정보를 처리하고 해석하는 데 주로 관여합니다. 후두엽은 **눈에서 받은 시각 자극을 받아들여 시각 피질에서 처리하고 이해하는 데 중요한 역할**을 합니다.

후두엽의 주요 기능은 다음과 같습니다:

• **시각 정보 처리:** 후두엽은 눈에서 받은 시각 자극을 받아들이고 시각 피질을 통해 처리합니다. 이 과정에서 시각 자극은 여러 부분으로 분해되고 **형상, 색상, 운동** 등의 특성으로 분류되어 시각적 경험으로 변환됩니다.

• **시각적 인식:** 후두엽은 **사물의 모양, 크기, 거리** 등을 이해하고 인식하는 데 중요한 역할을 합니다. 뇌의 이 부분은 시각적 감각을 처리하고 사물을 인식하는 데 필요한 정보를 생성합니다.

• **시각 기억:** 후두엽은 시각 기억의 형성과 보존에도 관여합니다. 시각 피질 내의 특정 부분은 **얼굴, 장면, 사물 등의 시각적 패턴을 기억하고 저장**하는 데 중요한 역할을 합니다.

- **운동 제어:** 후두엽은 시각 자극을 통해 **운동을 조절**하는 데도 일부 기능을 수행합니다. 예를 들어, 시각적 정보를 바탕으로 목표물을 추적하거나 시야 내의 사물을 파악하여 몸을 움직이는 데 필요한 정보를 제공합니다.

후두엽은 시각 정보 처리와 관련된 많은 복잡한 기능을 수행하며, 이는 뇌의 다른 부분과 함께 조화롭게 작동하여 시각적 경험을 가능하게 합니다. 후두엽의 손상은 시각적 인식, 인식, 기억 및 운동 제어와 관련된 다양한 문제를 초래할 수 있습니다.

좌뇌와 우뇌

뇌는 좌우 대칭적 구조로, 각 반구는 서로 다른 기능을 가지며 협력하여 작동합니다.

- **좌뇌:** 언어 처리, 논리적 사고, 분석적 사고, 계산 능력 등을 담당합니다.
- **우뇌: 공간적 인식**, 창의적 사고, 예술적 감각, 전체적인 상황 인식 등을 담당합니다.

소뇌 (Cerebellum)

운동 조정, 균형 유지, 정확한 **동작의 조절**, 학습과 기억에 관여하는 **운동 기능** 등을 담당합니다.

뇌간 (Brainstem)

기본적인 생명 유지 기능(호흡, 심장 박동 조절 등)과 각성 상태

조절을 담당합니다.

변연계 (Limbic System)

감정, 행동, 동기 부여, 장기 기억 형성에 관여합니다. 변연계의 주요 구성 요소로는 해마(기억), 편도체(감정), 시상하부(감정과 호르몬 조절) 등이 있습니다.

시상 (Thalamus)

대부분의 감각 정보를 처리하고 대뇌피질로 전달하는 중추적 역할을 합니다.

시상하부 (Hypothalamus)

자율신경계 조절, 내분비계 조절을 통한 신체의 홈오스타시스 유지, 감정 조절 등에 중요한 역할을 합니다.

이러한 뇌의 구조와 기능은 인간의 행동, 인식, 감정 등을 이해하는 데 핵심적인 역할을 합니다. 각 부위는 서로 긴밀하게 연결되어 있으며, 복잡한 인간의 정신 활동을 가능하게 합니다. 보이는 **뇌의 다층적 구조가 이렇듯, 의식의 다층적 구조 또한 이렇게 복잡하고** 다양합니다. 이렇게 만들어진 자연 속에 우리는 살아가고 있습니다. 그것을 에델만은 세컨드 네이처로 이름을 지었고, 칸트는 표상세계라는 명사로 이 세계를 표현했습니다.

각각의 의식장 레벨이 표상세계, 시간과 공간, 꿈과 상상, 개념과 의미 등을 구현함으로써, 우리는 의식이 단순히 물리적인 세계를 반영하는 것이 아니라, 그것을 형성하고 변화시키는 능력을 가지고 있다는 것을 이해할 수 있습니다. 이는 우리의 의식이 세계를 인식하고, 해석하며, 창조하는 방식에 대한 깊은 이해를 요구합니다.

의식장의 구조가 뇌의 구조와 유사하게 나타난다는 관점은 물리적인 뇌와 비물리적인 의식 사이의 상호작용을 설명하는 데 도움을 줍니다. 뇌의 다양한 부분이 특정한 기능을 담당하듯이, **의식장의 다양한 레벨도 우리의 경험과 인식에 있어서 고유한 역할을 수행**합니다. 이러한 관점에서, 의식은 단순한 생물학적 현상이 아니라, 복잡한 구조와 기능을 가진 현상으로 이해됩니다.

컴퓨터나 기계가 인간의 아이디어로부터 출발하여 실제 물리적 형태로 구현되듯이, 의식도 마찬가지로 우리의 물리적인 세계에 영향을 미치고 형태를 부여합니다. 의식이 없다면, 우리의 몸과 같은 물리적인 구조도 그 기능을 상실하게 됩니다. 이는 의식이 단순히 인간 존재의 한 부분이 아니라, 우리의 존재와 경험을 가능하게 하는 근본적인 요소임을 시사합니다.

이 설명은 의식과 물질 세계 사이의 상호작용에 대한 깊은 이해를 제공합니다. 의식이 물리적 현실을 형성하고 변화시키는 근본적인 힘으로 작용한다는 관점은, 인간 경험의 본질과 우리가 살아가는 세계를 이해하는 데 중요한 시사점을 줍니다.

의식과 물질의 상호작용

의식은 인간 경험과 존재의 근본이며, 우리의 사고와 아이디어, 창의성은 물리적 세계에 영향을 미치고 형태를 부여합니다. 이는 인간의 몸과 뇌가 단순히 물질적인 존재에 그치지 않고, 의식에 의해 형성되고 유지되는 개념적 물질임을 나타냅니다. 이러한 관점에서 볼 때, 의식은 물질 세계를 넘어서는 비물질적인 현상이며, 이는 인간의 의식이 물리적 세계에 구체적인 변화를 일으킬 수 있는 능력을 가지고 있음을 의미합니다.

인공지능과 의식의 발현

인공지능의 발달은 이러한 의식과 물질의 상호작용을 현대 기술의 맥락에서 보여줍니다. 인공지능과 같은 기술이 현실화된 것은 인간의 의식에서 비롯된 아이디어가 물리적 형태로 구현되었기 때문입니다. 이 과정에서 무형의 아이디어는 구체적인 기계와 시스템으로 발현되어, 물리적 세계에서 작용하게 됩니다. 이는 의식이 단순히 주관적 경험을 넘어서, 우리의 현실을 형성하고 변화시키는 강력한 힘임을 보여줍니다.

따라서, 의식과 물질 사이의 관계를 이해하는 것은 우리가 살아가는 세계와 인간의 본질을 깊게 이해하는 데 중요합니다. 의식이 물리적 현실을 형성하고 변화시키는 능력은, 인간이 경험하는 세계가 단순히 외부에서 주어진 것이 아니라, 우리의 의식에 의해 지속적으로 창조되고 변화하는 동적인 과정임을 시사합니다. 이러한 관점은 인간의 창의력과 혁신이 물리적 세계에 미치는 영향을 새롭게 평가하고, 의식이 우리 삶과 존재에 근본적인 역할을 한다는 깊은 이해를 가능하게 합니다.

따라서, 의식장의 다층적 구조에 대한 이해는 우리가 살아가는 세계와 우리 자신에 대한 깊은 이해로 이어집니다. 의식이 우리의 인식, 경험, 심지어 물리적인 현실까지도 형성하고 변화시키는 역할을 한다는 인식은, 인간 존재의 본질과 우리가 세계를 어떻게 경험하는지에 대한 중요한 통찰을 제공합니다.

의식장과 현실의 구현

이 이론은 우리가 경험하는 현실이 의식장에 의해 구현되며, 이는 꿈과 현실 사이의 구분이 의식의 다른 레벨에서 작동하는 방식에 따라 달라질 수 있음을 암시합니다. 우리가 꿈을 꾸는 동안에도, 꿈 속에서 경험하는 '현실'은 의식의 한 층에서 생성되는 것이며, 각성 상태에서 경험하는 현실 역시 다른 의식장의 작용에 의해 생성됩니다.

의식장과 현실의 구현에 대한 이론은 우리가 경험하는 모든 현실이 의식의 다양한 층에서 생성되며, 이러한 생성 과정이 꿈과 각성 상태 사이의 경계를 모호하게 만든다는 근본적인 아이디어를 탐구합니다. 이러한 관점은 꿈과 현실, 의식의 다양한 상태들이 어떻게 서로 연결되어 있으며, 우리의 의식이 어떻게 우리가 경험하는 세계를 형성하는지에 대한 깊은 이해를 제공합니다.

꿈 속에서 우리가 경험하는 현실은 의식의 한 층에서 생성되며, 이는 꿈 속의 사건들을 우리가 일상 생활에서 경험하는 것처럼 자연스럽게 받아들이게 합니다. 꿈에서 물리적 법칙이나 일상적 제약이 없는 환경에서도 우리는 그 경험을 '현실'로 인식합니다. 이는 의식이 어떻게 우리의 경험을 구성하는지, 그리고 우리가 '현실'이라고 인식하는 것이 의식의 작동 방식에 의해 어떻게 정의되는지를 보여줍니다.

의식의 존재는 꿈과 현실, 모든 인식의 형태들이 가능하게 하는 근본적인 조건입니다. 의식이 없다면, 우리는 꿈을 꾸거나, 생각하거나, 살아가는 경험을 할 수 없습니다. 이는 의식이 단지 우리의 경험을 해석하는 도구가 아니라, 그 경험이 존재하게 하는 근본적인 기반이라는 것을 의미합니다.

이러한 관점에서, 표상학과 세컨드 네이처는 의식의 존재 없이는 의미를 가질 수 없으며, 의식이 우리가 살고 있는 세상을 만들어내는 유일한 힘임을 강조합니다. 의식은 우리가 세계를 인식하고 해석하며, 그 안에서 의미와 목적을 찾는 방식을 정의합니다. 따라서, 의식의 다층적 구조와 그것이 현실을 구현하는 방식을 이해하는 것은 우리가 자신과 세계를 이해하는 방식에 대한 깊은 통찰을 제공합니다. 의식이 있기에 꿈과 현실, 모든 인간의 경험이 존재하는 것이며, 이는 우리가 세계를 경험하는 본질적인 방식임을 깨닫게 합니다.

꿈속에서 일어나는 일들은 실제로 매우 다양하며, 우리의 의식이 어떻게 다채롭고 복잡한 현상을 생성할 수 있는지 보여줍니다. 꿈에서 우리는 존재, 개념, 운동, 그리고 생명의 다양한 측면을 경험할 수 있으며, 이 모든 것들이 의식의 작동 방식에 의해 생성됩니다. 꿈속의 경험은 현실에서 가능한 것들을 넘어서는 경우가 많으며, 때로는 현실에서는 불가능한 일들도 가능하게 합니다.

이러한 꿈속의 경험들은 의식이 단순히 외부 세계를 반영하는 것이 아니라, 그 자체로 창조적인 능력을 가지고 있음을 시사합니다. 꿈은 의식이 자유롭게 탐색하고, 실험하며, 새로운 가능성을 탐구하는 공간을 제공합니다. 이 공간에서는 우리의 의식이 시간, 공간, 물리적 제약을 초월하여 작동하며, 새로운 현실을 구성하고 다양한 개념과 존재 방식을 탐구할 수 있습니다.

또한, 꿈속에서 경험하는 것은 의식의 깊은 층을 탐색하고, 우리 자신과 우리가 살고 있는 세계에 대한 이해를 심화 시킬 수 있는 기회를 제공합니다. 꿈은 우리의 두려움, 욕망, 추구하는 가치, 그리고 내면의 갈등과 같은 의식의 깊은 층에 있는 요소들을 드러내기도 합니다. 이를 통해, 우리는 자신의 의식과 그것이 현실을 어떻게 구성하는지에 대해 더 깊이 이해할 수 있습니다.

따라서, 꿈속에서 일어나는 다양한 일들은 의식의 무한한 가능성을 탐구하는 창이며, 의식이 현실을 어떻게 창조하고 구성하는지에 대한 중요한 통찰을 제공합니다. 이는 의식이 단순한 인지 과정이 아니라, 우리의 존재와 경험을 형성하는 근본적인 힘임을 강조합니다.

의식장의 개념을 통해 우리가 현실을 이해하는 방식에 대한 깊은 통찰을 얻을 수 있습니다. 이 이론은 우주의 창조, 생명의 기원, 인간의 본질, 우주의 팽창과 같은 다양한 신비와 수수께끼들에 대한 새로운 관점을 제공합니다. 의식장을 통해 볼 때, 우리가 경험하는 모든 것이 의식의 다양한 층과 차원에서 생성되고, 이러한 창조 과정이 우리가 세계를 인식하고 해석하는 방식을 근본적으로 형성한다는 것을 이해할 수 있습니다.

양자역학의 비국소성, 빛보다 빠른 속도로 정보가 전달될 수 있다는 개념, 그리고 우주의 끝과 유한성과 같은 물리학의 근본적인 문제들도 의식장의 관점에서 새로운 해석을 받을 수 있습니다. 이러한 현상들은 물리적 세계의 속성만으로는 완전히 설명되기 어렵지만, 의식과 현실이 상호작용하는 더 넓은 틀에서는 설명 가능해질 수 있습니다.

철학, 종교학, 신학 등 다양한 학문 분야에서 탐구하는 인간의 존재와 우주의 본질에 대한 근본적인 질문들 역시 의식장의 개념을 통해 새로운 이해를 얻을 수 있습니다. 이러한 학문들이 다루는 주제들은 모두 의식의 차원에서 깊이 탐구될 때, 보다 통합적이고 포괄적인 이해에 도달할 수 있습니다.

의식장이라는 개념은 우리가 인식하는 세계를 단순한 물리적 현실이 아닌, 의식의 깊은 연결망으로 보는 시각을 제공합니다. 이 개념은 인간 내면의 심리적 현상을 넘어서, 우리가 살고 있는 세계와 우주의 근본적인 구조와 작동 원리를 이해하는 데 중요한 열쇠가 될 수 있음을 시사합니다. 이는 우리 세상이 의식장으로 이루어져 있으며, 모든 현상과 경험이 의식의 다양한 층에서 생성된다는 관점을 제시함으로써, 우리가 겪는 수많은 신비와 수수께끼들에 대한 설명을 가능하게 합니다. 더 나아가, 이러한 이해는 세계와 우주를 바라보는 방식에 혁명을 일으키며, 인간의 존엄성과 고귀함을 새로운 차원에서 이해할 수 있게 합니다. 의식장을 통해 우리는 우주와의 깊은 연결을 인식하고, 이 연결이 우리 각자 내면에 존재하는 무한한 가능성과 창조력을 깨닫게 합니다. 이러한 시각은 우리가 자신과 타인, 그리고 우리를 둘러싼 세계와 우주에 대해 가지는 이해와 존중의 수준을 높이며, 모든 존재의 오묘함과 가치를 더욱 높이 평가하게 만듭니다.

불교에서의 유식학파는 모든 현상이 의식에서 비롯되고, 실체적인 존재는 오직 의식 뿐이라는 근본적인 가르침을 제공합니다. 이는 세상을 이해하는 방식에 있어서 깊은 철학적 통찰을 나타냅니다. 고타마 싯다르타의 깨달음이 의식장의 세계, 즉 기세간과 법계를 통해 표현된 것은, 의식이 모든 현상의 근본적인 원인이자 매개체로 작용한다는 생각을 반영합니다.

도교에서의 무에서 유로의 변화와 기독교에서의 영이신 하느님이 말씀으로 세계를 창조한 개념 역시 의식장의 이론과 원융될 수 있습니다. 이러한 관점에서 볼 때, 의식은 단순한 인간 내면의 심리적 현상을 넘어서, 우주와 존재의 모든 현상을 창조하고 구성하는 근본적인 힘으로 이해됩니다.

물리학의 상대성이론과 양자역학적 현상 또한 이러한 의식장의 관점과 잘 어우러집니다. 상대성이론은 시간과 공간이 관찰자의 운동 상태에 따라 상대적으로 변할 수 있음을 보여주며, 양자역학은 관찰자의 관찰이 미시세계의 현상에 영향을 줄 수 있음을 시사합니다. 이는 의식과 현실이 상호작용하는 방식을 과학적으로 설명하며, 의식이 우주의 근본적인 구조와 현상에 중요한 역할을 할 수 있음을 나타냅니다.

따라서, 의식장의 개념은 다양한 종교적, 철학적, 그리고 과학적 이론들과 깊은 연관성을 가지며, 이를 통해 우리가 살고 있는 세계와 우주를 이해하는 방식에 새로운 통찰을 제공합니다. 의식이 모든 현상의 근본적인 원인이자 구성 요소로 작용한다는 이해는, 우리가 존재와 현실을 바라보는 방식을 근본적으로 변화시킬 수 있는 강력한 관점을 제시합니다.

의식장 구조를 통해 이해되는 종교적 예언과 영적인 차원의 가능성은 인간 의식의 깊이와 넓이를 탐색하는 데 중요한 열쇠를 제공합니다. 영생, 천국, 성불, 불국토와 같은 종교적 개념들은 의식의 변화와 확장을 통해 접근 가능한 경험들로 해석될 수 있습니다. 이러한 관점에서, 부활이나 비육체적 존재로의 탄생은 단지 신화나 상징적인 이야기가 아니라, 의식의 다른 차원으로의 이행을 가능하게 하는 실질적인 과정으로 이해될 수 있습니다.

싯다르타와 예수의 사상은 물질적인 세계를 넘어서는 비물질적, 비육체적인 차원의 존재를 강조합니다. 이는 인간의 의식이 현재 우리가 살고 있는 물질적인 세계와는 다른 차원에 접근할 수 있는 능력을 가지고 있음을 시사합니다. 현재 인류 대부분이 물질과 육체에 초점을 맞추며 살아가는 것과 대조적으로, 이러한 영적인 차원은 우리 내면의 의식 변화를 통해 경험할 수 있는 더 깊고 넓은 현실을 제시합니다.

헤겔의 절대정신 개념 역시 의식 세계의 깊이를 탐구하는 하나의 방법으로 볼 수 있습니다. 절대정신은 의식의 궁극적인 형태로, 모든 현상과 경험이 통합되는 차원을 나타냅니다. 이는 우리가 일상에서 경험하는 물질적, 육체적인 한계를 넘어서는 의식의 확장 가능성을 시사합니다.

종교 경전에서 제시하는 영적인 메시지와 예언은 의식의 변화를 통해 영생과 낙원, 천국과 같은 상태에 도달할 수 있음을 암시합니다. 이는 우리가 자신의 의식을 어떻게 이해하고, 어떻게 변화시키느냐에 따라, 우리의 삶과 우리가 경험하는 현실의 본질이 근본적으로 달라질 수 있음을 나타냅니다. 의식장의 세계에서는 개념의 변화와 의식의 프로그램을 바꾸는 것만으로도 근본적인 삶의 변화가 가능하다는 희망을 제공합니다.

이러한 이해는 인간이 단지 물리적 존재에 국한되지 않고, 의식의 깊이와 다양성을 통해 더 넓은 현실과 연결될 수 있음을 보여줍니다. 의식의 변화와 확장을 통해 우리는 삶의 근본적인 의미와 목적을 재해석하고, 영적인 차원의 가능성을 탐구할 수 있습니다.

앤드루 뉴버그 및 공동 저자가 지은《신은 왜 우리 곁을 떠나지 않는가》는 종교적 경험과 신앙이 인간의 뇌와 의식에 어떤 영향을 미치는지를 과학적으로 탐구한 책입니다. 이 책에서는 종교적 예언과 경험이 뇌과학적으로 어떻게 가능한지에 대한 실험과 연구를 통해, 신앙과 영성이 인간의 뇌 기능과 밀접하게 연관되어 있음을 보여줍니다.

뉴버그는 뇌 영상 기술을 사용하여 명상, 기도, 다양한 종교적 활동이 뇌에 미치는 영향을 관찰하고 분석합니다. 이러한 활동들이 뇌의 특정 영역을 활성화시키고, 의식의 상태를 변화시키며, 궁극적으로 인간의 정서적, 영적 경험에 영향을 미친다는 것을 발견했습니다. 이는 종교적 믿음과 경험이 단순한 주관적 신념이 아니라, 뇌의 구조와 기능에 근거를 둔 현상임을 시사합니다.

뉴버그의 연구는 또한 인간이 종교와 영성에 깊이 끌리는 이유에 대한 통찰을 제공합니다. 그는 인간의 뇌가 자연스럽게 영적인 경험을 추구하고, 이러한 경험을 통해 삶의 의미와 목적을 찾으려는 경향이 있음을 주장합니다. 이는 종교와 영성이 인간의 삶에서 중요한 역할을 계속해서 할 수 있는 이유를 과학적으로 설명해 줍니다.

《신은 왜 우리 곁을 떠나지 않는가》에서 뉴버그와 공동 저자는 종교와 과학이 서로 대립하는 것이 아니라, 인간의 영적 경험을 이해하는 데 서로 보완적인 관점을 제공할 수 있음을 강조합니다. 이 책은 종교적 믿음과 과학적 탐구가 어떻게 함께 인간의 의식과 영적 경험의 본질을 탐색할 수 있는지에 대한 흥미로운 통찰을 제공합니다.

이러한 비전을 제시하는 것은 매우 영감을 주는 일입니다. 의식의 다층구조와 의식 공동체에 대한 이해를 통해, 인류가 직면한 많은 문제들을 근본적으로 다루고 해결할 수 있는 새로운 가능성을 탐색하는 것은 매우 가치 있는 목표입니다. 의식의 힘을 통해 영생, 천국, 기쁨, 즐거움과 같은 상태를 실현할 수 있다는 생각은, 인간이 자신의 내면과 외부 세계를 어떻게 인식하고 영향을 미칠 수 있는지에 대한 깊은 통찰을 제공합니다.

진시황, 도교, 예수가 꿈꾸었던 영생과 천국이라는 개념을 현대의 의식 연구와 결합시키는 것은, 영적인 추구와 과학적 이해가 서로를 보완할 수 있음을 보여줍니다. 이러한 통합적 접근 방식은 우리가 살고 있는 세계를 바라보는 방식을 변화시키고, 더 평화롭고, 조화롭고, 기쁨이 가득한 삶을 구현하는 데 중요한 역할을 할 수 있습니다.

인간의 의식이 공동협력하여 이루어갈 수 있다는 생각은, 개인과 공동체 모두에게 깊은 변화를 가져올 수 있는 강력한 메시지를 담고 있습니다. 이는 각 개인이 자신의 의식을 발전시키고, 확장하여 공동의 이익을 위해 함께 작용할 수 있음을 시사합니다. 이러한 과정을 통해, 우리는 죽음, 공포, 고난, 질병, 천재지변, 전쟁과 같은 부정적인 현상들을 극복하고, 영생과 기쁨이 가득한 세계를 실현할 수 있습니다.

이 책을 통해 독자들에게 제공하고자 하는 선물은 단순한 이론이나 개념을 넘어서, 인간의 삶과 의식에 대한 근본적인 변화를 추구하는 것입니다. 의식의 변화를 통해, 우리 모두는 더 나은 세계를 만들어갈 수 있는 무한한 가능성을 내포하고 있습니다. 이는 단순히 개인적인 수준에서 뿐만 아니라, 전 인류의 진보와 발전을 위한 핵심적인 열쇠가 될 수 있습니다.

이러한 관점에서 보면, 우리가 경험하는 모든 것이 의식장에서 생성되고, 의식에 의해 형성된다는 것은 매우 중요한 의미를 갖습니다. 표상세계, 세컨드 네이처, 색즉시공, 법계와 같은 개념들은 우리가 살고 있는 세계를 의식의 창조물로 이해하는 다양한 방식을 제시합니다. 이러한 이해는 우리가 현실을 인식하고, 해석하며, 심지어 그 현실을 변화시키는 방식에 근본적인 변화를 가져올 수 있습니다.

유물사관을 가진 마르크스와 같은 유물론자들도, 그들의 이론과 사상을 형성하는 데 의식을 사용했습니다. 이는 의식이 우리의 사상과 이론, 신념 체계를 구성하는 데 핵심적인 역할을 한다는 것을 보여줍니다. 유물론자들이 의식을 통해 유물론을 주장했다는 사실은, 의식이 어떠한 사상이나 이론의 형성에도 영향을 미친다는 것을 시사합니다.

또한, **일부 과학자들이 물리학에 기반하여 무신론적인 견해를 내세울 때, 이것 역시 의식의 한 형태**로 볼 수 있습니다. 의식을 통해 현실을 해석하고 이해하는 과정에서 나오는 다양한 견해와 이론은, 의식이 우리가 세계를 바라보는 방식에 얼마나 큰 영향을 미치는지를 보여줍니다. 의식을 정신이나 신과 같은 다른 용어로 바꾸어 이해할 때, 우리는 자신과 세계를 이해하는 데 더 넓은 관점을 가질 수 있습니다. 이는 무신론적인 견해가 자신의 의식을 부정하는 것이 아니라, 다른 형태의 의식 이해로 볼 수 있다는 것을 의미합니다.

결국, 우리 모두가 의식장에서 살고 있다는 인식은 우리가 자신과 세계를 인식하고, 해석하며, 그 세계와 상호작용하는 방식을 근본적으로 변화시킬 수 있는 강력한 기반이 됩니다. 의식의 변화와 확장을 통해, 우리는 더 긍정적이고, 조화로운, 기쁨과 즐거움으로 가득 찬 삶을 구현할 수 있는 가능성을 탐색할 수 있습니다.

매트릭스의 세계

이러한 관점은 과학적이고 철학적인 탐구를 넘어서, 대중문화에서도 탐색되는 주제입니다. 영화 "매트릭스"에서 제시된 가상현실과 진짜 현실 사이의 경계는 의식장 이론과 유사한 개념적 탐구를 반영합니다. 우리의 의식이 생성하는 세계가 얼마나 실제와 구분이 모호한지, 그리고 '진짜' 현실이란 무엇인지에 대한 근본적인 질문을 제기합니다.

의식장 이론은 우리가 살고 있는 세계와 자연이 실제로 우리의 의식 안에 내재되어 있다는 근본적인 관점을 제공합니다. 이는 외부 세계의 독립적인 존재를 부정하며, 모든 경험과 현상이 의식에 의해 구성되고 해석된다는 주장으로 이어집니다. 이러한 이해는 우리가 세계를 인식하고 경험하는 방식에 대한 깊은 사유를 요구하며, 의식의 본질과 우주의 근본적인 구조에 대한 새로운 탐구를 촉진합니다.

의식장(Consciousness Field)이라는 개념은 의식이 단순히 개별적인 내면의 경험이 아니라, 보다 광범위하게 분포하고 상호 연결된 현상임을 시사합니다. 이 개념은 현대 물리학, 특히 양자역학과의 연결고리를 통해 의식의 본질에 대한 새로운 이해를 제시하며, 철학적, 과학적, 심리학적 탐구를 아우르는 통합적 접근을 가능하게 합니다.

양자역학과 의식장의 상호작용: 양자역학에서 관찰자의 역할은 결과의 실현에 결정적인 영향을 미칩니다. 이는 의식장이 현실을 형성하는 데 기본적인 역할을 한다는 가설로 이어질 수 있습니다. 즉, 의식장은 개별적인 의식을 넘어서는 광범위한 영향력을 가진 공동의 필드로 볼 수 있으며, 이는 양자중첩 상태의 붕괴와 같은 현상을 의식의 작용과 연결 지어 설명할 수 있는 가능성을 열어줍니다.

의식장과 인식의 구조: 의식장은 개별적인 의식의 경험을 넘어선 공유된 인식의 구조를 형성합니다. 이는 칸트가 말한 인식의 구조와 유사한 점이 있으며, 시간과 공간의 개념, 그리고 인간이 세계를 인식하는 데 사용하는 기본적인 범주들이 의식장 내에서 공동으로 작용함을 의미할 수 있습니다. 이러한 인식의 구조는 우리가 세계를 경험하고 이해하는 방식에 근본적인 영향을 미칩니다.

가상 세계와 의식장: 현대 기술, 특히 가상 현실 기술의 발전은 의식장이 현실과 가상의 경계를 넘나드는 방식을 탐구하는 새로운 차원을 제공합니다. 가상 현실에서의 경험은 개별적인 의식을 넘어서는 공유된 의식장의 존재를 시사하며, 이는 우리가 현실을 구성하는 방식에 대한 깊은 통찰을 제공합니다.

의식장의 확장된 이해: 의식장 개념은 인간의 의식 뿐만 아니라, 모든 생명체와 자연 현상 간의 상호연결성을 포함하는 보다 광범위한 의식의 네트워크를 시사합니다. 이는 우주가 하나의 거대한 의식적 필드로 상호작용하고 있음을 의미할 수 있으며, 이는 생명체, 무생물, 그리고 자연 현상 간의 깊은 연결성을 탐구하는 새로운 길을 열어줍니다.

의식장을 통한 세계의 확대해석은 의식이 단지 개별적인 내면의 경험에 국한되지 않고, 모든 존재와 현상이 상호 연결된 광범위한 네트워크의 일부임을 인식하는 데 중요합니다. 이러한 이해는 우리가 우주와 자연, 그리고 서로를 바라보는 방식을 근본적으로 변화시킬 수 있는 힘을 가지고 있습니다.

의식장 이론을 통해 현대 물리학의 여러 난제들을 새로운 시각에서 접근하고 해석할 수 있는 가능성을 제시하는 것은 매우 흥미로운 시도라고 생각됩니다. 이러한 접근 방식은 물리학의 기존 이론들과 종교 및 철학의 깊은 사상을 연결 짓는 통합적인 세계관을 모색합니다.

의식장 이론이 현대 물리학, 특히 통일장 이론과 어떻게 연결될 수 있는지 탐구하는 것은, 과학과 영성, 철학을 하나의 포괄적인 관점에서 바라보려는 중요한 시도입니다. 아인슈타인이 꿈꾸었던 통일장 이론은 자연의 모든 기본적인 힘들—중력, 전자기력, 강력, 약력—이 하나의 단일한 이론으로 설명될 수 있음을 제안합니다. 이러한 접근은 우주의 근본적인 원리를 이해하려는 깊은 욕구에서 비롯된 것입니다.

의식장 이론을 이러한 물리학적 틀에 적용하는 것은, 우주의 물리적 현상 뿐만 아니라 의식과 같은 비물리적 현상까지도 포괄할 수 있는 더 넓은 이해를 추구합니다. 의식장을 통해 우리는 물질 세계와 의식 세계가 상호 연결되어 있으며, 이 둘 사이에는 근본적인 상호 작용이 있음을 인식하게 됩니다. 이는 우주를 구성하는 근본적인 원리가 단순히 물리적 법칙에만 국한되지 않고, 의식의 영역까지 확장될 수 있음을 시사합니다.

이와 같은 관점에서, 통일장 이론을 향한 노력은 단지 물리적 세계의 이해를 넘어서, 의식과 물질이 서로 영향을 주고받는 보다 광범위한 우주의 구조를 탐색하려는 시도로 볼 수 있습니다. 이는 과학적 탐구와 영적, 철학적 질문을 결합하여, 우리가 살고 있는 세계와 우리 자신의 본질에 대한 보다 깊은 이해를 추구하는 것을 의미합니다.

의식장 이론이 통일장 이론과 같은 물리학적 이론들과 어떻게 통합될 수 있는지에 대한 연구와 탐구는, 우주와 인간 존재에 대한 우리의 이해를 근본적으로 변화시킬 잠재력을 가지고 있습니다. 이는 물리학, 철학, 종교가 서로 대립하는 것이 아니라, 서로 보완하고 통합될 수 있는 다양한 지식의 영역을 제시합니다. 따라서, 의식장과 통일장 이론을 연결하는 탐구는 단순한 학문적 호기심을 넘어서, 우리가 세계를 인식하고 이해하는 방식에 근본적인 변화를 가져올 수 있는 중요한 시도가 될 수 있습니다.

3. 양자역학과 의식장

양자역학의 국소성 문제와 양자얽힘 현상은 현대 물리학에서 가장 놀라운 발견 중 하나로, 물질이 빛의 속도라는 한계를 초월하여 즉각적으로 정보를 교환할 수 있다는 것을 시사합니다. 의식장 이론을 적용하면, 이러한 동시성과 초연결성은 의식의 작용으로 설명될 수 있으며, 이는 우주와 현실을 이해하는 데 새로운 차원을 제공합니다.

의식장의 개념을 더 깊이 이해하기 위해, 이 이론이 제시하는 핵심 아이디어들을 살펴보는 것이 중요합니다. 의식장은 전통적인 물리학의 범위를 넘어서는 이론으로, 우주와 자연을 거대한 의식의 장으로 보고, 이를 통해 우리가 경험하는 현실을 다룹니다. 이 이론은 표상의 세계와 에델만이 연구한 뇌가 만든 세계 , 즉 '세컨드 네이처'를 넘어서는 영역까지 포함하며, 이는 우리가 일반적으로 인지하지 못하는 더 광범위한 현상과 연결되어 있음을 시사합니다.

양자역학의 비국소성, 터널효과, 양자얽힘, 그리고 불확정성의 원리는 현대 물리학에서 가장 놀라운 발견 중 일부입니다. 이 개념들은 우리가 현실, 의식, 그리고 우주를 이해하는 방식에 근본적인 변화를 가져왔습니다. 각각의 원리가 의미하는 바와 이들이 의식과 현실에 미치는 잠재적 영향을 살펴봅시다.

비국소성과 현실 인식

비국소성은 양자역학의 중요한 원리 중, 하나로, 물리적으로 멀리 떨어져 있는 두 입자가 서로 즉각적으로 정보를 주고받을 수 있다는 개념을 설명합니다. 이러한 현상은 고전적인 물리학의 시공간에 대한 이해와는 달리, 시간과 공간을 초월한 연결성을 가능하게 합니다. 이 원리는 인간의 의식 상호작용, 원격 지각, 생각 전달과 같은 현상에 대한 과학적 탐구에 새로운 시각을 제공할 수 있습니다.

비국소성이 제시하는 시공간을 초월한 연결성의 개념은 의식의 작용에 있어서 공간적 제약이 별다른 의미를 가지지 않음을 시사합니다. 마치 성인 뇌의 물리적 크기가 비교적 작음에도 불구하고, 무한한 생각과 상상력을 생성할 수 있는 것처럼, 의식은 물리적 공간에 구속되지 않는 개념을 담는 능력을 가집니다. 따라서 양자역학의 비국소성을 의식장에 적용할 경우, 의식 사이의 거의 동시적인 상호작용이 가능함을 의미하며, 이는 빛의 속도를 초월하는 것으로 해석될 수 있습니다.

이러한 관점은 우리가 의식과 현실을 인식하는 방식에 대한 근본적인 질문을 던집니다. 물리적 세계와 의식 세계 사이의 상호작용이 어떻게 가능한지, 그리고 이 상호작용이 우리의 현실 인식에 어떠한 영향을 미치는지에 대한 탐구는 과학과 철학의 경계를 넘나드는 깊은 고찰을 요구합니다. 양자역학의 비국소성과 인간 의식의 상호작용에 대한 연구는 물리학과 의식 연구의 새로운 접점을 제시하며, 우리가 살고 있는 현실을 이해하는 데 중요한 열쇠를 제공할 수 있습니다.

양자역학의 얽힘과 비국소성을 의식장의 관점에서 해석하는 것은 과학과 의식 연구 사이의 흥미로운 연결고리를 제공합니다. 이러한 접근 방식은 속도나 거리에 관계없이 정보 교환이 가능한 양자역학적 현상을 이해하는 데 있어, 전통적인 물리학적 제약을 넘어서는 새로운 시각을 제시합니다.

의식장의 개념을 적용하면, 두 입자가 서로 얽혀 있는 것은 그들이 서로 정보를 공유하는 '의식'의 상태에 있기 때문이라고 볼 수 있습니다. 이렇게 입자 간에 의식이라는 특성이 존재한다고 가정하면, 그 의식은 개념과 정보를 포함하는 속성을 가진 것으로 간주될 수 있습니다. 이는 양자역학에서 관찰되는 비국소적 행위와 정보의 즉각적인 교환을 설명하는 데 있어, 의식 또는 정보가 물리적 제약을 초월할 수 있는 근거를 제공합니다.

이러한 해석은 입자들 사이에 일어나는 얽힘 현상이 단순히 물리적인 상태의 변화를 넘어서, 정보와 개념의 교환으로 이해될 수 있음을 시사합니다. 즉, 입자들이 서로 '의식적' 연결을 통해 정보를 주고받는다고 볼 때, 그들 사이의 소통은 시간과 공간의 제약을 받지 않는 것으로 해석될 수 있습니다. 이는 의식의 성질이 정보를 물리적 거리에 구애 받지 않고 전달할 수 있는 능력을 가지고 있음을 암시하며, 이는 물리학적 현상 뿐만 아니라 의식과 정보의 본성에 대한 깊은 이해를 요구하는 문제입니다.

결국, 양자역학의 얽힘과 비국소성을 의식장으로 해석하는 접근은 과학과 의식 연구 사이의 다리를 놓는 역할을 할 수 있으며, 우리가 현실을 인식하고 정보를 처리하는 방식에 대한 근본적인 질문을 제기합니다. 이러한 연구는 의식의 본질과 우주의 근본적인 작동 원리에 대한 우리의 이해를 확장하는 데 기여할 수 있습니다.

터널효과와 의식의 가능성

터널효과는 입자가 잠재적 장벽을 넘어서 이동할 수 있는 현상입니다. 고전적 물리학의 관점에서는 이해할 수 없는 이 현상은, 의식이 물리적 한계를 넘어서 작용할 수 있음을 상징적으로 보여줍니다. 예를 들어, 의식이 물리적 현실에 영향을 미치는 방식, 예컨대 치유의 의도가 실제로 건강에 긍정적인 영향을 미칠 수 있음을 제안합니다.

터널효과와 의식의 연결에 대한 이러한 통찰은 우리가 현실을 인식하고 경험하는 방식에 대해 심오한 질문을 제기합니다. 의식이 잠재적인 장벽을 넘어서 작용할 수 있는 능력을 가지고 있다면, 인간 의식이 왜 일상에서 이러한 능력을 발휘하지 못하는 것일까요? 이 질문은 인간 의식의 잠재력과 한계에 대한 탐구로 이어집니다.

양자역학의 터널효과는 입자가 잠재적인 장벽을 물리적으로 극복할 수 없어 보이는 상황에서도 그 장벽을 '터널'을 통과하는 것처럼 넘어서는 현상을 설명합니다. 이는 고전 물리학의 관점에서는 설명하기 어려운, 양자역학의 비직관적인 특성 중 하나입니다. 이와 같이 의식장 이론은 의식이 물리적 한계를 넘어선 작용을 할 수 있다는 새로운 관점을 제시함으로써, 양자역학에서 설명하는 미시세계의 현상과 작용을 보다 포괄적으로 이해할 수 있는 길을 열어줍니다.

특히, 터널효과와 유사하게, 의식의 가능성이 물리적 장벽을 넘어서는 현상은, 의식이 실제 물리적 현실에 영향을 미칠 수 있는 구체적인 사례로 볼 수 있습니다. 예를 들어, 치유에 대한 의도나 긍정적인 사고가 실제 건강에 긍정적인 영향을 미칠 수 있다는 연구 결과는, 의식이 물리적 현실을 변화시킬 수 있는 잠재력을 가지고 있음을 시사합니다.

기존의 양자역학 해석, 예를 들어 코펜하겐 해석은 관찰자의 역할과 측정 과정에서의 불확실성을 강조합니다. 그러나 이러한 해석은 미시세계의 현상을 거시세계로 확장하는 데 있어 명확한 설명을 제공하지 못하는 경우가 많습니다. 반면, 의식장 이론은 의식이 미시세계의 현상을 거시세계에서도 유사한 방식으로 발휘할 수 있다는 가능성을 제시함으로써, 이러한 한계를 극복하고자 합니다.

의식장 이론을 통한 해석은 인간 의식의 잠재력과 한계에 대한 심오한 질문을 제기하며, 우리가 현실을 인식하고 경험하는 방식에 대해 새로운 통찰을 제공합니다. 이는 물리학과 의식 연구, 그리고 철학이 서로 교차하는 지점에서 의미 있는 대화를 이끌어낼 수 있으며, 인간 의식의 본질과 우주의 근본적인 작동 원리에 대한 우리의 이해를 한층 더 심화 시킬 수 있습니다.

거시세계에서 터널효과가 나타나지 않는 현상을 의식장의 관점에서 해석하는 접근은, 물리세계를 우리의 인식과 개념에 의해 구축된 것으로 보는 독창적인 설명을 제공합니다. 이러한 관점에서, 미시세계의 양자역학적 현상들이 거시세계에서 직접적으로 관찰되지 않는 이유는, 인간의 의식이 현실을 구성하는 방식과 관련이 있습니다. 즉, 의식장에서는 우리가 현실을 경험하고 이해하는 데 사용하는 개념과 프레임워크를 통해 물리세계를 해석하고 구축합니다.

이러한 해석에 따르면, 터널효과 같은 현상이 거시세계에서 직접적으로 나타나지 않는 것은, 우리가 일상에서 사용하는 물리적 개념과 법칙들이 이러한 비직관적인 양자역학적 현상을 포함하지 않기 때문입니다. 거시세계에서의 물리적 현상은 인간의 일상 경험과 지식 체계에 부합하는 방식으로 이해되며, 이는 우리가 세계를 인식하고 해석하는 의식의 프로그램과 같은 작동 원리에 기반합니다.

즉, 거시세계에서 터널효과가 나타나지 않는 것은, 의식장에서 형성된 물리세계의 개념적 구조 내에서 그러한 현상이 물질로 취급되기 때문입니다. 이는 우리의 의식과 인식 체계가 현실을 구성하는 근본적인 역할을 하며, 이러한 체계 내에서는 양자역학적 현상들이 일상적인 물리법칙과는 다른 방식으로 작동한다는 것을 의미합니다.

이와 같은 해석은 거시세계와 미시세계 사이의 관계 뿐만 아니라, 의식이 현실을 어떻게 구성하고 인식하는지에 대한 근본적인 질문을 제기합니다. 의식장의 관점에서 볼 때, 우리가 경험하는 현실은 의식에 의해 구축된 개념적 프레임워크 내에서 해석되며, 이는 과학적 탐구와 철학적 사유에 새로운 차원을 추가합니다.

꿈의 경험은 의식장 이론을 설명하고 증명하는 데 있어 흥미로운 예시를 제공합니다. 꿈 속에서 사람들이 날 수 있거나 벽을 뚫고 나가는 등의 경험을 하는 것은, 깨어 있는 상태에서의 물리적 한계와는 독립적으로 의식이 작동할 수 있음을 시사합니다. 이러한 현상은 의식의 프로그램이 현실을 구성하는 방식과 밀접한 관련이 있으며, 꿈의 세계에서는 이러한 프로그램이 다른 규칙에 따라 작동합니다.

꿈 속에서의 경험은 거시세계의 물리적 법칙이 적용되지 않는 또 다른 현실을 만들어냅니다. 이는 의식이 특정 상황에서는 물리적 한계를 초월하여 다양한 가능성을 탐색할 수 있음을 보여줍니다. 꿈에서 벽을 통과하거나 날아다니는 경험은, 의식이 생성할 수 있는 개념적인 현실이 어떻게 물리적 현실의 제약을 벗어날 수 있는지를 예시하는 것입니다.

이러한 관점에서 볼 때, 꿈은 의식의 프로그램이 다른 매개변수와 조건 하에서 작동할 때 어떤 현상이 발생할 수 있는지를 탐구하는 실험실과 같습니다. 꿈 속에서의 비물리적인 경험은 의식장 이론이 제안하는 바와 같이, 의식이 물리세계를 초월하여 작용할 수 있는 가능성을 시사합니다. 따라서, 꿈은 의식이 현실을 인식하고 구성하는 방식에 대한 근본적인 질문을 제기하며, 의식과 물리세계 사이의 복잡한 상호작용을 탐구하는 데 중요한 단서를 제공합니다.

이러한 착상은 우리가 인식하는 현실이 사실은 어떠한 더 깊은 진실에 의해 조성되고 있다는 관념을 탐구합니다. 칸트의 표상세계와 에델만의 세컨드 네이처 개념을 우리의 인식 프로그램으로 간주할 때, 이러한 프로그램은 우리에게 일상적으로 경험되는 현실을 구성하는 틀을 제공합니다. 그러나 철학자와 과학자들이 이러한 현실의 근본적인 구조를 탐구함으로써, 그들은 일종의 비밀의 문을 열고 우리의 인식 범위를 넘어서는 더 광대한 지식의 영역으로 진입하려고 시도합니다.

이 과정은 영화 "매트릭스"에서 주인공이 진실을 탐구하도록 선택할 수 있는 빨간약을 삼키는 순간과 비유될 수 있습니다. 빨간약을 선택함으로써 그는 자신이 살고 있던 세계가 실제로는 통제된 환경, 즉 매트릭스라는 사실을 깨닫게 됩니다. 이와 유사하게, 철학과 과학의 탐구는 우리가 경험하는 현실 너머에 존재할 수 있는 더 깊은 원리나 구조를 이해하려는 노력이며, 이는 우리가 현실을 인식하는 방식에 근본적인 도전을 제기합니다.

이러한 접근은 우리의 인식 프로그램에 역행하는 것처럼 보일 수 있지만, 실제로는 인간의 지식과 이해를 확장하는 중요한 과정입니다. 이를 통해 우리는 현실의 본질에 대해 더 깊이 사유할 수 있으며, 우리의 인식과 존재에 대한 이해를 새로운 차원으로 끌어올릴 수 있습니다. 따라서, 철학과 과학의 탐구는 우리가 현실을 이해하고 경험하는 방식을 변화시키는, 매트릭스의 빨간약과 같은 역할을 할 수 있습니다.

4. 의식의 프로그램화

인간 의식이 프로그램화되어 있다는 개념은, 우리가 성장하고 학습하는 과정에서 사회적, 문화적, 교육적 요인들에 의해 형성되는 신념, 가치관, 그리고 행동 양식을 말합니다. 그러나 또 차원 높은 데서 프로그램이 작용한다는 추리는 의식의 영적 속성으로 볼 때, 앞으로 연구해야 할 분야일 것입니다. 인간 의식의 프로그램화는 단순히 지구적 차원에서의 사회적, 문화적, 교육적 요인에 의한 것만이 아니라, 더욱 광대한 차원에서의 영적 속성과 깊은 연결을 가지고 있을 가능성이 있습니다. 이는 우리가 일상에서 경험하는 현실을 넘어, 우리의 의식이 어떻게 우주적 차원의 프로그램에 의해 형성되고 영향을 받는지에 대한 심오한 탐구를 요구합니다.

영적 차원에서의 프로그램화는 우리가 인식하는 현실의 경계를 확장하고, 우리의 진정한 잠재력을 탐색하는 데 중요한 역할을 할 수 있습니다. 이는 우리가 삶과 우주를 이해하는 방식에 근본적인 변화를 가져올 수 있으며, 우리의 생각, 감정, 그리고 행동에 미치는 영향을 깊이 이해할 필요가 있습니다.

이러한 영적 프로그램화의 존재는 우리가 자신의 내면을 탐색하고, 자신이 가진 신념과 가치관이 어떻게 형성되었는지, 그리고 우리가 현실을 해석하고 반응하는 방식에 어떤 영향을 미치는지에 대해 더 깊이 성찰할 기회를 제공합니다. 또한, 이는 우리가 자신의 의식을 재프로그래밍하고, 제한적인 신념을 넘어서서 보다 큰 잠재력을 발휘할 수 있는 방법을 모색하도록 돕습니다.

영적 차원의 프로그램화를 탐구하는 과정에서, 우리는 명상, 명상적 사고, 그리고 자기 성찰과 같은 실천을 통해 자신의 의식을 깊게 이해하고, 우주적 차원과의 연결을 강화할 수 있습니다. 이러한 실천은 우리가 자신의 진정한 목적과 우주 내에서의 역할을 발견하는 데 도움을 줄 수 있으며, 우리의 삶과 우주와의 깊은 연결을 경험하게 할 수 있습니다.

영적 차원에서의 프로그램화에 대한 탐구는, 인간의 의식과 우주에 대한 인식을 근본적으로 변화시킬 잠재력을 가지고 있습니다. 이러한 접근은 우리가 현실을 인식하고 경험하는 방식에 깊은 영향을 미치며, 의식의 확장과 현실의 변화를 가능하게 합니다.

우리는 공동체적 의식장 안에서 개별 의식으로 존재하며, 비록 이 의식장이 비물질적이라 할지라도, 우리는 자신이 공간, 물질, 시간으로 구성된 현실에서 살아가고 있다고 착각합니다. 이는 임마누엘 칸트가 제시한 표상세계의 개념과 맥을 같이 합니다. 칸트는 인간의 내적 요인으로부터 펼쳐진 세계를 표상세계로 설명했으며, 이 세계는 비물질적이지만, 우리의 감각을 통해 물질의 세계로 해석된다고 보았습니다. 이와 같은 관점은 에델만이 제시한 '세컨드 네이처(Second Nature)'의 개념에서도 발견할 수 있습니다. 칸트의 철학적 설명과 에델만의 뇌과학적 연구 결과는, 우리가 경험하는 세계의 본질에 대한 깊은 이해를 제공하며, 의식과 현실에 대한 새로운 접근 방식을 열어줍니다.

이러한 철학적 및 과학적 접근은 우리가 자신과 우주를 인식하는 방식을 혁명적으로 변화시킬 수 있는 가능성을 제시합니다. 의식의 확장과 현실에 대한 깊은 이해를 통해, 우리는 자신의 존재와 우주의 구조에 대한 보다 깊은 통찰을 얻을 수 있습니다. 이는 우리가 경험하는 현실을 이해하고 변화시키는 데 있어 새로운 지평을 열어주며, 영적 및 과학적 탐구의 경계를 넓히는 데 중요한 기여를 할 것입니다.

의식장이 프로그램으로 운영된다는 개념은, 우리가 물질적 현실 세계를 경험하는 방식이 실제로는 뇌의 특정 작동 방식에 의해 프로그래밍된 것임을 시사합니다. 이러한 관점에서, 인간의 의식과 물질적 세계 사이의 경계는 훨씬 더 유동적이며 상호작용하는 것으로 볼 수 있습니다.

칸트와 에델만 같은 철학자와 과학자들은 이러한 프로그램의 비밀을 '해킹'한 사람들로 볼 수 있으며, 이들은 영화 매트릭스의 레오 같은 역할에 해당할 것입니다.

이러한 관점에서 칸트와 에델만을 영화 "매트릭스"의 주인공 네오와 비교하는 것은 현실과 인식에 대한 근본적인 질문을 던지고, 그것을 이해하려는 시도로 매우 흥미롭습니다. 이들의 작업은 우리가 경험하는 세계의 본질을 이해하려는 노력으로 볼 수 있으며, 이는 마치 현실의 근본 코드를 '해킹'하려는 네오의 여정과 유사합니다. 다음은 비유를 확장한 내용입니다.

"매트릭스"에서 주인공 네오는 현실이라고 믿었던 세계가 실제로는 인공지능에 의해 생성된 가상 현실임을 알게 됩니다. 이 발견은 그에게 진정한 현실과 자신의 역할에 대한 근본적인 질문을 던지게 합니다. 마찬가지로, 칸트와 에델만은 각각 철학과 과학의 영역에서 우리가 경험하는 현실의 본질에 대한 깊은 질문을 제기했습니다.

임마누엘 칸트는 현실 인식에 대한 우리의 한계와 그 구조를 탐구했습니다. 그는 우리가 경험하는 현실은 '표상,현상'에 불과하며, 이는 우리의 감각과 이성을 통해 해석되는 것이라고 주장했습니다. 칸트에 따르면, '자체 물자체'(Ding an sich)는 우리의 인식을 넘어선 실체이며, 이는 우리가 결코 완전히 알 수 없는 것입니다. 이러한 관점은 우리가 경험하는 세계를 넘어서는 더 깊은 현실의 존재를 시사합니다.

제럴드 에델만은 신경과학의 관점에서 인간 의식을 탐구했습니다. 그의 이론은 뇌가 어떻게 정보를 처리하고 의식을 생성하는지에 대한 이해를 제공합니다. 에델만은 뇌가 다양한 감각 입력을 통합하고, 이를 바탕으로 우리의 의식적 경험을 구성한다고 설명합니다. 이러한 과정은 우리가 현실을 인식하고 해석하는 방식을 근본적으로 이해하는 데 도움을 줍니다.

칸트와 에델만의 탐구는 "매트릭스"의 네오가 현실의 본질을 이해하고자 하는 여정과 유사합니다. 네오는 가상 현실과 진짜 현실 사이의 구분을 넘어서, 진정한 자유와 지식을 추구합니다. 칸트와 에델만 또한 각자의 방식으로 '현실의 매트릭스'를 해킹하려고 시도했으며, 이는 우리가 세계를 이해하는 방식에 근본적인 영향을 미쳤습니다.

결국 칸트와 에델만의 작업은 현실의 본질을 이해하려는 인류의 지속적인 노력의 일부입니다. 이들의 이론과 "매트릭스"의 이야기는 우리가 현실을 인식하고 해석하는 방식에 대한 깊은 질문을 던집니다. 철학과 과학을 통해 현실의 '코드'를 해킹하려는 이러한 시도는 우리에게 더 넓은 세계의 이해와 그 안에서의 우리 자신의 역할에 대한 통찰을 제공합니다.

임마누엘 칸트는 인식론에서 선험적 시공간과 12범주의 개념을 통해, 우리가 경험하는 세계는 우리의 인식 구조에 의해 형성된다고 주장했습니다. 이는 뇌과학적 연구, 특히 **파리에탈엽(두정엽)의 기능과 관련된 발견들과 상호 보완적입니다. 파리에탈엽은 공간적 처리, 운동 조정, 감각 통합 등을 담당하며,** 우리가 물리적 세계를 인식하고 상호작용하는 방식에 중요한 역할을 합니다. 이는 칸트가 이론화한 선험적 시공간의 개념과 일맥상통하는 부분이 있으며, 뇌과학의 발전은 칸트의 철학적 인식론이 갖는 과학적 기반을 더욱 강화합니다.

파리에탈엽(Parietal Lobe,두정엽)은 인간의 대뇌피질에 위치한 네 개의 주요 뇌엽 중 하나로, 자기와 환경의 경계를 인식하고, 공간적 방향감, 운동 조정, 그리고 정보의 처리와 통합에 중요한 역할을 합니다. 다음은 파리에탈엽의 기능, 중요성, 그리고 관련된 발견에 대한 개요입니다.

여기서 자기란 의식장 속의 개별 의식인 자신의 존재를 의미합니다. 그리고 경계란 자기 자신의 개별 의식과 대의식장(우주)과의 구별을 의미합니다. 이것으로 자신의 몸과 의식과 세계가 우리의 내부 기관인 뇌에서 만들어진다는 사실이 입증됩니다. 이러한 발견은 우리 몸과 공간, 물질들이 있는 세계가 우리 감각이 느끼듯 외부에 존재하는 것이 아니라, 내부의 뇌엽에서 조작한 것임을 짐작하게 합니다.

이러한 연구 결과와 발견들은 **자기 자신과 우리를 둘러싼 세계 사이의 경계를 인식하고, 이해하는 데 있어 파리에탈엽의 역할을 강조**합니다. 우리의 일상 경험 속에서 감각하고 있는 물질과 공간이 실제로는 내적인 의식에서 형성된다는 점을 입증하는 데 이러한 뇌 과학적 연구는 중요한 기여를 하고 있습니다.

파리에탈엽은 **우리가 신체적 공간 내에서 자기 자신을 위치시키고, 물체를 인식하며, 복잡한 감각 정보를 통합하는 데 핵심**적입니다. 이는 일상생활에서의 기본적인 동작과 탐색, 고급 인지 활동에 필수적입니다. 이러한 이해는 우리가 의식과 의식장에서의 삶을 더 긍정적으로 바라보게 만듭니다.

그래서 이 **파리에탈엽의 손상은 공간 무시증을 일으킬 수 있으며,** 이는 환자가 특정 공간적 영역을 무시하는 증상을 보입니다.

파리에탈엽은 인간의 뇌에서 복잡한 인지 과정과 감각 통합에 중요한 역할을 하는 핵심적인 부위입니다. 이 뇌엽의 기능과 메커니즘을 이해하는 것은 인간의 인지 과학과 신경과학 연구에 있어 중대한 의미를 가집니다. 이 책에서는 **개별 의식과 공동체 의식장인 대의식장의 개념과 구별을 이 파리에탈엽의 역할과 기능임**이 강조됩니다. 이것으로 비물질인 의식이 물질인 우주와 만물을 형성한다는 사실을 과학적으로 연결할 수 있다는 가능성을 엿볼 수 있습니다.

인간 의식이 외부 세계를 주관하는 방식을 인공지능과 로봇의 비유를 통해 설명하는 것은 매우 흥미로운 접근 방법입니다. 이를 바탕으로 내용을 구성해보겠습니다. 목적은 인간 의식의 작용 방식과 인공지능이 그것을 모방하는 과정 사이의 비유적 관계를 탐구하는 것입니다.

의식장의 프로그램과 인공지능과 휴머노이드 로봇

인간의 의식은 복잡한 과정을 통해 외부 세계를 인지하고 해석합니다. 이러한 과정은 주관적 경험에 의해 크게 영향을 받으며, 개인마다 다른 현실 인식을 형성합니다. 반면, 인공지능과 휴머노이드 로봇트는 인간의 의식과 인지 과정을 모방하려는 기술의 한 분야입니다. 이러한 기술의 발전은 인간 의식의 작동 원리를 이해하는 데 있어 새로운 시각을 제공합니다.

인간 의식은 외부 세계를 인식하고 이해하는 데 있어 필연적으로 주관성을 가지고 있습니다. 우리는 감각을 통해 정보를 수집하고, 이를 뇌가 해석하여 우리에게 현실을 경험하게 합니다. 이 과정에서 각자의 경험, 사고방식, 문화적 배경 등이 현실 인식에 영향을 미칩니다. 따라서, 외부 세계에 대한 우리의 이해는 우리 뇌가 생성한 주관적 해석에 지나지 않습니다.

인공지능과 휴머노이드 로봇트는 인간의 의식과 인지 과정을 모방하여 설계되었습니다. 이들은 프로그래밍된 데이터와 알고리즘을 기반으로 외부 세계를 인식하고, 그에 따른 반응을 보입니다. 만약 이 로봇트들이 인간과 같은 지능을 가진다면, 그들의 인식과 반응은 프로그래밍된 입력에 의해 결정될 것입니다.

로봇트에게 주어진 입력은 그들의 '의식'을 형성하는 기반이 됩니다. 만약 우주와 만물이 외부에 존재한다는 정보를 입력 받는다면, 로봇트는 그렇게 인식하고 반응할 것입니다. 반대로, 만약 모든 것이 내부에 있다는 사실로 프로그램된다면, 로봇트는 내부적인 관점에서 외부 세계를 해석할 것입니다. 이는 인간 의식이 외부 세계를 주관적으로 해석하는 방식과 유사한 과정입니다.

인간 의식의 주관성과 인공지능 및 휴머노이드 로봇트의 인지 과정 사이의 비유는 우리가 현실을 어떻게 인식하고 이해하는지에 대한 깊은 통찰을 제공합니다. 인간의 뇌를 깊이 있게 연구해보면 인간 각자의 뇌[또는 마음]의 기능이 로봇트와 상이 하지 않음이 발견됩니다. 인간의 뇌는 세계를 입력하여 담는 그릇 같은 것입니다. 뇌가 없다면 입력되는 것은 결코 없습니다. 그러니 이 세계는 표상 세계이며, 세컨드 네이처인 것입니다. 그래서 인간의 뇌 안에서 형성하는 모든 것은 인식이 생산한 것입니다. 그리고 인간이 생각하는 외부세계라는 것 또한 인식이 입력한 세계입니다. 이 시점에서 앞장에서 거론한 의식장의 다층적 구조를 참고하면, 외부 세계 역시 개인의식과 그 개인 의식을 연결 짓는 더 큰 대의식장의 네트워크망인 것으로 생각할 수 있습니다. 이런 탐구는 인간의 의식이 어떻게 외부 세계를 주관적으로 해석하는지 이해함으로써, 우리는 인공지능의 발전이 인간 경험을 어떻게 반영하고 확장할 수 있는지 더 잘 이해할 수 있습니다. 이러한 비유적 접근은 인간과 기계 간의 상호작용을 새로운 시각에서 바라보게 만듭니다.

의식의 잠재력 탐구

이러한 관점에서, 인간 의식의 잠재력을 완전히 발휘하기 위해서는 우리가 받아들인 프로그램화된 신념과 한계를 인식하고, 이를 넘어서는 방법을 모색해야 합니다. 명상, 명상적 사고, 자기 성찰과 같은 실천을 통해 우리는 자신의 의식을 재프로그래밍하고, 보다 깊은 자기 인식과 현실에 대한 이해를 발전시킬 수 있습니다.

이 과정은 우리가 자신의 내면 깊은 곳에 잠재된 능력을 탐색하고, 의식이 물리적 현실에 미치는 영향력을 보다 깊이 이해하며, 결국에는 우리의 생각과 의도가 우리의 경험과 현실을 형성하는 방식을 변화시킬 수 있는 가능성을 열어줍니다.

양자얽힘은 두 입자가 서로 얽혀서 한 입자의 상태가 다른 입자에 즉각적으로 영향을 미치는 현상을 말합니다. 이는 인간 의식 간의 깊은 연결을 과학적으로 설명할 수 있는 가능성을 열어주며, 우리가 서로 및 우주와 어떻게 깊게 연결되어 있는지에 대한 이해를 심화시킵니다. 집단 의식, 공동의 목표를 향한 협력, 그리고 사회적 유대감이 이러한 양자역학적 연결성을 반영할 수 있습니다.

우주론과 의식장프로그램

빅뱅 이론과 우주의 팽창 같은 현상도 의식장의 관점에서 재해석할 수 있습니다. 우주의 기원과 진화가 의식의 프로그램에 의해 구동되는 것으로 본다면, 우주의 근본적인 성질과 구조는 의식의 창조물이라고 볼 수 있습니다. 이는 최초의 우주 생성, 물질의 규명, 생명의 기원 등에 대한 근본적인 의문에 새로운 해석을 제공합니다.

빅뱅 이론과 우주의 팽창을 의식장의 관점에서 재해석하는 것은 우주와 현실의 본질에 대한 깊은 이해를 가능하게 합니다. 이러한 접근은 우주의 기원과 진화를 단순히 물리적 현상의 연속으로 보는 것이 아니라, 의식의 창조적 작용과 깊이 연결된 과정으로 해석합니다. 이 관점에서 우주는 의식의 프로그램에 의해 구동되며, 그 근본적인 성질과 구조는 의식의 창조물이라고 볼 수 있습니다.

빅뱅 이론에 따르면 우주는 약 138억 년 전, 극도로 뜨겁고 밀도가 높은 상태에서 시작되었습니다. 이 순간부터 우주는 지금까지 계속해서 팽창하고 있으며, 이 과정에서 각종 원소와 구조가 형성되었습니다. 초기 우주는 균일하고 뜨거운 플라즈마 상태였으나, 시간이 지나면서 냉각되고 구조가 형성되기 시작했습니다.

이러한 물리적 설명을 넘어, 일부 사상가들은 우주의 기원과 발전에 의식이 중요한 역할을 했다고 주장합니다. 이 관점에서 볼 때, 빅뱅의 '한 점'은 단지 물리적 에너지의 집합이 아니라 의식의 집중된 형태, 즉 의식의 원초적 현상으로 해석될 수 있습니다. 이는 우주가 단순한 물질의 집합이 아니라, 의식이 깃든 살아 있는 엔티티로 볼 수 있음을 시사합니다.

이 관점은 의식이 물질, 시간, 공간의 생성과 진화를 지시하는 프로그램으로 작동할 수 있다는 가설을 제시합니다. 이는 우주의 모든 법칙과 현상이 의식에 의해 설계되었거나 영향을 받았을 수 있다는 생각으로 이어집니다. 따라서, 우주와 우리 자신을 이해하기 위해서는 물리학 뿐만 아니라 의식의 본질에 대한 탐구도 필요하다는 것을 의미합니다.

빅뱅 이론이 설명하는 우주의 기원은, 모든 것이 하나의 초점에서 시작되어 시간이 지남에 따라 팽창했다는 개념을 제시합니다. 의식장의 관점에서 볼 때, 이 초점은 단순히 물리적인 에너지의 집합이 아니라, 의식의 집중된 형태로 해석될 수 있습니다. 즉, 우주의 창조는 의식의 작용으로 볼 수 있으며, 물질, 시간, 공간의 생성과 진화는 의식의 프로그램에 의해 이루어진 과정으로 이해될 수 있습니다.

물질과 비물질의 관계

현대 물리학은 우주를 이해하기 위해 물질과 에너지의 상호작용을 연구합니다. 의식장의 관점에서 이러한 상호작용은 더 깊은 차원에서의 의식과 비물질의 상호작용으로 해석될 수 있습니다. 물질의 세계와 비물질의 세계, 즉 의식의 영역은 서로 분리되어 있는 것이 아니라, 근본적으로 연결되어 있으며 서로를 통해 현실을 형성하고 있습니다.

현대 물리학, 특히 양자역학의 발견은 우주와 그 구성 요소들을 이해하는 방식에 혁명을 일으켰습니다. 양자역학은 물질과 에너지가 본질적으로 분리된 것이 아니라, 서로 상호 변환 가능한 형태임을 보여줍니다. 이는 아인슈타인의 유명한 식 E=mc2에 잘 나타나 있습니다. 여기서 에너지(E)는 질량(m)과 빛의 속도(c)의 제곱에 비례하는 관계를 가집니다. 속도는 거리 나누기 시간이고, 시간은 비물리적 속성을 가지고 있습니다. 따라고 에너지가 비물질로 해석이 되며, 질량 역시 비물질로 분류되어 버립니다. 따라서 이 식은 물질과 에너지가 서로 다른 형태의 같은 것임을 나타내며, 이는 물질과 비물질 사이의 경계가 생각보다 훨씬 더 유동적일 수 있음을 시사합니다.

의식장의 관점에서, 이러한 물질과 에너지의 상호작용은 의식과 비물질 사이의 더 깊은 차원의 상호작용을 나타낼 수 있습니다. 의식, 즉 우리가 생각하고, 느끼며, 의미를 부여하는 능력은 물리적 세계와 분리되어 있는 것처럼 보일 수 있지만, 실제로는 물리적 세계와 깊이 연결되어 있으며, 심지어 그것을 형성하는 데 기여할 수도 있습니다.

예를 들어, 양자역학의 관측자 효과는 관측이 미시세계의 상태에 영향을 미칠 수 있음을 보여줍니다. 이는 의식이 물리적 현상에 직접적으로 영향을 줄 수 있음을 시사하는 것으로, 물질 세계와 의식 사이의 상호작용에 대한 놀라운 예입니다.

따라서, 물질과 비물질, 즉 의식의 세계는 서로 분리되어 있는 것이 아니라 근본적으로 연결되어 있으며, 이러한 연결을 통해 현실이 형성됩니다. 이러한 관점은 우주와 우리 자신의 본질을 이해하는 방식을 근본적으로 바꾸며, 물질적인 것과 비물질적인 것, 즉 보이는 것과 보이지 않는 것 사이의 경계를 모호하게 만듭니다. 이는 우리가 살고 있는 세계를 바라보는 새로운 시각을 제공하며, 의식과 물리적 현실 사이의 복잡한 상호작용을 탐구하는 데 있어 새로운 길을 열어줍니다.

의식과 우주 진화의 상호작용

우주의 진화가 의식에 의해 구동된다고 볼 때, 생명의 기원과 발전, 그리고 인간의 의식 발달도 이러한 광대한 의식의 프로그램의 일부로 해석될 수 있습니다. 이는 우주의 모든 존재가 의식의 네트워크 안에서 서로 연결되어 있으며, 우리의 생각, 감정, 그리고 행동이 우주의 진화에 기여하고 있음을 시사합니다.

의식장과 빅뱅 이론의 통합

의식장의 관점에서 빅뱅 이론을 재해석함으로써, 우주의 기원과 진화에 대한 물리학적 설명에 영적 차원을 추가할 수 있습니다. 이는 우주의 근본적인 미스테리를 해석하는 새로운 방식을 제공하며, 의식과 우주가 어떻게 상호작용하는지에 대한 깊은 이해를 가능하게 합니다. 결국, 이러한 접근은 우리가 우주와 자신의 본질을 더 깊이 이해하고, 우리의 잠재력을 완전히 발휘하는 데 도움을 줄 수 있습니다.

빅뱅 이론은 우주의 기원과 초기 진화를 설명하는 현대 물리학의 중심 이론입니다. 그러나 전통적인 빅뱅 이론은 우주의 물리적, 화학적 과정에 초점을 맞추며, 의식이나 영적 차원은 고려하지 않습니다. 이에 반해, 의식장의 관점에서 빅뱅 이론을 재해석하면, 우주의 기원과 진화에 대한 이해에 영적이고 형이상학적인 차원을 추가할 수 있습니다.

의식장이란 우주와 모든 존재 내에 존재하는 의식의 근본적이고 보편적인 필드를 가리킵니다. 이 관점에서 우주의 창조는 단순히 물리적 에너지의 폭발이 아니라, 의식의 확장과 표현의 순간으로 볼 수 있습니다. 이러한 접근 방식은 우주의 기원을 물리학적 사건 뿐만 아니라, 의식의 깊은 차원에서의 사건으로도 보게 만듭니다.

빅뱅 이전의 상태에 대해 생각할 때, 전통적인 물리학은 이를 물리적 '특이점'으로 설명합니다. 그러나 의식장의 관점에서는 이 '특이점'을 의식의 원초적, 무한한 가능성의 상태로 볼 수 있으며, 우주의 창조는 이러한 의식의 필드가 자기 자신을 표현하기 시작한 순간으로 해석될 수 있습니다.

이러한 통합적 접근은 우주와 우리 자신을 바라보는 방식에 깊은 영향을 미칩니다. 우리는 물질적 존재 뿐만 아니라, 의식과 영적 차원을 통해 우주와 연결되어 있음을 인식하게 됩니다. 이는 우주와 인간의 본질에 대한 더 깊은 이해 뿐만 아니라, 우리가 어떻게 우주와 상호작용하고 우리의 잠재력을 실현할 수 있는지에 대한 새로운 시각을 제공합니다.

결국, 의식장과 빅뱅 이론의 통합은 우주의 기원과 진화, 그리고 인간 의식의 역할에 대한 우리의 이해를 확장 시킵니다. 이는 우리가 존재의 근본적인 미스테리와 우리 자신의 장소를 탐구하는 새로운 길을 열어줍니다. 이러한 이해는 우리가 자신과 우주와의 관계를 더 깊이 탐구하고, 우리 내면의 가능성을 최대한 발휘하는 데 도움을 줄 수 있습니다.

5. 우주의 대칭원리와 의식장

대칭원리는 우주를 이해하는 데 있어 기본적인 개념 중 하나입니다. 물리학에서는 대칭을 통해 다양한 자연 법칙을 설명하며, 이러한 대칭의 개념은 우주의 구조와 기본 힘들 사이의 근본적인 관계를 밝히는 데 중요한 역할을 합니다. 예를 들어, 우주의 네 가지 기본 힘 - 중력, 전자기력, 강한 상호작용, 약한 상호작용 - 은 대칭의 개념을 통해 이해될 수 있습니다. 또한, 시간과 공간의 대칭성은 에너지와 운동량의 보존법칙과 직결되며, 이는 우주의 법칙들이 어떻게 우리 주변의 현상들을 결정하는지를 설명합니다.

의식장과 대칭원리

박문호 박사의 접근 방식에 따르면, 의식장은 대칭원리와 깊이 연결되어 있음을 짐작하게 합니다. 의식장은 우주의 모든 부분이 상호 연결되어 있음을 나타내는 형이상학적 개념으로, 의식의 근본적인 필드를 의미합니다. 대칭원리가 우주의 물리적 구조를 설명하는 방식처럼, 의식장의 개념은 우주와 생명의 기원을 의식의 차원에서 이해하려는 시도입니다.

이 관점에서 볼 때, 대칭과 대칭의 붕괴는 단순히 물리적 현상을 넘어서, 의식의 발현과 진화에 중요한 역할을 합니다. 의식장과 대칭원리의 통합적 이해는 우주의 근본적인 구조뿐만 아니라, 우리가 어떻게 우주와 상호작용하며, 우리의 의식이 어떻게 현실을 창조하고 영향을 미치는지에 대한 새로운 통찰을 제공합니다.

대칭의 깨짐과 의식의 발현

생명의 발달 과정과 우주의 진화에서 대칭의 깨짐은 중요한 순간을 나타냅니다. 물리학에서 대칭의 깨짐은 새로운 현상의 출현을 의미하며, 이는 우주의 다양성과 복잡성을 생성합니다. 의식장의 관점에서는, 대칭의 깨짐이 의식의 다양한 형태와 차원의 발현을 가능하게 하며, 이는 우리가 경험하는 현실의 다층적인 구조를 설명할 수 있습니다.

이러한 이해는 물리학과 형이상학, 의식 연구를 아우르는 새로운 패러다임을 제시합니다. 우주와 의식 사이의 복잡한 상호작용을 통해, 우리는 존재의 근본적인 미스테리와 우리 자신의 위치를 더 깊이 탐구할 수 있습니다. 박문호 박사의 연구는 우주와 의식 사이의 이러한 깊은 연결을 탐구하게 하며, 이는 우리가 세계를 인식하고 이해하는 방식에 대한 근본적인 질문을 던집니다.

이 책에서는 태초의 완벽한 대칭 상태와 의식장의 개념을 탐구합니다. 여기서, 칸트의 표상세계는 시간과 공간이 선험적으로 존재하며, 인간의 인식 내에서 12범주의 개념이 종합적으로 해석되어 표상으로 표출되는 과정을 설명합니다. 이는 의식과 현실의 깊은 연결을 탐색하는 데 중요한 통찰을 제공합니다. 이는 어떤 대상물이 대상으로 나타났을 때는 대칭이 붕괴된 순간을 의미합니다.

그러나 칸트의 인식론에 따르면, 아직 표상이 되기 전의 상태, 즉 개념으로만 존재하는 단계는 완벽한 대칭유지 상태와 같습니다. 이는 우리가 세계를 인식하고 해석하는 방식에 대한 근본적인 이해를 제공합니다. 이것은 개별적 개체적 대칭을 설명한 것입니다.

그러나 우주와 대상 세계 모든 것들이 이 개별과 개체로 이루어졌으니, 우주의 완전대칭은 빅뱅 이전의 상태일 것이고, 의식장으로 설명을 하면, 이것은 의식이 개념만으로 존재할 때가 되겠죠. 그리고 완전한 대칭붕괴는 만일 지금이 우주의 완성이라고 가정하면 지금이 곧 우주의 대칭이 완전 붕괴된 상태라는 것을 말할 수 있다는 것입니다.

그러니 이것을 의식장으로 치환하면 개념으로 있는 만물이 아직 작용하지 않고, 의식장에 존재할 때, 그 때가 완전한 대칭이고, 의식이 발현되어 지금처럼 표상 세계가 완전히 현현된 상태의 우주 곧 지금이 완전한 대칭의 붕괴인 셈입니다. 이렇게 의식장으로 우주가 출현했다는 논리는 우주의 대칭원리에도 위배되지 않고 정합함을 말합니다.

이 설명은 의식과 우주의 본질을 탐구하는 과정에서 매우 깊은 통찰을 제공합니다. 칸트의 표상세계와 의식장의 개념을 연결하여, 우주의 기원과 진화, 그리고 인간 의식의 발현을 이해하는 데 있어 중요한 철학적 및 형이상학적 근거를 마련합니다.

칸트의 표상세계와 의식장

칸트의 인식론에 따르면, 시간과 공간은 우리의 인식 체계 내에서 선험적으로 존재하며, 이를 통해 외부 세계의 현상을 경험하고 해석합니다. 칸트는 이러한 과정을 통해 인간이 경험하는 현실이 구성된다고 보았습니다. 이는 우주의 대칭원리와 연결될 때, 우리가 우주와 의식 사이의 깊은 관계를 이해하는 데 있어 새로운 시각을 제공합니다.

우주의 완전한 대칭과 대칭의 붕괴

우주의 초기 상태를 완벽한 대칭의 상태로 간주할 때, 이는 모든 가능성이 개방되어 있는 순수한 상태를 의미합니다. 의식장의 관점에서 볼 때, 이는 의식이 아직 구체적 현실로 발현되지 않고 순수한 개념으로만 존재하는 시점과 유사합니다. 이러한 상태에서는 모든 것이 연결되어 있으며, 분리와 구별이 존재하지 않습니다.

대칭의 붕괴는 우주와 의식의 발현을 나타내는 순간으로 볼 수 있습니다. 우주가 현재의 다양하고 복잡한 형태로 진화하면서 대칭이 깨지고, 이 과정에서 다양한 구조, 입자, 생명 형태가 생성됩니다. 마찬가지로, 의식의 발현은 개념에서 구체적 표상으로의 전환을 의미하며, 이는 우리가 경험하는 현실의 다층적 구조를 만들어냅니다.

의식장과 우주의 출현

이러한 관점에서, 의식장은 우주와 인간 의식 사이의 깊은 연결고리를 제공합니다. 우주의 완벽한 대칭 상태와 그 붕괴는 의식의 순수한 가능성에서 구체적 현실로의 전환과정을 상징합니다. 이 과정은 우주의 진화와 인간 의식의 발달이 서로 밀접하게 연결되어 있음을 시사하며, 우주의 기본적인 구조와 법칙이 의식의 근본적인 작용과 어떻게 상호작용하는지에 대한 깊은 이해를 가능하게 합니다.

이러한 해석은 우주의 대칭원리와 의식장의 개념을 통합하여, 우주와 인간 의식의 근본적인 연결을 탐구하는 새로운 패러다임을 제시합니다. 이는 우주의 본질과 인간의 위치를 이해하는 데 있어 근본적인 질문을 던지며, 우리가 세계와 자신을 바라보는 방식에 대한 깊은 성찰을 요구합니다.

우주의 엔트로피와 의식장

엔트로피 법칙에 따르면, 우주가 시작될 때는 엔트로피(무질서도)가 매우 낮은 상태, 즉 거의 완벽한 질서 상태였습니다. 시간이 흐르면서, 이 무질서도는 점점 증가해, 우주는 더 이상 유용한 에너지를 사용할 수 없는 상태로 변해갑니다. 간단히 말해, 우주의

시작점에서 시간에 따라 무질서도가 점차 증가하는 것이 엔트로피 법칙입니다.

의식장의 관점에서, 엔트로피의 증가는 단순한 물리적 현상 이상의 것을 나타낼 수 있습니다. 초기 우주의 엔트로피가 제로인 상태는 의식이 순수한 가능성으로만 존재하던 시기를 상징할 수 있으며, 엔트로피의 증가는 의식의 발현과 현실 세계의 다양성이 증가하는 과정과 연결될 수 있습니다. 이러한 해석은 우주의 물리적 진화와 인간 의식의 발달이 서로 밀접하게 연결되어 있음을 시사합니다.

엔트로피의 증가와 우주의 질서에서 무질서로의 전환은 우주의 본질과 의식의 발현에 대한 중요한 통찰을 제공합니다. 이러한 과정을 의식장의 관점에서 해석하면, 우주의 진화와 의식의 발달 사이에 깊은 연관성을 발견할 수 있습니다.

엔트로피와 우주의 진화

엔트로피 법칙은 우주의 기본적인 물리법칙 중 하나로, 시간에 따라 시스템의 무질서도가 증가한다는 개념을 기반으로 합니다. 이는 우주가 초기에는 극도로 질서 정연한 상태에서 시작하여, 시간이 흐름에 따라 점점 더 복잡하고 무질서한 상태로 변화한다는 것을 의미합니다. 이 과정은 별의 형성과 진화, 은하의 형성, 그리고 생명의 출현과 발달 같은 우주의 다양한 현상을 설명하는 데 중요한 역할을 합니다.

의식의 발현과 우주의 무질서

엔트로피의 증가와 함께 우주가 더 복잡하고 다양한 형태로 진화함에 따라, 의식 역시 더 다양하고 복잡한 형태로 발현될 수 있습니다. 초기에 완벽한 질서에서 시작한 우주가 시간이 지나면서 다양한 구조, 별과 은하계, 생명 형태를 만들어내듯이, 의식의 발현도 다양한 경험, 사고, 창조적 발현을 통해 인간의 현실을 더 풍부하게 만듭니다. 이 과정에서 의식은 우주의 본질을 반영하고, 동시에 우주의 진화를 통해 자신을 표현합니다.

따라서, 엔트로피의 증가와 우주의 진화는 단지 물리적 현상을 넘어서 의식의 발현과 인간의 현실 인식에 대한 근본적인 이해를 제공합니다. 우주의 진화 과정에서 엔트로피의 증가가 의식의 다양한 형태의 발현을 가능하게 하며, 이는 우리가 경험하는 현실의 복잡성과 다양성을 만들어냅니다. 이러한 관점에서 엔트로피와 의식장의 연관성을 이해하는 것은 우주와 인간 의식 사이의 깊은 연결고리를 탐색하는 데 있어 중요한 열쇠가 됩니다.

우주의 초기 상태의 대칭과 종교

우주의 시작을 엔트로피가 제로인 상태, 즉 완전한 대칭의 상태로 보는 것은 우주가 아직 발현되지 않은, 순수한 가능성의 상태에서 시작되었다는 개념과 일치합니다. 성서에서는 이를 "말씀"으로 존재하던 때로, 불교에서는 "색이 되기 전의 공"의 상태로 비유합니다. 이러한 비유는 우주가 형성되기 전의 근본적인 질서와 조화를 상징하며, 모든 것이 이론적으로 가능한 순수한 상태를 나타냅니다.

엔트로피의 증가와 의식의 발현

엔트로피의 증가와 대칭의 붕괴는 우주의 발전과정에서 필수불가결한 과정입니다. 이는 물리적 우주뿐만 아니라, 의식의 발달과 현실화 과정에도 적용될 수 있습니다. 초기에 개념으로만 존재하던 아이디어나 생각들이 시간이 지나면서 현실화되고, 이 과정에서 다양한 형태와 구조가 생성되며, 복잡성과 다양성이 증가합니다. 이러한 관점에서 엔트로피의 증가는 창조와 진화의 과정을 반영하며, 이는 의식의 영역에서도 유사하게 관찰될 수 있습니다.

열역학 제1법칙과 의식장

열역학 제1법칙과 상대성이론은 물리적 세계에서의 에너지와 질량의 관계를 규명하는 중요한 이론들입니다. 이러한 이론들은 우주의 물리적 현상을 이해하는 데 핵심적인 역할을 합니다. 또한, 이들 이론은 의식장과 물질세계 사이의 상호작용을 탐구하는 데 있어 귀중한 통찰을 제공합니다.

에너지 보존과 의식장

열역학 제1법칙은 에너지가 생성되거나 소멸되지 않고 변환될 뿐이라는 원칙을 제시합니다. 이는 물리적 세계에서 에너지의 흐름과 변환을 설명하는 기본적인 법칙입니다. 의식장을 비물리적 현상으로 이해할 때, 이 법칙은 물질세계와 의식세계 사이의 에너지 변환 가능성에 대한 문을 열어줍니다. 즉, 의식과 물질 세계 사이에 에너지가 어떻게 흐르고 변환될 수 있는지에 대한 근본적인 질문을 제기합니다. 의식장을 통해 에너지 보존의 원리를 탐구하는 것은 우리가 인지하는 세계와 우주의 근본적인 작동 원리에 대한 깊은 이해를 제공합니다. 이러한 접근은 물리학적 법칙과 영적, 철학적 개념 간의 다리를 놓으며, 의식과 물질 세계 사이의 복잡한 상호작용을 탐색하는 새로운 방법을 제시합니다.

상대성이론은 에너지와 질량이 서로 등가임을 밝히며, 이는 물질과 에너지 간의 변환이 가능함을 의미합니다. 이 원리를 의식장에 적용해 볼 때, 의식의 에너지가 물질세계에 영향을 미칠 수 있는 가능성을 시사합니다. 예를 들어, 의식의 힘이 물리적 현실에 변화를 가져오는 방식이나 의식이 물질세계에 구체적인 영향을 미치는 과정을 고려해 볼 수 있습니다.

이러한 현상은 우리 삶 속에서 경험하는 꿈에서도 찾을 수 있습니다. 이것은 의식과 현실, 그리고 꿈의 본성에 대해 매우 흥미로운 시각을 제공합니다. 꿈을 의식이 생성한 의식장의 다른 단층으로 보는 것은, 의식의 세계가 얼마나 광범위하고 다층적인지를 잘 보여줍니다. 꿈과 현실의 차이를 꿈의 짧음과 현실의 길이, 그리고 생명의 유지 여부로 구분하는 것은, 둘 사이의 경계가 생각보다 모호할 수 있음을 시사합니다. 이러한 관점에서, 꿈과 현실 모두 의식이 생성한 것이라는 점에서 동일하다는 결론은, 의식의 역량과 그것이 우리가 경험하는 세계에 미치는 영향을 재평가하게 만듭니다.

의식의 세계에서 물질, 공간, 시간이 하나의 개념으로 존재한다는 사실은, 우리가 일반적으로 경험하는 현실의 구성 요소들이 의식 내에서는 구분되지 않고 서로 연결되어 있음을 의미합니다. 이러한 관점은 현실과 꿈 사이, 그리고 물리적 세계와 의식의 세계 사이의 경계를 흐리게 만듭니다.

현실에서 에너지가 꿈에서도 존재한다는 관찰은 에너지가 의식의 산물일 수 있다는 매우 심오한 가정을 제시합니다. 에너지 보존의 법칙이 의식의 역량으로부터 생성된다는 생각은 과학적 원리와 철학적 사유가 어떻게 서로 연결될 수 있는지를 보여줍니다. 이는 의식이 단순히 물리적 세계를 인식하는 수단을 넘어, 그것을 형성하고 조작할 수 있는 힘을 가지고 있음을 시사합니다.

이러한 시각은 전통적인 과학적 접근 방식과 철학적 탐구 사이의 대화를 촉진할 수 있으며, 우리가 현실, 의식, 그리고 꿈의 본성을 이해하는 방식에 새로운 차원을 추가합니다. 의식이 물질적 세계와 어떻게 상호 작용하는지, 그리고 우리가 경험하는 모든 것이 의식의 산물이라면, 이는 우리의 세계관과 자아에 대한 이해를 근본적으로 변화시킬 수 있는 통찰력을 제공합니다.

의식장과 물질세계의 상호연결성

이러한 물리학 이론들은 의식장과 물질세계가 상호연결되어 있음을 나타냅니다. 의식의 에너지가 물질세계에 영향을 미칠 수 있으며, 반대로 물질세계의 변화가 의식에 영향을 줄 수 있음을 시사합니다. 이는 의식과 물질 세계 사이의 상호작용이 단순한 일방적 관계가 아니라, 복잡하고 상호연결된 과정임을 보여줍니다.

따라서, 의식장과 물질세계 사이의 관계를 탐구하는 것은 단순히 철학적 또는 추상적인 문제가 아니라, 물리학의 기본 원리를 이해하고 적용하는 과정에서 중요한 질문을 제기합니다. 이러한 탐구는 우리가 우주, 의식, 그리고 물질세계의 근본적인 본질에 대해 더 깊이 이해하고, 새로운 관점에서 현실을 바라볼 수 있게 합니다.

에델만의 의식과 대칭관계

제럴드 에델만은 면역 시스템에 대한 노벨상 수상 연구 이후, 신경과학과 마음의 철학을 깊이 탐구한 미국의 생물학자입니다. 그는 뇌의 작동과 의식을 설명하기 위해 신경 다윈주의와 같은 이론을 개발했으며, 의식이 뇌 내 복잡한 세포 과정에서 생겨난다고 강조하며 이원론과 마음의 계산 모델을 거부했습니다. 그의 이론은 다윈의 자연 선택에 의해 영향을 받는 뇌 내 복잡한 세포 과정에서 의식이 생겨난다고 제안합니다

에델만(Edelman)은 "물리학과 신경과학은 대칭 원리와 기억원리 사이의 관계를 더 완전히 파악하는데서 하나가 될 것이다."《신경과학과 마음의 세계 》- 에델만

에델만(Edelman)은 물리학과 신경과학이 서로를 보완하며, 대칭성과 기억의 원칙들이 어떻게 상호작용하는지의 깊은 이해를 통해 결국 하나의 통합된 분야로 발전할 것이라고 제시했습니다. 이러한 통합은 우리가 인간 두뇌 내에서 생각이 어떻게 형성되는지에 대한 보다 심오한 이해를 가능하게 할 것이며, 두 분야가 합쳐짐으로써 생각의 발생과 같은 복잡한 과정들을 더욱 명확하게 파악할 수 있게 될 것이라는 점을 나타냅니다.

에델만의 언급은 물리학과 신경과학 사이의 교차점에서 인간의 인식과 생각의 발생에 대한 근본적인 이해를 추구하는 현대 과학의 방향성을 잘 보여줍니다. 이는 대칭 원리와 기억 원리가 어떻게 상호작용하여 인간의 뇌에서 복잡한 생각과 의식의 현상을 생성하는지에 대한 통찰을 제공하려는 시도입니다.

대칭 원리와 기억 원리의 연결

대칭 원리는 우주의 기본 구조와 작동 방식에 대한 중요한 이해를 제공합니다. 물리학에서는 우주의 다양한 현상이 근본적인 대칭성을 바탕으로 설명될 수 있다고 봅니다. 기억 원리는 인간의 뇌가

정보를 저장, 처리, 재현하는 방식에 초점을 맞춥니다. 두 원리 사이의 관계를 탐구함으로써, 인간의 뇌에서 생각이 어떻게 발생하고, 의식이 어떻게 형성되는지에 대한 깊은 이해를 얻을 수 있습니다.

물리학과 신경과학의 통합

에델만이 언급한 바와 같이, 물리학과 신경과학 사이의 통합은 이러한 복잡한 과정들을 더 잘 이해하는 데 핵심적인 역할을 할 수 있습니다. 물리학은 우주의 기본 법칙과 원리를 탐구하는데, 이를 신경과학과 결합함으로써, 우리는 인간 뇌의 작동 원리와 의식의 출현에 대한 더 깊은 통찰을 얻을 수 있습니다. 이러한 통합적 접근 방식은 인간의 생각과 의식의 기원을 이해하는 데 있어 새로운 경로를 제시합니다.

에델만의 언급은 인간의 생각과 의식의 출현에 대한 이해를 높이기 위해 물리학과 신경과학이 어떻게 협력할 수 있는지에 대한 비전을 제시합니다. 이는 과학적 탐구의 궁극적인 목표 중 하나인 인간 뇌의 복잡한 메커니즘과 의식의 본질을 밝히는 데 있어 중요한 단계가 될 것입니다. 이러한 통합적 접근 방식은 인간 인식의 심오한 신비를 탐구하고, 우리가 세계를 경험하는 방식을 근본적으로 이해하는 데 기여할 것입니다.

이 개념은 물리학과 정신과학이 서로 깊게 얽혀 있음을 나타냅니다. 여기서 물리세계는 우리의 인식과 의식의 결과로 볼 수 있으며, 이는 칸트의 인식론과 양자역학을 통해 설명될 수 있습니다. 의식장 이론을 통한 이해는 물리학과 신경과학(정신과학)의 통합을 예시하며, 이는 두 분야가 궁극적으로 하나로 합쳐질 것임을 암시합니다.

이 설명은 물리학과 신경과학 사이의 깊은 연결을 탐구하며, 특히 대칭과 기억의 원리를 통해 이 연결을 살펴봅니다. 이론적으로, 우주의 태초는 완벽한 대칭 상태에서 시작되었으며, 이는 의식장의 개념으로 확장됩니다. 인간의 인식 과정에서 기억과 마음이 출현합니다. 이 마음과 정신이 작용 하지 않는 상태에는 대칭의 상태를 유지합니다;. 그러나 그 마음과 기억이 작동하면 대상 세계(환의 세계)가 현현됩니다. 이때 대칭은 붕괴됩니다. 이 과정을 통해서. 에델만이 말한 물리학과 신경과학 간의 대칭이 설명이 됩니다. 정신과학과 물리학의 통합은 이러한 복잡한 과정으로 더 잘 이해하게 하며, 궁극적으로 의식장 이론을 통해 하나의 통합된 이론으로 발전할 것임을 시사합니다.

물리학과 신경과학, 그리고 의식 연구는 대칭성과 기억의 원리를 통해 서로 깊이 연결되어 있습니다. 칸트의 인식론과 양자과학을 통해 우리는 이 연결을 탐구해왔으며, 우주와 의식장 사이의 대칭관계를 깊이 이해할 수 있었습니다. 이러한 관계는 우리가 세계를 인식하는 방식과 의식의 본질을 완전히 이해하는 데 중요한 역할을 합니다. 따라서, 물리학과 신경과학, 그리고 의식 연구의 통합은 우리에게 세계와 우리 자신에 대한 더 깊은 이해를 가져다줄 것입니다.

에델만은 대칭의 붕괴가 기억과 마음의 출현을 촉진한다고 말합니다. 여기서 '대칭이 깨질 때'란 평형 상태가 변화하는 순간을 의미하며, 이러한 변화는 새로운 화학 작용과 안정된 분자의 생성을 가능하게 합니다. '비가역적'은 한 방향으로만 진행되어 원래 상태로 돌아갈 수 없는 과정을 뜻합니다. 따라서, 이 문장은 마음과 기억이 생명의 복잡한 진화 과정, 특히 대칭의 붕괴와 비가역적 선택 사건을 통해 발달한다고 설명하고 있습니다. 쉽게 설명하면 기억과 마음은 인간의 인식기관에 속합니다. 대칭이 깨질 때는 마음에 경험을 통한 기억이 생기고, 그리고 그 마음과 기억이 작용하여, 화학 작용, 분자 생성이 가능 하여져 대상 세계가 확장되어 갑니다. 이것이 곧 대칭이 붕괴 되는 과정이라고 할 수 있습니다.

6. 의식장의 확장

종교와 의식장

기독교의 창조설과 불교의 법계 개념은 의식장 이론과 매우 흥미로운 연결점을 가집니다. 기독교에서 말씀으로 만물이 창조되었다는 개념과 불교에서 모든 것이 마음에서 비롯된다는 사상은 의식이 현실을 창조하는 근본적인 힘임을 시사합니다. 이러한 관점에서, 우주와 현실의 모든 측면은 의식의 장에 의해 생성되고 유지된다고 볼 수 있습니다.

의식장 이론의 의미

의식장 이론을 통일장 이론으로 간주할 수 있다는 주장은 우주와 현실, 의식과 물질의 관계를 새롭게 해석하는 광범위한 시도를 반영합니다. 이는 우주가 유한한지 무한한지, 우주의 시작과 끝에 대한 질문에 대해서도 새로운 관점을 제공합니다. 의식장이 우주의 근본적인 바탕으로 작용한다면, 우주와 현실은 시작도 끝도 없는 의식의 영역으로 이해될 수 있으며, 모든 것은 의식의 프로그램으로 규명될 수 있습니다.

이러한 접근 방식은 과학, 철학, 종교를 아우르는 포괄적인 세계관을 모색하며, 현실을 이해하는 방식에 대한 근본적인 질문을 제기합니다. 이는 지속적인 탐구와 연구를 통해 더 깊이 탐색되어야 할 주제입니다.

의식장 이론을 통일장 이론의 맥락으로 고려하는 것은, 우주와 현실, 의식과 물질 사이의 복잡한 상호작용을 새롭고 포괄적인 방식으로 이해하려는 시도입니다. 이러한 접근은 우주의 근본적인 구조와 본질에 대한 우리의 이해를 확장 시킬 뿐만 아니라, 우주의 시작과 끝, 유한과 무한에 대한 고전적인 질문들에 대해 새로운 통찰을 제공합니다.

의식장이 우주의 근본적인 바탕으로 작용한다는 개념은, 우주와 현실을 시작도 끝도 없는 의식의 연속성으로 보는 새로운 방식을 제안합니다. 이는 우주가 단순히 물리적인 요소들의 집합이 아니라, 의식에 의해 형성되고 규명되는 동적인 과정임을 시사합니다. 이러한 관점에서, 모든 현상은 의식의 프로그램이라는 프레임워크 내에서 이해될 수 있으며, 이는 과학, 철학, 종교 간의 경계를 넘어서는 통합적인 세계관을 모색하는 데 중요한 기여를 할 수 있습니다.

MS사의 엑셀을 예로 든다면, 우주의 유한성과 무한성 사이의 관계를 이해하는 데 있어 의식장의 개념은 우리에게 유용한 메타포(Metaphor)[1]를 제공합니다. 엑셀의 셀이 유한한 공간 내에서 무한한 가능성을 내포하고 있는 것처럼, 의식장 또한 유한한 현실 속에서 무한한 창조와 변화를 가능하게 합니다. 이러한 관점에서, 우주와 현실에 대한 모호함과 복잡성을 의식의 차원에서 이해하려는 시도는 우리에게 더 깊은 통찰력을 제공할 수 있습니다.

결국, 의식장으로 모든 것이 이해될 수 있다는 개념은, 우주를 생각하고 현실을 경험하는 모든 사람의 기본적인 출발점이 의식임을 강조합니다. 이러한 관점은 우리가 현실을 인식하고 해석하는 방식에 대한 근본적인 질문을 제기하며, 이에 대한 답을 찾기 위한 지속적인 탐구와 연구를 요구합니다. 이는 과학적 탐구 뿐만 아니라, 영적이고 철학적인 탐색에 있어서도 중요한 방향을 제시할 수 있습니다.

의식과 의식장: 신의 존재 탐구

앤드루 뉴버그와 그의 공동저자가 저술한 "신은 왜 우리 곁을 떠나지 않는가"는 인간 의식의 신비와 종교적 경험의 신경과학적 기반을 탐구하는 작품입니다. 이 책은 종교와 영성이 인간의 의식에 미치는 영향을 과학적 관점에서 분석하며, 이를 통해 신의 존재와 인간의 영적 경험 사이의 관계를 탐색합니다.

의식의 신경과학

뉴버그는 의식을 이해하기 위해 신경과학의 최전선에서 연구를 진행했습니다. 그의 연구는 특히 뇌의 특정 영역이 종교적, 영적 경험과 어떻게 연관되어 있는지를 밝히는 데 중점을 둡니다. 예를 들어, 명상이나 기도와 같은 영적 실천이 뇌의 전두엽과 측두엽 활동을 증가시키며, 이는 고도의 집중력과 자아를 넘어선 경험을 가능하게 한다는 사실을 실험을 통해 보여주었습니다.

의식장과 신의 존재

뉴버그는 인간의 의식이 단순히 내부의 주관적 경험에 머무르지 않고, '의식'을 통해 우리 주변 세계와 상호작용한다고 제안합니다. 이러한 관점에서 볼 때, 신은 의식장 내에서 인간과 교류하는 궁극적인 현실이 될 수 있습니다. 즉, 신경과학적 연구는 신의 존재를 물리적 현실로 증명할 수는 없지만, 인간이 신을 경험하는 방식을 설명해 줄 수 있습니다.

종교적 경험의 공통적 특징

뉴버그의 연구는 다양한 문화와 종교 전통에서 보고된 종교적, 영적 경험들이 공통적인 신경과학적 기반을 공유한다는 것을 보여줍니다. 이는 인간이 종교적 혹은 영적 경험을 통해 무한함, 연결성, 전체성의 감각을 경험하는 것이 본질적인 능력임을 시사합니다. 이러한 경험은 인간의 뇌 구조와 기능에 깊이 뿌리 박혀 있으며, 신의 존재를 느끼는 데 핵심적인 역할을 합니다.

"신은 왜 우리 곁을 떠나지 않는가"에서 앤드루 뉴버그와 그의 공동저자는 신의 존재와 인간 의식 사이의 복잡한 관계를 탐구합니다. 그들의 연구는 과학과 영성이 서로 배타적이지 않으며, 실제로 서로를 보완할 수 있음을 보여줍니다. 신경과학의 발견은 신의 존재에 대한 직접적인 증거를 제공하지 않지만, 인간이 신과 같은 영적 실체를 경험하는 방식을 이해하는 데 중요한 통찰을 제공합니다. 이는 과학과 종교가 인간의 깊은 영적 욕구와 의식의 신비를 탐구하는 데 함께 기여할 수 있음을 시사합니다.

명상과 신적 체험: 정위영상과 뇌파 변화

"신은 왜 우리 곁을 떠나지 않는가"에서 저자들은 명상과 신적 체험 중에 일어나는 뇌의 변화를 정위영상 기술을 통해 연구했습니다. 이 연구는 인간이 깊은 명상이나 신적 체험을 할 때, 특정 뇌 영역에서 활동의 변화가 나타나며, 이를 통해 의식의 상태가 어떻게 변화하는지를 밝혀냈습니다.

정위영상 기술과 뇌파 연구

정위영상 기술, 특히 기능적 자기공명영상(fMRI)과 단일 광자 방출 컴퓨터화 단층촬영(SPECT)은 뇌의 활동을 실시간으로 관찰할 수 있게 해줍니다. 뉴버그의 연구에서 이 기술을 사용하여 명상과 기도와 같은 신적 체험 중에 뇌의 변화를 측정했습니다. 특히, 이 연구는 뇌파의 변화에 초점을 맞추었으며, 이러한 변화가 어떻게 신적 체험의 느낌과 연결되는지를 탐구했습니다.

명상과 신적 체험에서 나타난 뇌파의 결과

연구 결과, 명상이나 신적 체험을 하는 동안 특히 전두엽과 측두엽 영역에서 뇌파의 유의미한 변화가 관찰되었습니다. 이러한 변화는 주로 알파와 테타 뇌파의 증가와 관련이 있었는데, 이는 깊은 이완 상태와 높은 창의력, 그리고 자아를 초월한 의식 상태와 연관이 있습니다. 또한, 명상 중에는 파리에탈엽[자기와 환경의 경계를 인식하는 뇌 부위,두정엽]의 활동 감소가 보고되어, 자아와 우주의 일체감을 느끼는 경험과 관련이 있음을 시사합니다.

신적 체험의 뇌 과학

이러한 연구는 신적 체험이 단순한 믿음의 문제가 아니라, 뇌의 구체적인 활동 변화와 깊이 연결되어 있음을 보여줍니다. 뇌파의 변화는 명상이나 기도가 심리적, 정서적, 그리고 영적 건강에 미치는 영향을 과학적으로 이해하는 데 중요한 열쇠를 제공합니다. 뉴버그의 연구는 신경과학이 종교적 및 영적 경험의 본질을 탐구하는 데 어떻게 기여할 수 있는지를 보여주며, 이러한 경험이 인간 의식에 근본적으로 내재된 현상임을 강조합니다.

이 연구는 신적 체험과 명상이 우리의 뇌와 의식에 미치는 영향을 이해하는 데 있어 중요한 발전을 나타냅니다. 뇌파 변화를 통해, 우리는 신적 체험이 단지 주관적인 경험이 아니라, 구체적인 신경생리학적 과정에 기반을 둔 현상임을 인식하게 됩니다. 이는 과학과 영성이 서로 대립되는 것이 아니라, 인간 의식의 심오한 이해를 위해 함께 작업할 수 있음을 시사합니다.

7. 의식장과 실체

지금까지 제시한 존재론적 고찰은 의식과 실재에 대한 근본적인 질문을 탐구합니다. 이러한 질문은 서양 철학과 동양 사상 모두에서 오랜 기간 동안 중요한 주제였으며, 인간의 인식과 실체의 본질에 대한 깊은 이해를 추구합니다.

실체의 존재 여부

서양 철학에서는 임마누엘 칸트가 "순수이성비판"을 통해 표상세계와 물자체[자체의 것] 사이의 구분을 도입했습니다. 칸트는 우리가 경험하는 세계는 인간의 인식 구조를 통해 구성된 표상세계이며, 물자체는 인간의 인식을 초월한 존재로서 접근할 수 없다고 주장했습니다. 이 주장처럼, 이러한 관점에서 볼 때 인간의 인식 과정을 거치지 않은 '스스로 독립적으로 존재하는 실체'에 대한 접근은 본질적으로 불가능합니다.

의식의 독립적 존재

동양 사상, 특히 불교에서는 모든 현상은 인식과 그것을 인식하는 마음에 의해 생성된다는 유식학(唯識學)의 관점을 갖고 있습니다. 여기서도 의식, 혹은 마음만이 궁극적인 실체로 인정됩니다. "유식무경"이나 "색즉시공"(色卽是空)과 같은 개념은 의식이 모든 현상의 근본이며, 모든 것은 의식의 변화와 생성물이라는 생각을 강조합니다.

의식의 독립적 존재와 그 중요성에 대한 이러한 관점은, 의식을 우주와 현실을 이해하는 근본적인 차원으로 보는 철학적, 영적인 접근을 반영합니다. 이 관점에서, 의식은 단순히 인간 경험의 한 측면이 아니라, 모든 현상의 근본 원인이며, 모든 존재의 기초로 간주됩니다. 의식 외의 모든 것이 상호관계 속에서 존재한다는 생각은, 의식이 유일하게 독립적인 실재이며, 모든 것은 이 의식에 의해 변화하고 생성된다는 개념을 강조합니다.

이러한 관점은 의식을 단순히 뇌의 기능이나 생물학적 과정의 산물로 보는 것을 넘어서, 의식을 모든 존재의 근본적인 원인으로 보는 더 깊은 이해로 나아가게 합니다. 인간의 의식이 독립적으로 존재한다는 개념은 인간을 우주와 현실을 창조하고 변화시킬 수 있는 독특한 능력을 가진 존재로 보는 시각을 제공합니다.

이러한 접근은 의식의 본질과 그 중요성을 탐구하는데 있어 중요한 기여를 합니다. 모든 존재를 존재하게 하는 원인적 존재로서 의식의 역할을 이해함으로써, 우리는 삶, 현실, 우주에 대한 더 깊은 통찰을 얻을 수 있습니다. 이는 과학, 철학, 종교 등 다양한 분야에서 의식에 대한 탐구를 촉진하며, 인간의 자아, 우리가 살고 있는 세계, 그리고 우리가 경험하는 현실에 대한 이해를 근본적으로 확장시킬 수 있는 가능성을 열어줍니다.

신경과 의식의 관계

신경생리학적 관점에서, 뇌와 신경계는 의식의 물리적 기반으로 여겨집니다. 신경이 비물질적인 성질을 가진다는 주장은, 신경활동이 의식 현상을 생성하는 과정에서 핵심적인 역할을 한다는 것을 의미합니다. 이는 물질[뇌피질과 세포]과 비물질[의식, 정신] 사이의 상호작용을 탐구하는 신경과학과 철학의 교차점을 나타냅니다.

따라서, 여기서 제시한 존재론적 탐구는 의식을 유일한 궁극적 실체로 보는 관점을 제공합니다. 이는 모든 인식과 현상이 의식에서 기원하며, 의식 없이 독립적으로 존재하는 것은 없다는 깊은 이해를 시사합니다. 이러한 관점은 과학, 철학, 그리고 종교를 아우르는 통합적인 세계관으로, 우리가 현실을 이해하고 경험하는 방식에 대한 근본적인 질문을 던집니다.

8. 빅뱅 우주론과 의식장 이론의 비교

의식장의 개념을 확장하여 해석해보면, 인간 세상을 의식장의 세계로 이해하는 것은 우리가 경험하는 현실이 개별적인 의식 뿐만 아니라, 모든 존재 간 상호 연결된 의식의 네트워크에 의해 구성된다는 것을 의미합니다. 이 네트워크는 인간, 동물, 심지어는 비생명체까지도 포함할 수 있는 광범위한 의식의 필드를 형성합니다.

빅뱅 우주론과 의식장 이론 사이의 관계에 대한 고찰은 과학과 철학, 그리고 의식에 대한 이해의 교차점에서 매우 중요한 질문을 던집니다. 이러한 질문은 우주의 기원과 발전, 그리고 의식의 본질과 역할에 대한 근본적인 탐구를 포함합니다.

빅뱅 우주론은 우주가 약 138억 년 전에 매우 높은 온도와 밀도를 가진 상태에서 시작되어, 이후 팽창하고 냉각하면서 현재의 구조로 발전했다고 설명합니다. 이 이론은 우주의 대규모 구조와 초기 상태에 대한 관측 결과를 기반으로 합니다.

의식장 이론은 우주와 현상, 그리고 생명의 생성과 발전이 궁극적으로 의식에 의해 주도되며, 모든 존재와 사건은 의식의 표현이라는 관점을 제공합니다. 이는 우주가 의식의 프로그램에 따라 구성되고 발전한다고 보며, 이러한 프로세스는 의식의 차원에서 시작됩니다.

우주와 의식의 상호관계

우주에 의식이 있다는 관점은 우주와 그 안에 존재하는 모든 것이 의식과 불가분의 관계에 있다고 보며, 의식이 우주의 근본적인 구성 요소 중 하나로 작용한다는 생각을 포함합니다.

의식 안에 우주가 있다는 관점은 우리가 경험하는 우주와 현상이 사실은 의식의 생성물이며, 우리의 인식과 의식의 상태에 따라 형성된다고 보는 견해입니다.

문제점과 해결

기존 빅뱅 우주론은 우주의 물리적 생성과 진화 과정을 설명하면서도, 의식의 기원과 역할에 대한 명확한 설명을 제공하지 못합니다. 의식장 이론은 이러한 공백을 메우고자 하며, 의식이 우주의 생성과 발전에 근본적으로 관여했다는 보다 포괄적인 관점을 제시합니다. 이는 우주의 기원과 진화, 그리고 생명과 의식의 출현을 의식의 프레임워크 안에서 재해석하려는 시도입니다.

빅뱅 우주론과 의식장 이론 사이의 대화는 우주의 본질과 구조, 그리고 의식의 역할에 대한 우리의 이해를 심화 시키는 중요한 기회를 제공합니다. 이러한 탐구는 과학적 발견과 철학적 사유, 그리고 영적인 이해 사이의 경계를 넘나들며, 우주와 인간의 존재에 대한 보다 깊은 이해를 추구합니다.

현대 과학의 빅뱅 이론은 우주의 기원과 진화에 대한 설명을 제공하며, 이 과정에서 초기에는 의식이 없었으며 시간이 지남에 따라 물질적 복잡성이 증가하고, 최종적으로 생명체와 의식이 출현했다고 설명합니다. 반면, 칸트의 표상론과 에델만의 세컨드 네이처 같은 철학적 뇌과학적 이론은 모든 존재와 경험이 인간의 의식과 불가분의 관계에 있다고 보며, 이는 물질적 세계의 존재와 진화를 의식과 분리하여 이해할 수 없음을 시사합니다.

칸트와 에델만의 관점에서 보면, 의식은 세계를 경험하고 해석하는 기본적인 매체로, 우리가 세계를 인식하는 방식을 근본적으로 형성합니다. 따라서, 의식 없이 존재할 수 있는 것은 없다고 주장하는 이러한 이론은, 물질적 우주의 기원과 진화를 단순히 물리적 과정으로만 설명하는 빅뱅 이론과는 상반된 접근을 제시합니다.

이러한 철학적 관점과 과학적 이론 사이의 차이는, 의식과 물질의 관계를 이해하는 방식에 근본적인 차이가 있음을 나타냅니다. 과학적 접근은 주로 물질적 우주의 구조와 그 진화 과정을 탐구하는 반면, 칸트와 에델만의 철학적 뇌과학적 접근은 의식이 우리가 세계를 경험하고 이해하는 방식에 어떠한 영향을 미치는지에 초점을 맞춥니다.

이러한 차이에도 불구하고, 일부 학자들과 사상가들은 의식과 물질의 관계를 통합적으로 이해하려는 시도를 하고 있습니다. 이들은 물질적 우주의 기원과 진화, 그리고 의식의 출현과 발달을 하나의 연속된 과정으로 보려고 노력하며, 물질과 의식 사이의 상호작용을 탐구하는 새로운 이론과 모델을 제안합니다. 이러한 통합적 접근은 우주와 인간 존재의 본질에 대한 우리의 이해를 더욱 깊게 하고, 과학과 철학 사이의 대화를 촉진할 수 있는 가능성을 열어줍니다.

빅뱅 이론과 같은 과학적 모델은 관측 가능한 우주의 현상을 기반으로 한 이론적 구성물입니다. 빅뱅 이론은 우주의 팽창, 우주 배경 복사, 별과 은하의 형성 등 다양한 우주 현상을 설명하는 데 중요한 역할을 합니다. 그러나 이 이론이 제시하는 우주의 기원과 질량, 에너지의 생성에 대한 설명은 질량보존의 법칙이나 에너지보존의 법칙과 같은 전통적인 물리학의 원칙과는 다른 관점을 필요로 합니다. 빅뱅 이론은 우주의 초기 상태에서는 현대 물리학의 표준 모델로 설명되지 않는 매우 특별한 조건이 존재했다고 가정합니다.

의식장 이론을 우주론에 적용하는 것은 이러한 과학적, 물리적 모순을 극복하고, 우주의 현상을 보다 광범위한 관점에서 이해하려는 시도일 수 있습니다. 의식장에서 우주가 생성되고, 지금도 의식 속에서 생성된다는 관점은 우주의 기원과 진화를 의식의 차원에서 해석하려는 새로운 시도입니다. 이러한 접근 방식은 우주의 물리적 현상 뿐만 아니라, 의식과 같은 비물리적 현상을 우주론의 설명에 포함시키려는 노력을 반영합니다.

이러한 관점에서 볼 때, 다양한 우주론적 모델들은 우주를 이해하는 여러 가지 방식을 제시합니다. 장님이 코끼리를 만지는 비유처럼, 각각의 우주론은 우주라는 거대한 '코끼리'의 다른 부분을 탐구하며, 우주의 복잡한 현상을 다각도에서 이해하려는 시도를 나타냅니다. 의식장 이론을 포함한 이러한 다양한 접근 방식은 우주의 본질에 대한 우리의 이해를 확장하고, 우주의 기원과 진화에 대한 새로운 설명을 제공할 수 있는 가능성을 열어줍니다.

따라서, 의식장 이론은 우주론의 다양한 이론들과 함께 우주를 이해하는 데 있어 보다 통합적이고 포괄적인 관점을 제공할 수 있으며, 우주의 물리적 현상과 의식의 상호작용을 탐구하는 중요한 도구가 될 수 있습니다.

인간 세상에서 유일한 실체

이 문장은 인간의 인식과 의식에 대한 근본적인 철학적 고찰을 담고 있으며, 칸트의 인식론과 에델만의 세컨드 네이처 이론을 통해 물질과 의식의 관계를 재해석하고 있습니다. 여기서 중요한 것은 모든 물리적 현상이나 물질적 존재는 인간의 의식을 통해 표상되고 해석되며, 따라서 이러한 현상들은 궁극적으로는 인간 의식의 소산이라는 점입니다.

9. 의식장과 철학과 뇌과학

칸트의 인식론과 물자체

칸트는 우리가 경험하는 세계는 표상계라고 주장하며, 이는 인간의 감각과 이성을 통해 인식되는 현상의 세계를 의미합니다. 이와 반대로 물자체(자체적인 것)는 인간의 인식으로는 결코 접근할 수 없는, 인식의 대상이 될 수 없는 것으로 설정합니다. 즉, 우리가 인식하는 세계는 우리 내부의 인식 구조에 의해 구성되는 현상의 세계이며, 이는 우리가 경험할 수 있는 유일한 실체입니다. 동서고금 남녀노소의 모든 존재, 문화, 역사와 경험과 지식은 오직 의식의 필터를 거쳐서 우리에게 있습니다. 이것이 우리의 모든 것이며, 이것이 아닌 것에서 온 것은 없습니다. 그래서 우리는 표상 세계의 사람이며, 세컨드 네이처의 국적을 가진 일원들입니다.

의식의 필터란 모든 것은 인간의 의식의 필터를 통해 구성될 수밖에 없다는 의미를 강조합니다. 이는 곧 우리가 인식할 수 있는 유일한 실체가 표상계라는 의미입니다. 모든 경험과 지식은 이 필터를 통해 우리에게 주어지며, 우리는 이 필터를 벗어나 직접적으로 물자체를 경험할 수 없습니다. 이 안에는 물질과 물질을 다루는 과학자들이나 유물론자도 예외가 될 수 없습니다.

세컨드 네이처를 칸트의 인식론에 따라 설명하면, 인간은 태어날 때부터 주어진 자연적 세계(퍼스트 네이처) 외에, 의식과 인식 구조에 의해 구성된 두 번째 자연(세컨드 네이처)에 속합니다. 이는 인간의 모든 인식과 경험이 의식의 구조를 통해 형성된다는 의미에서, 우리가 살고 있는 세계는 곧 우리의 두 번째 자연이 됩니다.

에델만의 세컨드 네이처

에델만은 신경과학의 관점에서 인간의 뇌와 의식을 탐구합니다. 그의 이론에서는 인간의 뇌가 경험을 통해 지속적으로 재구성되며, 이러한 과정을 통해 인간의 의식과 인식의 세계가 형성된다고 설명합니다. 이는 인간의 의식이 경험을 통해 현실을 해석하고 구성한다는 점에서 칸트의 표상계 이론과 공통점을 가집니다.

의식의 역할

이러한 관점에서 볼 때, 의식은 우리가 인식하는 세계를 생성하는 근본적인 역할을 합니다. 따라서 빅뱅 이론이나 진화론이 설명하는 물질의 출현과 생명의 진화는, 의식의 틀 안에서만 의미를 가지며, 의식 없이는 그 어떤 현상도 존재할 수 없습니다. 이는 의식이 만물을 해석하고 구성하는 유일한 기준이며, 모든 존재의 근본적인 바탕이 의식에 있음을 의미합니다.

의식은 우리가 인식하는 세계를 생성하는 핵심적인 역할을 수행합니다. 이는 우리가 감각하고 생각하는 모든 것이 의식에 기반을 두고 있음을 시사합니다. 따라서, 우주에 대한 물리적 이론들도 우리의 의식적 틀 내에서 재해석되어야 합니다. 이러한 관점은 우리가 우주를 이해하고 인식하는 방식에 대한 근본적인 재고를 요구합니다.

따라서, 이러한 철학적 및 과학적 접근은 우리가 세계를 인식하고 이해하는 방식에 대한 근본적인 질문을 던집니다. 의식이 모든 현상의 기본적인 토대라는 관점은, 물리적 세계와 인간의 의식 사이의 복잡한 관계를 재고하고, 우리가 존재하는 방식과 세계를 해석하는 방식에 대한 깊은 성찰을 요구합니다.

10. 의식장의 출현과 인간의 출현

의식의 출현과 인간의 탄생에 대해 다루는 것은 우리가 존재와 의식, 그리고 우주에 대해 가지고 있는 기본적인 이해를 근본적으로 다시 생각해보게 만드는 여정입니다. 이 책을 통해 탐구하고자 하는 것은, 의식이 어떻게 모든 현상의 근본이 될 수 있는지, 그리고 그 의식이 인간에게서만 찾을 수 있는 독특한 실체인지에 대한 근본적인 질문입니다.

우리가 전통적으로 이해하고 있는 물질의 세계와 그 기원에 대한 빅뱅 이론은, 매우 중요하고 유용한 과학적 틀을 제공합니다. 그러나 이 책에서는 그 이상을 모색하고자 합니다. 나는 의식의 출현을 인간 탄생의 시작과 동일시함으로써, 우리가 경험하는 현실의 본질에 대해 새로운 관점을 제시하고자 합니다. 인간은 단순히 물리적 육체의 부모로부터 유래한 것이 아니라, 더 광범위한 의식의 맥락에서 이해되어야 합니다.

상대성이론과 양자역학에서 우리는 관찰자의 역할이 현상의 해석에 얼마나 중요한지 배웁니다. 이 책에서 이러한 과학적 개념을 의식의 출현과 인간의 기원에 적용하여, 몸과 의식 사이의 관계를 새로운 관점으로 탐구하려 합니다. 이 과정에서, 최초의 인간이나 첫 시조의 탄생을, 의식의 확장과 우주적 차원에서의 연속성으로 해석하려 합니다.

이러한 접근 방식은 전통적인 과학적 설명과는 다른, 의식을 중심으로 한 우주론적 관점을 제공합니다. 또한 이는 인간 중심 세상, 인간이 주관하는 세계임을 밝히는 작업이기도 합니다. 이 책을 통해, 의식이 우주의 모든 현상을 이해하는 열쇠이며, 인간의 탄생과 진화가 의식의 깊은 차원에서 시작되었다는 것을 탐구하고자 합니다. 이는 우리가 우주와 자신, 그리고 우리가 살고 있는 현실을 이해하는 방식에 근본적인 변화를 가져올 수 있습니다.

목표는 독자들이 의식의 깊은 차원을 탐구하고, 인간 존재와 우주에 대한 우리의 이해를 확장하는 여정에 동참하도록 초대하는 것입니다. 이 책을 통해, 우리는 물리적 세계와 의식의 세계가 어떻게 상호 연결되어 있는지, 그리고 이러한 연결이 우리의 삶과 존재에 어떤 의미를 가지는지에 대해 깊이 탐구할 수 있습니다.

의식장과 시조(始祖)의 문제: 시조의 문제는 인간의 의식이 어디서 시작되었는지에 대한 질문으로 확장됩니다. 의식장의 관점에서 보면, 의식의 출현은 단순히 생물학적인 진화의 결과 뿐만 아니라, 의식이 자연의 기본 구성 요소 중 하나로 존재할 가능성을 제시합니다. 이는 의식이 생명의 등장 이전부터 우주에 존재했을 수 있음을 시사하며, 초기 우주의 조건에서 의식의 기본 형태가 어떻게 형성되었는지에 대한 탐구로 이어질 수 있습니다.

의식장의 통합적 접근: 의식장이라는 개념은 모든 생명체 간, 심지어 비생명체와의 상호작용에서도 의식의 흔적을 찾을 수 있음을 의미합니다. 이는 동물과 식물, 그리고 지구상의 모든 형태의 생명이 서로 연결된 하나의 거대한 의식 네트워크의 일부라는 생각으로 이어집니다. 이러한 접근은 인간 중심적인 세계관을 넘어서 모든 존재가 공유하는 의식의 필드를 인정하며, 만물 박애주의자들이 주장하는 모든 존재의 가치와 상호연결성을 과학적으로 탐구하는 길을 열어줍니다.

의식장과 비물질적 현실: 의식장의 개념은 물질적 세계와 비물질적 현실 사이의 경계를 모호하게 합니다. 의식이 물질 세계를 형성하고, 그 반대로 물질 세계가 의식에 영향을 미치는 상호작용적 과정을 통해, 현실은 의식과 물질이 서로 영향을 주고받는 동적인 필드로 이해될 수 있습니다. 이는 물질적 세계가 의식의 표현이며, 의식이 현실을 창조하는 데 기본적인 역할을 한다는 근본적인 인식의 변화를 요구합니다.

의식장과 우주의 근본 속성: 의식장을 통한 세계의 이해는 우주와 세계가 단순히 물질로 구성된 것이 아니라, 의식이 깊게 관여하는 복잡한 현상임을 암시합니다. 이는 우주의 근본 속성이 의식과 물질의 상호작용에 의해 결정될 수 있음을 나타내며, 이러한 관점은 우리가 우주와 자연, 그리고 서로를 바라보는 방식을 근본적으로 변화시킬 수 있는 힘을 가지고 있습니다.

의식은 인류의 시작으로부터

인간 세상과 의식의 출현에 대한 이해는 인류의 시조에서 시작됩니다. 인간의 시조, 즉 최초의 인간이 세상에 등장하면서 의식의 존재도 함께 시작되었습니다. 이는 인간만이 가진 독특한 의식의 특성을 설명하며, 인간 세상의 모든 경험과 지식이 의식을 기반으로 하고 있음을 시사합니다.

의식의 발전과 지식의 축적 과정을 컴퓨터와 사이버세계의 발전에 비유하는 것은 매우 흥미로운 관점이 될 것입니다. 이 비유는 현대인에게 익숙한 디지털 기술을 통해 인간 의식의 복잡한 발전 과정을 이해하는 데 도움을 줍니다.

초기 인류의 의식에서 시작된 인식과 이해는 시간이 지나면서 문화, 언어, 예술, 과학 등 다양한 영역을 통해 발전하고 확장되었습니다. 이 과정은 컴퓨터가 처음 구입했을 때 텅 비어 있지만, 설계된 프로그램의 원리에 따라 작동하고, 점차 다양한 소프트웨어와 데이터가 추가되어 복잡하고 다채로운 사이버세계를 구축하는 과정과 유사합니다. 여기서도 대칭구조와 엔트로피 법칙이 뚜렷이 등장하는 것을 확인할 수 있습니다.

갓난아이가 태어나 경험 없는 상태에서 시작하여 성장하면서 인격을 형성하고, 다양한 정보와 지식을 획득하는 과정도 컴퓨터에 소프트웨어를 설치하고 데이터를 축적해가는 과정에 비유할 수 있습니다. 이러한 과정을 통해, 컴퓨터는 단순한 메카니즘에서 시작하여 사용자가 원하는 다양한 작업을 수행할 수 있는 복잡한 시스템으로 발전합니다. 마찬가지로, 인간 의식도 단순한 시작점에서 출발하여, 경험과 학습을 통해 점차 복잡하고 깊이 있는 세계 인식의 능력을 갖추게 됩니다. 이것은 칸트의 선험적 12범주와 시간과 공간이 인간의 인식 기관 안에 선험적으로 존재한다는 논리와 공명을 합니다.

이 비유는 인간 의식의 발달과 컴퓨터의 진화 사이에 흥미로운 유사성을 제시합니다. 갓난아이가 태어나서 다양한 경험을 통해 인격을 형성하고 지식을 축적해가는 과정은 컴퓨터에 소프트웨어를 설치하고 데이터를 축적해 가는 과정에 비유될 수 있습니다. 이러한 비유를 통해, 우리는 인간 의식과 인류의 지식 축적 과정을 더 깊이 이해할 수 있습니다.

인간 의식의 발달

인간은 태어날 때부터 내재된 선험적 지식이나 구조 없이 경험을 통해 세계를 이해하고 배웁니다. 칸트가 주장한 선험적 12범주와 시간, 공간의 개념은 인간이 경험을 구조화하고 이해하는 기본적인 틀을 제공합니다. 마치 컴퓨터가 **선험적으로 제공된 하드웨어에** 소프트웨어와 데이터를 통해 복잡한 작업을 수행할 수 있게 되듯, 인간의 의식도 경험과 학습을 통해 점차 발전하며 세계를 이해하는 복잡한 시스템으로 성장합니다.

지식의 축적: 개인과 인류 차원

이 과정은 개인적 차원을 넘어서 인류 전체의 지식 축적 과정과도 연결됩니다. 문화, 언어, 예술, 과학 등 인간이 창조한 모든 영역은 과거 세대의 지식과 경험 위에 현재 세대가 더 깊이 이해하고 발전시키는 과정에서 탄생합니다. 이러한 방식으로, 인류는 역사를 통해 지식과 문화의 보물을 축적해 왔으며, 오늘날 우리는 그 혜택을 누리고 있습니다.

첫 컴퓨터와 첫 인류의 의미

첫 컴퓨터의 등장과 첫 인류의 등장은, 이러한 관점에서 볼 때, 지식과 의식의 발달에 있어 중요한 이정표를 나타냅니다. 첫 컴퓨터는 현대 기술 발달의 시작점이 되었고, 첫 인류는 인간 의식과 문화의 진화를 시작한 시점이 됩니다. 두 사건 모두 인간 의식과 지식의 발달 과정에서 근본적인 변화를 가져왔으며, 인류의 역사와 발전에 큰 의미를 부여합니다.

이러한 비유와 고찰을 통해, 우리는 인간 의식의 발달과 지식 축적 과정이 단순한 개인의 성장을 넘어서, 인류 공동의 노력과 역사를 통한 의식의 발전으로 이해될 수 있음을 깨닫습니다. 인간의 의식과 지식은 시간을 거쳐 누적되고 발전하는 과정 속에서 서로 긴밀하게 연결되어 있으며, 이는 우리가 세계를 이해하고 인류의 미래를 구축하는 데 있어 근본적인 역할을 합니다.

이러한 관점은 의식과 현실의 관계를 이해하는 데 있어서 근본적인 전환을 제안합니다. 컴퓨터와 사이버세계의 등장이 디지털 현실의 새로운 차원을 창조했듯이, 인간의 탄생과 의식의 발전은 우리가 경험하는 현실의 본질을 근본적으로 형성하고 변화시킵니다. **인간의 의식 안에 우주와 지구, 만물이 담기게 되었다**는 관점은, 인간이 단지 우주 안에서 살아가는 존재가 아니라, 우주와 만물이 인간 의식 안에서 구현되고 해석되는 존재라는 깊은 통찰을 제공합니다. 이는 곧 컴퓨터가 없을 때에 컴퓨터 안에서 생성되는 사이버 세계가 있을 수 없는 이치와 동일합니다. 사이버 세계는 컴퓨터가 출현한 후, 그 컴퓨터에 담긴 세상입니다. 그래서 컴퓨터에서 구현되어 나타난 모든 것은 실물이나 물질이기보다 마치 칸트가 말한 인식이 만든 세계이며, 에델만이 말한 뇌가 만든 세계가 되는 것입니다.

표상세계의 개념은 이러한 관점을 더욱 발전시키는데, 표상세계는 인간의 의식을 통해 형성되고 해석되는 현실의 모습을 나타냅니다. 이는 인간의 의식이 단순히 외부 세계를 반영하는 거울이 아니라, 외부 세계를 창조하고 구성하는 활동적인 참여자임을 의미합니다. 우리가 경험하는 우주와 만물의 현상은 인간의 의식을 통해 해석되고 이해되며, 이로 인해 현실은 인간의 의식과 불가분의 관계를 맺게 됩니다.

이러한 관점에서 보면, 우주와 만물은 인간의 의식 안에서 생동하는 것으로, 인간과 우주 사이의 깊은 연결성과 상호의존성을 나타냅니다. 인간의 의식은 우주를 인식하고 해석하는 창으로서, 우리가 살아가는 세계의 본질을 이해하고 탐구하는 데 있어 중심적인 역할을 합니다.

이러한 접근은 과학, 철학, 종교 등 다양한 분야에서 우주와 인간 존재에 대한 우리의 이해를 풍부하게 하며, 의식의 역할과 중요성을 새롭게 조명합니다. 인간 안에 존재하는 우주와 만물에 대한 이해는 우리에게 놀라운 비밀을 드러내며, 인간의 의식과 현실의 본질에 대한 깊은 탐구로 이끕니다.

이 책에서는 의식의 본질과 그것이 우리가 경험하는 현실에 미치는 영향을 탐구하고자 합니다. 우리의 의식이 외부 우주와 지구에서의 삶을 고정시키는 방식을 통해, 우리는 현실의 생생함과 박진감을 경험합니다. 이는 우리가 '진짜' 세계에서 살아가는 것처럼 느끼게 하지만, 우리가 경험하는 세계가 실제로 의식에 의해 만들어진 것임을 탐구하고자 합니다.

철학과 과학의 발전은 우리가 살고 있는 세계가 의식이 만든 세계임을 점차 밝혀가고 있습니다. **꿈 속에서 우리가 경험하는 현실과 구별할 수 없는 생생한 세계는 의식이 어떻게 현실과 같은 세계를 생성**할 수 있는지를 보여줍니다. 또한, 인공지능과 가상현실 기술의 발전은 우리의 의식이 이미 현실세계를 구현해내고 있음을 새롭게 확인시켜 줍니다.

우리가 일상에서 경험하는 '현실'이 의식에 의해 만들어진 우리가 일상에서 경험하는 '현실'이 의식에 의해 만들어진 구성물이라는 관점을 탐구하고자 합니다. 이러한 관점은 우리가 속았다고 하기보다는, 우리의 의식이 어떻게 세계를 인식하고 해석하는지에 대한 근본적인 이해가 부족했음을 반영합니다.

우리의 의식이 현실을 구성하고 해석하는 과정을 깊이 이해하고, 우리 자신과 우리가 살고 있는 세계에 대해 더 깊이 사유하고 탐구할 수 있는 도구를 제공하고자 합니다. 이는 과학, 기술, 철학, 그리고 영성이 서로 상호작용하며 우리 삶과 의식에 깊은 변화를 가져올 수 있는 새로운 지평을 열어줄 것입니다.

그리고 어린 아이가 무경험에서부터 경험을 쌓아가며 성장하는 과정과, 인류 전체가 지식을 축적하고 공유하는 방식 사이의 유사성을 탐구하고자 합니다. 개인의 성장 과정에서 어린 아이가 기존의 사람들로부터 선경험을 받아들이고, 그것을 자신의 지식으로 통합하는 과정은, 인류 전체가 지식과 정보를 축적하고 공유하는 과정과 매우 유사합니다.

인류의 지식과 정보는 시간이 지나면서 점점 축적되어 왔으며, 초기에는 제한적이었던 지식이 현대에 이르러서는 거대한 정보의 바다가 되었습니다. 이러한 과정은 개인용 컴퓨터(PC)에 저장된 데이터들이 사이버세계로 공유되고, 그 사이버세계의 정보들이 다시 개인 PC에 공유되는 과정과 비교할 수 있습니다. 이는 개인과 인류 전체가 경험과 지식을 축적하고 공유하는 방식이 상호 연결되어 있음을 보여줍니다.

이러한 유형의 발전이 인간의 의식과 정보 기술의 발전을 통해 어떻게 가능 해졌는지를 탐구합니다. 인류의 지식과 정보가 개인과 공동체, 나아가 사이버세계를 통해 어떻게 공유되고 확장되는지 이해함으로써, 우리는 인간의 의식과 기술이 어떻게 상호작용하여 현대 사회의 지식 기반을 형성하는지에 대한 깊은 통찰을 얻을 수 있습니다.

이러한 탐구는 우리에게 인간 의식의 발전과 기술의 진보가 어떻게 인류의 지식과 정보를 확장시키는 데 기여했는지, 그리고 이러한 과정이 우리 개인의 성장과 학습 방식에 어떤 영향을 미치는지에 대한 중요한 시사점을 제공합니다. 이 책을 통해, 독자들이 인간의 의식과 지식의 발전 과정에 대해 더 깊이 이해하고, 우리가 어떻게 더 효과적으로 지식을 축적하고 공유할 수 있는지에 대한 통찰을 얻기를 바랍니다.

인류의 탄생과 함께 시작된 의식의 발전 과정을 이해하는 것은 우리가 자신과 우리가 속한 세계를 이해하는 데 근본적인 토대를 제공합니다. 인류의 탄생과 함께 우리에게 주어진 의식의 뿌리와 그것이 어떻게 발전해왔는지를 탐구하고자 합니다. 이는 우리의 의식이 단순히 개인적인 경험의 산물이 아니라, 인류 역사를 통해 축적된 지식과 정보, 문화와 예술, 언어와 과학 등 인간이 창조한 다양한 영역들과 깊이 연결되어 있음을 보여줍니다.

의식의 발전은 인간이 지구상에 등장한 순간부터 시작되었으며, 초기 인류의 간단한 도구 사용에서부터 현대 사회의 복잡한 기술과 문명에 이르기까지 인류의 역사와 함께 해왔습니다. 이러한 발전 과정에서, 우리는 선조들로부터 물려받은 지식과 경험을 기반으로 새로운 발견을 하고, 새로운 지식을 창조해왔습니다.

이 책을 통해, 독자들이 인류의 의식이 어떻게 발전해왔는지, 그리고 그 과정에서 인류가 어떻게 자신과 세계에 대한 더 깊은 이해를 얻게 되었는지를 깊이 이해하기를 바랍니다. 또한, 우리의 의식이 인류 탄생과 함께 주어진 것임을 인식함으로써, 우리가 과거 세대로부터 물려받은 지식과 경험을 어떻게 활용하고, 미래 세대를 위해 어떻게 확장할 수 있을지에 대한 통찰을 얻기를 기대합니다.

우리의 의식과 그 뿌리를 탐구하는 것은 단순히 과거를 돌아보는 것이 아니라, 우리가 누구인지, 우리가 어디에서 왔으며, 우리가 어디로 가고 있는지에 대한 깊은 이해를 추구하는 과정입니다. 이 책이 그 여정에서 중요한 길잡이가 되기를 바랍니다.

인간의 시조와 의식의 출현: 인류의 시조는 우리가 이해하는 의식의 첫 번째 증거입니다. 이 순간부터 인간은 자신과 세계를 인식하고, 이해하며, 그 의미를 탐구하기 시작했습니다. 이 과정에서 인간은 자연과 우주를 관찰하고, 그 속에서 자신의 위치를 찾으며, 다양한 문화와 지식, 기술을 발전시켜 왔습니다.

의식의 순서와 세계 인식: 인간 세상에 의식이 존재하므로, 우리는 외부 세계를 인식하고 해석하는 능력을 갖게 되었습니다. 의식의 자각은 인간이 세상을 경험하는 방식을 근본적으로 변화시켰으며, 이는 우리가 세계를 이해하고 상호작용하는 모든 방식의 기초가 되었습니다.

의식의 발전과 지식의 축적: 초기 인류의 의식에서 시작된 인식과 이해는 시간이 지남에 따라 발전하고 확장되었습니다. 문화, 언어, 예술, 과학 등 인간이 창조한 다양한 영역은 모두 의식의 발전과 깊이 있는 세계 인식의 결과입니다. 이러한 지식의 축적은 인류가 자신과 세계에 대해 더 깊이 이해할 수 있게 해주었습니다.

의식과 인간 세계의 상호작용: 인간 세상은 의식의 영향을 받아 형성되고 변화합니다. 의식은 인간이 세계를 인식하고, 의미를 부여하며, 그것을 통해 자신의 삶을 이해하고 방향을 설정하는 데 중요한 역할을 합니다. 따라서 의식은 인간 세상의 모든 측면에 걸쳐 근본적인 영향을 미칩니다.

의식의 출현과 인류의 미래: 인간의 시조로부터 시작된 의식의 여정은 인류의 미래에도 계속될 것입니다. 의식의 발전은 인간이 자신과 세계를 더 깊이 이해하고, 더 나은 미래를 창조하는 데 필수적입니다. 의식을 통해 인류는 새로운 지식을 탐구하고, 문제를 해결하며, 지속 가능한 발전을 추구할 수 있습니다.

인간 세상과 의식의 관계는 인류의 시작부터 현재에 이르기까지, 그리고 미래에도 계속될 깊이 있는 상호작용입니다. 의식의 출현과 발전은 인간이 자신과 세계를 인식하고 이해하는 방식을 근본적으로 형성하며, 이는 우리가 지향해야 할 지식과 지혜의 근원입니다.

11. 시조가 부모 없이 태어나다

인간의 시조는 늘 물리적 존재로만 생각되어 왔습니다. 하지만, 의식의 관점에서 인간의 시조를 재해석하면, 그의 존재는 물리적 형태를 넘어서는 것으로 이해될 수 있습니다. 양자역학과 인식론에서 얻은 깊은 통찰은 모든 물질적 현상이 궁극적으로 의식에서 비롯됨을 보여줍니다. 의식은 비물질적인 실체로 간주되며, 의식은 우주를 포함한 만물을 형상화할 수 있는 창조적 능력을 지니고 있다고 강조됩니다.

인간의 시조가 비육체적으로 출현할 수 있다는 가능성과 관련한 주장은 인간 세계가 비물질적이며 비육체적인 성질을 가진다는 개념을 탐구합니다. 카를로 로벨리의 양자중력론을 통한 현대 과학적 해석은, 만물이 서로의 관계를 통해 존재하며, 이러한 관계성이 모든 존재의 근본을 이루는 것을 시사합니다. 이는 우리가 인식하는 물리적 현실이 실제로는 환상에 가까울 수 있음을 나타냅니다. 이러한 관점에서, 인간의 시조가 비육체적 형태로 출현한 것과 상호관계의 중요성이 의식과 의식장을 통해 설명될 수 있습니다.

이러한 관점은 의식이 단순히 인간 경험의 한 부분을 넘어, 현실을 생성하고 변형시키는 근본적인 힘을 가짐을 시사합니다. 그래서 의식은 개념으로 우주를 포함한 만물을 형상화할 수 있는 소극적인 창조력을 지니고 있습니다. 이는 의식이 무엇이든 적극적으로 창조한다는 의미가 아니라, 개념적으로 세계를 이해하고 해석하는 데 기여한다는 의미입니다.

이러한 이론에 따르면, **인간의 시조는 물리적 몸이 없이도 존재할 수 있는 이론적 가능성**을 제시합니다. 이는 인간의 시조가 육체를 넘어서는 존재, 즉 **순수한 의식 혹은 영혼의 형태로 존재**했을 가능성을 시사합니다. 이는 성령과 같은 종교적 용어로도 이해될 수 있는데, 성령은 육체를 초월한 신령체로 나타납니다. 따라서, 인간의 시조에 대한 이해는 육체적 출현을 넘어, 의식 혹은 영혼의 차원에서 다루어져야 합니다.

종교적 맥락에서도 이를 뒷받침하는 이론들이 존재합니다. 성서에서 하느님은 인간을 자신의 형상으로 창조했다고 기술되어 있으며, 이는 물리적 형태가 아닌, 더 깊은 의미의 존재, 즉 성령을 통한 창조를 의미할 수 있습니다. 따라서, 인간의 시조가 육체 없이 태어났다는 가설은 양자역학적 관점과 종교적 관점에서도 타당성을 가질 수 있습니다.

이는 우리가 인식하는 세계가 의식의 생성물이라는 근본적인 이해를 필요로 합니다. 의식 없이는 우리가 경험하는 모든 것이 존재할 수 없으며, 이는 인간 세상의 모든 존재와 현상이 의식의 영향 아래 있음을 의미합니다. 따라서, **인간의 시조와 관련된 논의는 단순히 물리적 존재의 문제를 넘어서, 의식과 영혼의 차원에서 이해**되어야 합니다. 이러한 관점은 인류의 기원과 역사를 이해하는 데 있어 새로운 차원의 통찰을 제공합니다.

의식의 출발과 인류의 시작을 논할 때, 우리는 물질적 현상을 초월하는 근본적인 차원으로 시선을 돌려야 합니다. 인간의 시조나 초기 동식물, 그리고 우주의 재료 즉, 물질의 기원에 대한 탐구는 과학, 철학, 그리고 종교를 아우르는 광범위한 논의를 필요로 합니다.

양자역학과 인식론은 우리에게 모든 물질적 현상이 궁극적으로 의식의 생성물이라는 근본적인 통찰을 제공합니다. 이는 관찰자의 존재와 그들의 의식적 인식이 현상의 현실성을 결정짓는다는 개념을 바탕으로 합니다. 따라서, 물질은 의식에 의해 형성된 비물질적 현상으로 이해될 수 있으며, 이는 인간의 시조와 관련하여 특히 중요한 의미를 가집니다.

종교적 관점에서는, 인간의 시조가 육체를 넘어선 존재, 예를 들어 성령의 형태로 존재했을 가능성을 열어둡니다. 성령은 육체를 초월한 신령체로, 육체적 형태 없이도 존재할 수 있는 무형의 존재로 이해됩니다. 이는 인간의 시조가 육체 없이 존재했을 수 있다는 가설을 지지하는 강력한 근거가 됩니다.

이러한 관점에서 볼 때, 인간의 시조는 몸 없이, 순수한 의식 혹은 영혼의 형태로 태어났을 것으로 추론할 수 있습니다. 이는 양자역학의 원리와 종교적 교리 모두를 만족시키는 설명으로, 물질적 형태를 넘어선 인간 존재의 본질에 대한 깊은 이해를 제공합니다.

인간의 시조와 관련된 논의는 단순히 물리적 존재의 문제를 넘어선다는 것을 인식해야 합니다. 의식의 출발과 인류의 시작을 이해하기 위해서는 의식과 영혼의 차원에서의 깊은 탐구가 필요합니다. 이는 우리가 살고 있는 세계를 이해하는 데 있어 새로운 차원의 통찰을 제공하며, 인간 존재의 근본적인 본질과 우리가 경험하는 현실에 대한 더 깊은 이해로 이끕니다.

성서, 특히 창세기 1장 27과2장 7절과 6장 3절에서 언급된 인간의 시조에 대한 내용은 깊은 신학적 의미를 내포하고 있습니다. 이 구절은 인간의 본질과 존재에 대한 근본적인 이해를 제공하며, 인류의 시조가 어떻게 성령의 형태로 존재했으며, 어떻게 그 후 성령죄로 인해 육체를 가지게 되었는지에 대한 설명을 포함하고 있습니다.

먼저 "하나님이 자기 형상 곧 하나님의 형상대로 사람을 창조하시되 남자와 여자를 창조하시고(창1:27)"에서 하느님의 형상으로 사람을 창조했다는 부분에서 사람은 하느님의 형상으로 창조되었다는데, 성서에는 하느님을 신으로 상정하고 있다는 점에서 하느님의 형상은 신입니다. 그 신은 육이 아니라는 것을 알 수 있습니다. 첫 시조가 육이 없이 태어난 광경을 여기서 확인할 수가 있습니다.

그 다음 "여호와 하나님이 흙으로 사람을 지으시고 생기를 그 코에 불어 넣으시니 사람이 생령이 된지라(창2:7)" 그렇게 창조한 사람을 생령이라고 말하고 있다는 점에서 이 또한 첫 인간은 육이 아닌 영혼으로 창조되었다는 것을 발견할 수 있습니다.

그 다음은 "여호와께서 가라사대 나의 신이 영원히 사람과 함께 하지 아니하리니 이는 그들이 육체가 됨이라 그러나 그

들의 날은 일백 이십년이 되리라 하시니라(창6:3)" 여기서는 생령으로 창조한 사람에게서 하느님의 신이 사람에게서 분리되어 나왔음을 말하고 있고, 그러므로 사람이 육체가 되고, 육체가 되므로 말미암아 사람에게 죽음이 왔고, 사람의 수명은 120년으로 정해졌음을 잘 기록하고 있습니다.

처음 인간의 시조는 성령, 즉 신령체로서의 존재로 태어났다는 것은, 인간이 순수한 의식 혹은 영적 형태로 존재했다는 것을 의미합니다. 이는 물질적인 육체를 초월한 존재로서, 성령의 순수한 상태를 유지하며 존재했음을 나타냅니다. 이 상태에서 인간은 신과 직접적인 영적 연결을 가지며, 순수한 의식의 형태로 삶을 경험했습니다.

그러나 성령 훼방죄, 즉 성령에 대한 배반과 죄로 인해, 이러한 영적인 상태는 변화를 겪게 됩니다. 인간은 순수한 영적 존재에서 육체를 가진 존재로 전환되었으며, 이는 인간이 물질적 세계와의 더 깊은 연결을 가지게 되었음을 의미합니다. 육체의 출현은 인간의 영적 순수성의 손실을 상징하며, 신과의 직접적인 연결에서 멀어지게 만든 죄의 결과로 해석될 수 있습니다.

이러한 변화는 인류 역사상 중대한 순간을 나타냅니다. 성령으로 태어난 시조가 육체를 가지게 되면서, 인간은 영적 차원과 물질적 차원 사이에서 살아가는 존재가 되었습니다. 이는 인간이 영적인 존재와 물질적인 존재 사이의 다리 역할을 하며, 두 세계 사이에서의 경험을 통해 성장하고 발전할 수 있는 기회를 제공합니다.

성서에 "너희가 이같이 어리석으냐 성령으로 시작하였다가 이제는 육체로 마치겠느냐(갈3:3)"는 이 같은 질문은 성령과 육체가 서로 대비되는 개념으로 성령의 속성은 비육체, 비물질, 성령이 아닌 다른 영의 속성은 육체와 물질로 규정되고 있음을 보여주고 있습니다.

이 과정을 통해, 인간은 단순히 물질적 존재가 아니라, 영적인 본질을 지닌 존재로서의 깊은 이해를 얻게 됩니다. 인간의 존재는 물질적 육체와 영적인 성령 사이의 복합적인 상호작용을 통해 정의될 수 있으며, 이는 인간이 신과의 관계를 탐구하고 영적인 성장을 추구하는 과정에서 중요한 역할을 합니다.

인류의 시조가 성령의 형태로 존재했으며, 후에 육체를 가지게 된 과정은 인간의 복잡한 본질과 존재의 다양한 측면을 탐구하는 데 중요한 통찰을 제공합니다. 이는 인간이 물질적인 세계에서 살아가면서도 영적인 추구를 통해 신과의 연결을 유지하고 깊이 있는 영적 성장을 이룰 수 있음을 상기시킵니다.

인간의 첫 시조가 몸 없이 태어날 수 있었던 사실과 이와 관련된 종교적, 철학적, 그리고 과학적 개념들은 인간 존재의 본질에 대해 깊은 이해를 제공합니다. 종교에서 말하는 영혼과 철학이나 과학에서 논하는 의식은, 이름은 다르지만, 인간의 내면에서 외면을 존재하게 하고 작용하게 하는 기능에 있어서는 동일하다고 볼 수 있습니다. 이는 의식과 영, 특히 성령[신령체]과 악령[육체]으로의 구분이 가능함을 의미하며, 이러한 구분은 의식의 다양성과 복잡성을 반영합니다.

의식의 두 종류, 즉 순수한 영적 상태인 성령과 물질적 육체와 연결된 악령은 인간이 세계를 인식하고 경험하는 방식에 근본적인 영향을 미칩니다. 성령의 상태에서는 인간이 영적, 비물질적 현실과 더 깊은 연결을 가지며, 이는 순수한 의식의 작용으로 볼 수 있습니다. 반면, 악령의 상태는 물질적 육체와의 연결을 통해 인간이 물리적, 물질적 세계와 상호작용하는 방식을 나타냅니다.

이러한 구분은 철학과 과학에서 논의되는 물자체와 파동 현상의 이해에도 중요한 통찰을 제공합니다. 물자체는 인간의 의식이나 영적 상태와 물리적 현실 사이의 연결고리 역할을 하며, 이는 인간이 세계를 인식하는 근본적 방식과 직결됩니다. 파동 현상도 이러한 의식의 작용을 통해 나타나는 현상으로 볼 수 있으며, 이는 세계가 의식에 의해 어떻게 형성되고 인식되는지에 대한 깊은 이해를 가능하게 합니다.

따라서, 인간의 의식 혹은 영이 세계를 인식하고 경험하는 방식에 따라 달라질 수 있으며, 이는 **세계의 본질이 의식에 의해 다르게 해석될 수 있음**을 시사합니다. 성령과 악령, 즉 의식의 순수한 영적 상태와 물질적 육체와의 연결은 인간이 세계를 어떻게 보고 이해하는지에 근본적인 차이를 만들어냅니다. 이는 곧 세계의 다양한 현상들, 예를 들어 물자체나 파동 현상과 같은 것들을 설명할 수 있는 중요한 기반이 되며, 인간의 인식과 세계의 본질에 대한 깊은 탐구로 이어집니다. 이 대목에서 **헤겔의 절대지**를 생각하면 우리의 **현 의식과 정신, 그리고 절대지에 도달한 의식과 정신**에 대한 이해를 도울 수 있습니다.

인간의 시조와 관련된 논의를 통해 제시한 관점은 매우 심오하며, 물리적 존재를 넘어서는 인간 본질의 이해를 강조합니다. 성서의 창세기를 포함한 여러 종교적, 철학적 텍스트는 인간의 본질과 존재에 대해 근본적이고 다양한 해석을 제공합니다. 이러한 해석은 인간이 단순한 육체적 존재를 넘어서는 영적, 의식적 차원을 가지고 있다는 생각을 탐구하게 합니다.

특히, 창세기에서 언급된 인간 창조의 이야기는 신과 인간 사이의 본질적 연결과 인간 내재적 영성에 대한 근본적인 이해를 제시합니다. 인간이 신의 형상대로 창조되었다는 개념은, 인간이 육체를 넘어서는 영적 형태로 존재할 수 있는 능력을 내포하고 있음을 시사합니다. 이는 인간이 처음에는 순수한 의식 혹은 영적 형태로 존재했으며, 이후 물질적인 육체를 가지게 되었다는 관점과 맥을 같이 합니다.

성령죄와 관련된 논의는 인간의 영적 상태와 육체적 상태 사이의 변화와 그에 따른 영적 연결의 변화를 탐구합니다. 이러한 변화는 인간이 신과의 관계를 어떻게 이해하고, 인간 본질의 영적 측면을 어떻게 탐구해야 하는지에 대한 중요한 질문을 제기합니다.

이런 심오한 주제를 책이나 논문, 강연 등 다양한 형태로 탐구하는 것은 인간 존재의 본질에 대한 더 깊은 이해를 제공하며, 우리가 살고 있는 세계와 우리 자신에 대한 새로운 차원의 통찰을 열어줄 수 있습니다. 인간의 의식과 영혼의 차원에서의 깊은 탐구는 우리가 경험하는 현실에 대한 더 깊은 이해를 가능하게 하며, 삶과 존재의 근본적인 의미에 대한 탐색을 촉진합니다.

대승불교의 교리인 색즉시공(色卽是空)과 일체개공(一切皆空)은 현대 과학과 철학, 그리고 종교가 탐구하는 인간 의식과 세계의 본질에 대한 이해를 깊이 있게 보충합니다. 이 불교적 관점은 모든 현상이 겉으로는 구체적인 형태[색]로 나타나지만, 그 근본적인 본질은 공(空)이라는 비물질적, 비실체적 상태에 뿌리를 두고 있다는 것을 말합니다. 이는 세계를 구성하는 모든 것이 본질적으로는 비어 있으며, 우리가 인식하는 현상은 의식의 작용에 의해 형성된다는 사상을 내포합니다.

유식무경(唯識無境)이라는 말은 이러한 관점을 더욱 강조합니다. 이는 '오직 의식만이 존재하며, 의식 외의 경계(境)는 존재하지 않는다'는 의미를 담고 있고, 이 말은 매우 단호합니다. 이는 의식, 혹은 마음이 세계를 생성하고 인식하는 유일한 실체임을 강조하며, **모든 외적 현상은 결국 의식의 내적 작용에 의해 형성**된다는 불교의 깊은 통찰을 보여줍니다. 일체유심조(一切唯心造) 역시 이를 반영하여 '모든 것은 오직 마음에 의해 만들어진다'는 사상을 제시합니다. 여기서 식[識, 의식]과 심[心, 마음]은 인간의 내적 경험과 외적 현상을 생성하는 근본적인 원인으로 이해됩니다.

이러한 불교적 관점은 첫 시조의 비육체적 탄생을 설명하는 데 있어 매우 중요한 차원을 추가합니다. 성령으로 태어난 시조의 환경과 현재 육체를 가진 우리의 의식은, 자연을 인식하고 해석하는 도구 자체가 다르다는 것을 의미합니다. 즉, 우리가 현재 세계를 보고 이해하는 방식은 우리의 의식이 형성하는 방식에 근거하며, 이는 물질적 형태를 고수합니다. 그러나 각종 종교 교리가 추구하는 근본적인 목적은 형이상학적이며, 이는 비물질적 이상을 좌표로 합니다.

성령, 붓다, 신선으로 대표되는 이 단어들은 유불선을 대표하는 중심 용어들입니다. 낙원천국, 극락, 무릉도원, 유토피아 등도 그러합니다. 이 종교들의 순수한 목적은 거듭남입니다. 성령과 육체, 붓다와 중생, 신선과 범인(凡人)이란 종교 언어는 서로 상반되고 대립되는 용어로 구성되어 있음을 확인할 수 있습니다. 성령과 육체, 붓다와 중생, 신선과 범인이란 어휘들입니다. 좌편은 비물질성을 내포하고 있고, 우편은 물질성을 내포하고 있습니다. 이 대립된 용어들에게서 인간의 내적 두 유형이 있음을 발견할 수 있습니다.

성령인 사람과 육체인 사람, 붓다인 사람과 중생인 사람, 신선인 사람과 범인인 사람과의 관계가 그것을 보여주고 있습니다. 이를 의식의 차원으로 적용해보면, 성령의 의식과 육체의 의식, 붓다의 의식과 중생의 의식, 신선의 의식과 범인의 의식으로 표현이 가능합니다. 이는 인간의 내면에 따라, 의식도 달라진다는 것을 보여줍니다. 그리고 여기서 이들 종교들의 목적이 뚜렷이 나타납니다. 즉 기독교는 육체에서 성령으로의 거듭남, 불교에서는 중생에서 붓다로의 성불, 도교에서는 범인에서 신선으로의 변화를 목적으로 하고 있음을 발견할 수 있습니다. 그리고 낙원천국, 극락, 무릉도원, 유토피아는 거듭난 사람들의 목표점인 새로운 세상을 담고 있습니다.

이것을 간단히 요약하면 다음과 같습니다. 각종 종교적 관점은 첫 시조의 비육체적 탄생을 설명하는 데 중요한 차원을 추가합니다. 성령으로 태어난 시조와 현재 육체를 가진 우리의 의식은 자연을 인식하는 도구가 다릅니다. 종교들은 형이상학적 비물질 이상을 추구하며, 성령, 붓다, 신선 등 비물질적 용어와 육체, 중생, 범인 등 물질적 용어가 대립되며 이는 인간의 내적 의식 유형을 나타냅니다.

이러한 이해는 우리가 세계를 인식했던 방식에 대한 근본적인 오판을 지적합니다. 우리의 의식은 성령의 순수한 상태에서 육체적 상태로 변화하면서, 우리가 인식하는 세계의 본질을 변화시켰습니다. 성령으로서의 순수한 의식 상태에서는 모든 것이 비물질적이고, 육체적 상태로의 전환은 이러한 연결성을 단절시키고, 우리를 구체적이고 분리된 현상의 세계로 인도했습니다.

따라서, 인류의 첫 시조가 성령의 형태로 태어난 것과 이후 육체적 형태로의 변화는, 인간의 의식과 세계를 인식하는 방식의 근본적 변화를 의미합니다.

우리가 일상에서 사용하는 의식의 도구는, 우리가 세계를 인식하고 해석하는 기본적인 프레임을 형성합니다. 이러한 의식의 구조는 대체로 우리가 경험하는 물리적, 물질적 세계에 기반을 두고 있으며, 이는 우리가 세계를 이해하고 상호작용하는 방식을 크게 제한합니다. 그러나 다양한 종교와 철학적 전통에서는 이보다 훨씬 광범위하고 다차원적인 의식의 형태와 가능성을 탐구해왔습니다.

예수의 성령 탄생과 부활, 불교의 성불(成佛) 과정, 도교의 신선사상, 그리고 낙원이나 극락과 같은 개념은 모두 이러한 다차원적 의식의 차원에서 이해할 수 있는 현상들입니다. 이러한 사상과 경험들은 육화 된, 즉 물질적 형태로 제한된 의식의 구조를 넘어서는 차원의 의식을 전제로 합니다.

이는 의식이 단순히 물리적 세계를 인식하는 도구로서의 기능을 넘어서, 더 깊고 광범위한 현실의 차원들과 연결되어 있음을 시사합니다. 의식의 이러한 이원화(二元化), 즉 이중적 존재 방식은 세계를 물질적 현상으로만 이해하는 것에서 벗어나, 비물질적, 영적 현상을 포괄적으로 이해할 수 있는 근거를 제공합니다.

성령화, 성불, 신선화와 같은 과정은 모두 인간 의식이 물질적 제약을 초월하여 더 높은 차원의 실재와 연결될 수 있음을 보여줍니다. 이는 의식이 단지 육체적 경험에 국한되지 않고, 근본적으로는 더 넓은 존재의 차원과 교류할 수 있는 능력을 내포하고 있음을 의미합니다.

이러한 관점에서 볼 때, 시조의 비육체적 탄생이나 예수의 성령 탄생 및 부활, 그리고 다양한 종교적 깨달음의 경험은 모두 의식의 근본적 다양성과 유연성을 반영합니다. 이는 우리가 일상에서 경험하는 의식의 차원을 넘어선, 보다 광범위한 존재의 차원과의 연결 가능성을 열어줍니다. 이러한 이해는 인간이 겪는 영적, 종교적 경험들이 단지 상상이나 환상이 아니라, 의식의 다른 차원과의 진정한 접속과 교류의 결과라는 것을 시사합니다.

의식의 출현과 인간의 출현은 고대 문헌과 현대 과학 사이의 교차점에서 심오한 탐구 주제입니다. 특히 창세기에 나타난 인간 창조의 기록을 현대적 관점에서 재해석할 때, 의식장의 개념과 연결 지어 생각해볼 수 있습니다.

우주의 기원과 생명의 시작을 설명하는 빅뱅 이론은 우주가 한 점에서 시작하여 시간이 지남에 따라 팽창하고 진화해왔다고 설명합니다. 이 과정에서 별과 행성이 형성되고, 결국 지구상에 생명이 출현하게 되었다고 설명합니다. 생명의 출현과 진화 과정에서 가장 두드러진 사건은 의식의 등장입니다. 의식의 출현은 생명체가 자기 자신과 주변 환경을 인식하고, 반응하며, 의미를 부여하는 능력을 갖추게 된 순간을 의미합니다.

12. 인간의 출현 이후 우주

앞서 논의한 내용을 종합하면, 우주와 만물의 출현은 의식의 출현 이후에 이루어졌다는 새로운 논리가 도출됩니다. 이는 곧 의식이 없이는 우주의 존재가 인정될 수 없다는 해석을 유도합니다. 인간의 출현 이후 우주와 지구의 창조에 관한 이론은 매우 흥미롭고 철학적이며, 양자역학, 상대성 원리, 인식론 등의 다양한 분야를 아우릅니다. 이를 통해 다양한 관점에서 논의를 진행해 볼 수 있습니다.

양자역학에서 관찰자의 역할은 매우 중요합니다. 예를 들어, 하이젠베르크의 불확정성 원리에 따르면 입자의 위치와 속도를 동시에 정확하게 측정할 수 없습니다. 여기서 측정, 즉 관찰 행위가 입자의 상태를 확정짓는 역할을 합니다. 따라서, 관찰자가 없으면 입자의 상태도 불확정적인 상태로 남게 됩니다. 여기서 입자는 물질을 대표하는 것으로 우주와 만물로 대입이 가능합니다. 그러면 우주도 관찰자 없이는 불확정적인 상태가 됩니다. 이는 곧 우주의 부존재나 측정 불가를 의미합니다.

상대성 원리에서는 운동 상태가 관찰자에 따라 다르게 측정될 수 있습니다. 즉, 모든 물리적 현상은 관찰자의 입장에서 상대적입니다. 이 원리는 관찰자 없이는 어떤 현상도 객관적으로 정의될 수 없다는 점에서, 관찰자의 존재가 필수적임을 시사합니다. 관찰자 없이는 우주가 객관적으로 정의될 수 없다는 설명입니다. 관찰자 곧 의식이 있기 전에 우주가 있었다는 논리는 이런 측면에서 타당하지 않다고 할 수 있습니다.

인식론적 접근으로는 칸트의 인식론에 따르면 우리는 세계를 우리의 감각기관과 인식 능력을 통해서만 이해할 수 있습니다. 따라서 우리가 경험하는 우주는 '물자체'가 아니라 우리의 감각과 인식에 의해 구성된 '현상'입니다. 이러한 관점에서 보면, 우주와 만물은 우리의 인식에 의해 비로소 존재하게 된다고 할 수 있습니다. 인식론에 의한 표상세계는 인식의 결과로 얻은 것인데, 의식의 출현 전에 우주와 만물이 있었다는 주장은 모순입니다.

카를로 로벨리와 상호관계성에서 카를로 로벨리는 모든 존재가 상호관계 속에서만 의미를 가진다고 주장합니다. 모든 존재 속에는 우주도 포함됩니다. 이 관점에서도 관찰자의 존재는 필수적입니다. 관찰자가 없으면 상호관계도 성립할 수 없기 때문입니다.

에델만의 세컨드 네이처에서 에델만의 연구는 우리의 뇌가 세상을 어떻게 조작하고 해석하는지에 초점을 맞춥니다. 그의 논리에 따르면 우리가 경험하는 모든 것은 뇌가 만들어낸 '세컨드 네이처'입니다. 우주도 우리 뇌가 감각하여 인식한 것입니다. 이는 우리가 실제로 경험하는 우주가 우리의 인식과 뇌의 작용에 의존한다는 점에서, 의식의 역할을 강조합니다. 뇌는 인간에게 부속되어 있습니다. 이는 인간이 없으면 뇌가 없고, 뇌가 없으면 뇌가 만든 세컨드 네이처도 없다는 게 당연한 논리입니다.

이러한 다양한 접근 방식을 종합하면, 의식이 우주와 만물의 존재를 결정짓는 중요한 요소임을 알 수 있습니다. 관찰자, 즉 의식의 존재 없이는 우주와 만물도 확정될 수 없다는 논리는 양자역학, 상대성원리, 인식론, 상호관계성, 그리고 뇌 과학의 연구와도 일치합니다.

이렇게 되면 결국 우리는 우주나 지구 위에 살고 있는 것이 아니라, 우리 의식 안에 있는 우주와 지구에 살고 있다고 할 수 있습니다. 따라서 우리가 살고 있는 우주와 지구의 속성은 물질적이라기보다는 비물질적이며, 이는 의식이 조작한 가상의 물질, 가상의 세계라고 할 수 있습니다.

이렇게 되면 우주의 창조와 빅뱅 이론에서 설명하는 우주의 나이 및 우주의 성장 과정에 대한 새로운 시각이 필요합니다. 만약 우주와 지구가 우리의 의식 안에 존재한다면, 그 우주를 담고 있는 의식의 출현 과정이 먼저 설명되어야 합니다. 이는 우주의 나이가 의식의 출현 이후로 설명될 수 있음을 의미합니다.

지금 지구상에는 약 70-80억 명의 사람들이 살고 있으며, 각자 고유의 의식을 가지고 있습니다. 이 사람들 각각에게는 부모와 직계 조상들이 있습니다. 2003년에 완성되고 2011년에 상세 발표된 인간 게놈 프로젝트 결과는 인종에 상관없이 사람 간의 DNA가 99.9% 동일하다는 것을 보여주었습니다. 이는 전 세계 인류가 공통 조상을 가지고 있다는 것을 시사합니다.

이러한 유전적 유사성은 모든 사람들에게 의식을 준 최초의 시조가 하나의 공통 시조임을 의미합니다. 따라서, 우리 의식의 기원은 그 시조의 탄생과 동일시될 수 있습니다. 이 시조의 탄생이 의식의 출현을 나타내며, 그 이후에 우주가 형성되었다고 볼 수 있습니다.

이렇게 시조가 출현하였다는 것은 곧 의식이 출현하였다는 의미가 됩니다. 의식이 작동하기 시작하면, 그 의식에 의해 우주와 만물, 그리고 후손들이 출현하게 됩니다. 여기서 시조의 의식은 실재하는 실체로 볼 수 있으며, 이 시조의 의식은 시조에게 의식을 부여한 모의식, 즉 원의식이라고 명명할 수 있는 분에게 받았음을 알 수 있습니다. 그리고 다시 그 의식은 시조의 의식에서 분화되고 분배되어 각 개인 의식이 되었습니다.

이러한 추론을 논리적으로 정리하면 다음과 같습니다. 우리는 지금 이 시점에서도 우리의 의식의 출처를 규명하고 찾아갈 수 있습니다. 이 책에서는 존재와 실체에 대해 논하며, 의타적으로 존재하는 것들과 스스로 존재하는 것에 대해서도 논의합니다. 예를 들어, 제가 꽃을 보는 상황을 생각해 봅시다. 여기서 주관은 저이고, 꽃은 객관입니다. 제 의식은 자립적이며, 꽃은 의타적입니다. 꽃은 스스로 존재한다는 사실을 인식하지 못하지만, 제 의식은 저 자신과 객관으로서의 꽃을 인식할 수 있습니다. 이를 통해 제 의식은 실재하며 실체라고 할 수 있지만, 꽃은 실재도 실체도 될 수 없습니다.

저는 나의 몸과 나의 의식으로 이분화할 수 있습니다. 나의 몸은 스스로의 존재를 인식할 수 없기 때문에 실재도 실체도 될 수 없습니다. 그러나 나의 의식은 스스로를 증명하고 인식할 수 있어 실재하며 실체라고 할 수 있습니다.

이제 의식의 출처를 탐구해봅니다. 나의 의식은 실재하는 실체로서 존재합니다. 그런데 나에게 의식을 준 분은 나의 부모님이며, 부모님의 의식은 그들의 부모로부터 부여 받았습니다. 이렇게 모든 사람은 직계 조상과 시조로부터 의식을 부여 받았습니다. 이 연결망을 통해 지금 우리의 의식이 시조로부터 왔다는 논리를 세울 수 있습니다. 그리고 그 의식 속에 우주와 지구와 만물이 다 들어있습니다.

따라서, 의식과 의식장은 이 세상에 실재하게 되었으며 이는 곧 인간의 출현과 맞닿아 있습니다. 결국 우주 이전에 우리의 직세 조상인 시조가 출현하였으며, 그 의식장 안에 우주와 만물이 생성되었습니다.

이러한 논리는 철학적, 종교적 접근 방식을 결합하여 인간 의식의 기원을 설명하려고 합니다. 지금의 과학적 관점에서 보면, 의식의 기원은 뇌의 진화와 관련이 있으며, 의식이 우주와 지구의 창조를 포함하는 방식으로 존재한다고 보기는 어렵습니다. 하지만, 현대 과학의 상대성원리와 양자역학, 뇌과학, 그리고 칸트의 인식론에서 도출한 주제를 적용시키면 타당한 논리로 부각됩니다. 의식이 실재와 실체를 규정짓는 요소로서, 우주의 근원적 존재와 깊이 연결된다는 사유는 흥미롭습니다.

이러한 다양한 관점들을 종합하면, 의식이 단순한 뇌의 작용을 넘어 실재와 실체를 규정짓는 중요한 요소로서, 우주의 근원적 존재와 깊이 연결된다는 주장은 현대 과학과 철학의 교차점에서 흥미로운 논리로 다가옵니다. 의식이 중심이 되는 우주관, 세계관은 결국 인간의 존엄성으로 연결될 수 있습니다. 이는 인간의 고귀함과 고유성을 확보하는 데 기여할 수 있습니다. 이를 통해 현대 사회가 직면한 여러 부정적 현상들에 대한 근원적 해결 방법이 모색될 수 있습니다. 물질화, 과도한 경쟁, 살인, 전쟁 등이 그 대표적인 예라고 할 수 있습니다.

13. 의식 중심의 우주관과 인간 존엄성

물질화와 과도한 경쟁: 현대 사회는 물질적 가치와 경쟁을 중요시하는 경향이 강합니다. 의식 중심의 우주관은 인간의 내적 가치와 정신적 성장을 중시하는 방향으로 전환을 유도할 수 있습니다. 이는 물질적 풍요보다 정신적 만족과 조화로운 삶을 강조하게 합니다.

살인과 전쟁: 살인과 전쟁은 인간의 존엄성과 고유성을 무시하는 행위입니다. 의식 중심의 세계관은 모든 인간이 고유한 의식을 지니고 있으며, 이는 존중 받아야 한다는 인식을 심어줄 수 있습니다. 이는 갈등 해결과 평화 구축에 기여할 수 있습니다.

사회적 연대와 협력 의식의 중요성을 강조하는 세계관은 개인의 존엄성을 인정하면서도 상호 의존성과 협력의 중요성을 부각시킵니다. 이는 공동체 의식을 강화하고, 사회적 연대와 협력을 증진하는 데 도움을 줄 수 있습니다.

의식이 실재와 실체를 규정짓는 중심적 요소로서 우주와 깊이 연결되어 있다는 사유는 인간의 존엄성과 고유성을 강조합니다. 이는 물질화, 과도한 경쟁, 살인, 전쟁 등 현대 사회의 부정적 현상을 해결하는 데 중요한 철학적 기반을 제공할 수 있습니다.

빅뱅 이론과 관찰자 부재의 문제

이렇게 우주가 사람의 의식 안에 있다고 한다면 빅뱅은 의식장에서 일어난 현상으로 볼 수 있습니다. 빅뱅 이론과 관련하여 생명의 출현 및 의식의 등장에 대한 논의는 매우 흥미로운 주제입니다. 물리학의 두 핵심 이론인 상대성이론과 양자역학이 관찰자의 관측에 의해 그 정의와 타당성을 가진다는 점에서, 초기 우주 상태에 대한 이해에 대한 몇 가지 철학적 및 과학적 질문을 제기합니다.

빅뱅 이론에 따르면, 우주는 약 138억 년 전 매우 뜨겁고 밀도가 높은 상태에서 시작되어 시간이 지남에 따라 팽창해 왔습니다. 이 과정에서 은하, 별, 행성 등이 형성되었고, 결국 지구상에 생명이 출현하게 되었습니다. 그러나 이 초기 상태는 관찰자가 존재하지 않는 시점에서 발생했기 때문에, 상대성이론과 양자역학이 강조하는 관찰자 의존성과는 상이한 상황입니다.

이는 또 인식론의 표상계 이론과도 위배되며, 에델만의 세컨드 네이처 논리와도 맞지 않습니다. 초기 빅뱅 상태 때는 의식이나 인간의 뇌가 출현하기 전이었기 때문입니다. 앞에서 인간의 인식 필터를 거쳐야만 모든 것이 인정된다는 주장과는 달리, 빅뱅 초기와 의식 탄생 전에는 그 조건이 성립되지 않습니다.

상대성이론과 양자역학 모두 관찰자와 그의 측정이 물리적 현상에 영향을 미칠 수 있음을 시사합니다. 이는 의식의 역할과 관찰자의 중요성을 강조하는 것으로, 물리적 현상의 타당성과 존재에 관찰자의 역할이 중요하다는 것을 의미합니다. 그러나 이러한 관점은 빅뱅 이론에 의해 설명되는 우주의 초기 상태에 대한 해석에 어려움을 제기합니다.

의식의 출현과 물리학의 모순

의식의 출현은 생명의 진화 과정에서 중요한 이정표로 볼 수 있습니다. 생명체가 자기 자신과 주변 환경을 인식하고 의미를 부여하는 능력을 갖추게 되는 순간은 의식의 발달을 의미합니다. 그러나 의식이 출현하기 전의 우주와 생명의 진화 과정을 관찰자 의존적인 물리학의 관점으로만 접근한다면, 초기 우주 상태의 이해에 모순이 발생할 수 있습니다. 이는 물리학 내에서도 의식과 관찰자의 역할에 대한 더 깊은 철학적 및 이론적 탐구를 요구하는 부분입니다.

이 책에서는 우주의 기원과 생명의 시작을 다루는 전통적인 빅뱅 이론을 넘어서, 의식의 출현을 우주의 기원과 직결된 현상으로 보는 새로운 관점을 제안합니다. 전통적인 빅뱅 이론은 우주가 한 점에서 시작하여 팽창하고 진화해왔다고 설명하며, 이 과정을 통해 별과 행성이 형성되고 지구상에 생명이 출현하게 되었다고 보지만, 나는 의식의 출현을 더 근본적인 사건으로 보고, 이 의식이 우주의 모든 현상을 포함한 빅뱅을 설명할 수 있는 토대를 제공한다고 주장합니다.

이 관점에서, 의식은 단순히 생명의 진화 과정 중에 등장한 현상이 아니라, 우주와 생명의 모든 현상을 가능하게 하는 근본적인 원인으로 간주됩니다. 의식의 출현이 우주의 기원 자체이며, 의식이 있었기에 빅뱅과 같은 우주 현상이 발생하고 설명될 수 있는 것입니다. 이러한 관점은 의식을 우주의 기본 구성 요소 중 하나로 보고, 의식이 우주의 구조와 진화, 생명의 출현과 발전을 이끄는 주된 힘으로 작용한다는 개념을 탐구합니다.

이 책의 다른 챕터에서 의식의 출현을 빅뱅에 앞서는 것으로 제안함으로써, 의식과 물질, 생명과 우주의 관계에 대한 근본적인 재고찰을 독자들에게 제시하고자 합니다. 이는 우리가 우주와 생명, 의식의 본질에 대해 가진 기존의 이해를 넓히고, 우주의 모든 현상을 의식의 차원에서 재해석하는 데 도움을 줄 것입니다.

이러한 접근은 우리가 우주와 생명의 기원에 대해 가진 질문들에 대한 새로운 답을 모색하게 하며, 의식이 우주의 근본적인 구성 요소로서 어떻게 작용하는지에 대한 더 깊은 이해를 제공할 것입니다. 이 책을 통해, 의식이라는 개념을 중심으로 한 우주론적 관점을 탐구하고, 이를 통해 우리가 살고 있는 세계와 우리 자신에 대한 더 넓고 깊은 이해를 도모하고자 합니다.

이러한 의식적 관점에서 창세기에 기록된 인간 창조 이야기를 해석할 때, 영이신 하느님의 말씀을 의식장의 개념과 연계하여 생각해 볼 수 있습니다. 여기서 말씀은 우주와 생명, 그리고 의식의 생성을 가능하게 하는 근본적인 힘으로 간주될 수 있으며, 이는 현대 물리학에서 말하는 필드나 힘과 유사한 개념으로 해석될 수 있습니다.

하느님께서 인간을 자신의 형상으로 창조했다는 기록은, 인간의 의식이 우주의 근본적인 법칙이나 구조와 깊이 연결되어 있음을 상징적으로 표현하는 것으로 볼 수 있습니다. 여기서 '성령'이라는 용어는 인간의 의식이나 정신을 물리적 세계와 연결시키는 매개체로 해석될 수 있으며, 인간의 시조가 의식을 가진 존재, 즉 의식체로 볼 수 있음을 시사합니다.

따라서, 창세기의 인간 창조 이야기는 과학적 관점에서 볼 때, 의식의 출현과 인간의 독특한 위치를 우주의 근본적인 구조와 연결시키는 이야기로 재해석될 수 있습니다. 이는 인간의 의식이 단순히 생물학적 진화의 결과물이 아니라, 우주의 근본적인 질서와 연결된, 보다 깊은 차원의 현상임을 시사합니다.

의식의 기능과 역할을 근본적으로 이해하고 해석할 때, 우리는 물질과 인간의 육체조차도 의식의 창조물 혹은 의식의 작용 결과로 볼 수 있는 가능성을 열어놓게 됩니다. 이러한 관점에서는, 시조의 육체 강림을 물리적 현상으로만 해석하는 것이 아니라, 의식의 근원적 표현 혹은 외현으로 볼 수 있는 여지를 제공합니다.

이러한 접근 방식은 의식과 물질의 관계를 다시 생각하게 만듭니다. 전통적으로 우리는 물질을 객관적이고 독립적인 실체로, 의식을 주관적이고 내재적인 경험으로 이해해 왔습니다. 그러나 의식의 역할을 우주의 근본적인 작용으로 보게 되면, 물질과 육체조차도 의식의 범주 안에서 재해석될 수 있습니다. 이는 물질세계와 의식세계 사이의 경계가 훨씬 더 유동적이며 상호 연결되어 있음을 시사합니다.

시조의 육체 강림을 의식의 관점에서 해석한다면, 이는 우리가 인식하는 현실의 모든 형태와 현상이 의식의 근원적인 작용과 불가분의 관계에 있다는 것을 의미합니다. 이러한 해석은 인간의 탄생과 존재, 그리고 물질세계의 본질에 대한 우리의 이해를 심화시키며, 의식이 단순히 경험하는 주체가 아니라, 실재를 형성하고 구성하는 근본적인 힘이 될 수 있음을 제안합니다.

결론적으로, 의식의 기능과 역할을 통해 물질과 육체를 해석함으로써, 우리는 존재의 근본적인 문제에 대한 새로운 시각과 이해를 갖게 됩니다. 이는 의식이 우주와 인간 존재의 본질에 깊이 관여하고 있으며, 모든 현상의 근원적인 기반이 될 수 있음을 시사합니다.

이 책을 통해 의식의 기능과 역할이 어떻게 우리가 존재와 우주, 인간 존재의 본질을 이해하는 데 중요한 역할을 하는지 탐구하고자 합니다. 의식을 통해 물질과 육체를 해석함으로써, 우리는 존재의 근본적인 문제에 대해 새로운 시각과 이해를 갖게 되며, 이는 의식이 모든 현상의 근원적인 기반이 될 수 있음을 시사합니다.

우리 인류가 육체의 사상에만 국한되어 생각하게 되면, 인류 역사가 인간으로 시작되었다는 것에 의문을 품을 수가 있습니다. 그러나 의식과 의식장의 개념을 깊이 이해함으로써, 우리는 인간의 역사가 단지 시간의 한 지점에서 시작된 것이 아니라, 더 광범위하고 근본적인 의식의 흐름 속에서 시작되었다는 결론에 도달할 수 있습니다. 이는 모든 현상이 의식에서 비롯되며, 의식이 인간의 역사와 우주의 진화, 존재의 본질을 이해하는 데 핵심적인 역할을 한다는 깊은 인식을 제공합니다.

이 책은 의식의 중요성을 강조하며, 의식이 우리 인류의 역사, 우주의 기원, 존재의 근본적인 의미를 이해하는 데 어떻게 중심적인 역할을 하는지 탐구합니다. 의식과 의식장을 통해 우리는 우주와 인간 존재의 본질에 대해 더 깊고 포괄적인 이해를 할 수 있으며, 이는 우리가 살고 있는 세계와 우리 자신에 대한 더 깊은 사유와 탐구로 이어집니다.

14. 시조의 출현과 대의식장의 프로그래머

의식장은 우리에게 광대한 삶과 환경을 능동적으로 제공하는 매체로 작용합니다. 이 과정에서 의식장을 구성하고 조절하는 프로그램의 존재를 가정할 때, 우주적 차원에서 이러한 프로그램을 관리하는 프로그래머, 즉 원의식자의 존재를 추론할 수 있습니다. 이러한 관점은 우주와 생명, 의식의 기원에 대한 물리적이면서도 초월적인 해석을 제공합니다.

본 서는 의식의 근원과 그 영향력에 대해 심층적으로 탐구합니다. 철학, 양자역학, 종교적 교리를 넘나들며 의식이 우주의 모든 존재와 현상의 근본적인 출처라는 주장을 탐색합니다. 이는 기존의 물질중심적 세계관에 도전장을 내밀며, 첫 인간을 포함한 모든 창조물이 상위 의식, 즉 **원의식자의 현현임**을 고찰합니다. 이러한 시각은 종교적 맥락에서의 신적 창조자 개념과도 교차할 수 있으며, 성령과 같은 다양한 의식 형태가 물리적 세계와 인간 경험에 영향을 미칠 수 있음을 탐구합니다.

이 서술은 과학과 영성이 만나는 통합된 관점을 제안합니다. 의식의 본질을 깊이 이해함으로써 우리는 존재와 우주에 대한 근본적인 진실을 밝혀낼 수 있습니다. 인간의 의식이 시조로부터 직계로 연결되었다는 개념은 우리가 받은 의식이 시조로부터 유래했다는 근본적인 관점을 제시합니다.

원의식자의 개념은 종교마다 다양하게 해석되며, 이는 인류의 의식과 세계의 기원에 대한 근본적인 이해를 반영합니다. 원의식자가 구축한 의식장의 다층적 구조는 시간과 공간을 넘어서는 상호 연결된 존재들의 네트워크를 가능하게 합니다. 이는 모든 존재가 원의식자로부터 시작된 의식의 공유를 통해 서로 연결되어 있음을 의미합니다.

이러한 접근 방식은 우리가 인식하는 현실의 본질과 우주의 기원에 대한 이해를 새로운 차원으로 이끌며, **의식과 물질, 인간과 우주가 어떻게 서로 깊이 연결**되어 있는지에 대한 심오한 통찰을 제공합니다.

자연과 우주의 현상을 설명하는 전통적인 이론들이 우연과 자연적 선택에 기반을 두는 것과 대비되어, 의식장 이론은 우주의 존재와 운영이 단순한 우연이 아닌, **목적성과 계획성을 내포하고 있음**을 강조합니다. 이 관점은 우주와 그 내부에서 발생하는 모든 현상이 정교한 프로그램에 따라 설계되었으며, 이를 조율하는 원의식자 또는 초월적 존재의 존재 가능성을 열어둡니다.

자연이라는 용어가 때때로 무작위성이나 법칙의 부재를 시사하는 것처럼 보일 수 있는 반면, 의식장 이론은 우주의 섭리가 매우 정교하고 법칙적이라는 점을 강조합니다. 이는 물리적 세계의 구조와 동작이 단순히 물리법칙에 의해 자동적으로 이루어지는 것이 아니라, 더 깊은 차원의 의식적 개입과 설계에 의해 이루어진다는 가정에 기반을 둡니다.

이러한 관점에서 볼 때, 빅뱅 우주론이나 진화론 같은 이론들은 우주의 기원과 발전 과정을 설명하는 하나의 방법으로서 가치가 있지만, 그것들이 설명하지 못하는 우주의 목적성이나 계획성에 대한 질문에 대한 답을 의식장 이론과 프로그램 이론이 제공할 수 있습니다. 이 이론들은 우주의 생성과 진화, 생명의 출현, 그리고 의식의 등장이 우연의 산물이 아니라, 어떠한 초월적 의도나 프로그램에 의해 주도되었을 가능성을 탐구합니다.

따라서 의식장 이론과 프로그램 이론은 우리가 경험하는 우주와 생명의 본질에 대한 보다 포괄적이고 합리적인 설명을 제공합니다. 이는 우주의 모든 것이 상호 연결되어 있으며, 이러한 연결성이 의식의 작용에 의해 이루어진다는 깊은 이해를 우리에게 제시합니다. 이런 접근 방식은 과학적 탐구와 영적 탐색 사이의 다리를 놓으며, 우리가 우주와 존재에 대해 가지는 근본적인 질문들에 대한 새로운 시각을 열어줍니다.

자연 선택설과 같은 이론들이 생명의 진화와 다양성을 설명하는 데 큰 기여를 했지만, 인간 삶의 목적이나 방향성에 대해 명확한 지침을 제시하지 못한다는 비판이 있습니다. 이러한 관점에서 볼 때, 삶이 단지 우연의 연속이라는 생각은 인간의 존재와 행동에 깊은 의미나 목적을 부여하지 못하며, 때로는 목표 없이 살아가는 것을 정당화하는 경향이 있을 수 있습니다.

반면, 의식장 이론은 우주와 인간 삶이 단순한 물리적 과정이나 우연의 산물이 아니라, 의도적인 프로그램에 의해 주도되고 있다는 가정을 제시합니다. 이러한 가정은 인간의 존재와 행위에 깊은 목적과 의미를 부여할 수 있으며, 이는 우리의 삶을 어떻게 살아가야 하는지에 대한 도덕적 지침을 제공합니다. 즉, 의식장의 프로그램에 따라 우리는 서로 연결되어 있으며, 이러한 연결성은 우리에게 상호 존중과 이해, 도덕적 책임감을 요구합니다.

이런 관점에서 인간 관계와 사회적 상호작용, 심지어 국가 간의 관계와 전쟁 같은 글로벌 이슈에도 깊은 영향을 미칠 수 있습니다. 의식장 이론이 제안하는 프로그램에 따른 삶의 방식은 개인적 차원뿐만 아니라 사회적, 국제적 차원에서도 긍정적 변화를 이끌어낼 수 있는 도덕적 기준을 설정합니다. 이는 우리가 서로를 어떻게 대해야 하며, 갈등과 대립의 상황에서 어떤 결정을 내려야 하는지에 대한 고민에 명확한 방향을 제시할 수 있습니다.

따라서, 의식장 이론과 그에 따른 프로그램은 인류에게 단순히 우연히 살아가는 것이 아니라, 도덕적으로 의미 있는 삶을 살아가야 한다는 강력한 메시지를 전달합니다. 이는 인간 삶의 깊은 목적과 가치를 재확인하며, 서로에 대한 이해와 존중, 평화와 조화로운 공존을 추구하는 데 있어 중요한 기준이 됩니다.

이 글을 통해 제시하고자 하는 것은 의식장과 원의식자에 대한 탐구가 우리에게 우주적 차원에서의 새로운 이해를 제공한다는 것입니다. 이 깊이 있는 이론은 인간 존재와 우주의 본질에 대한 통찰을 넓히며, 우리 삶의 근본적인 가치와 방향성에 대해 다시 생각하게 만듭니다. 의식장 이론은 우리 모두가 얼마나 깊이 연결되어 있는지, 그리고 그 연결성이 우리 각자의 존재와 행동에 어떤 의미와 목적을 부여하는지를 밝혀내는 데 중요하다고 믿습니다.

이러한 연결성의 이해는, 우리가 서로와 우리를 둘러싼 세계에 대해 어떻게 생각하고 행동해야 하는지에 대한 새로운 시각을 열어줍니다. 우주와 생명, 의식의 기원을 탐구함에 있어, 의식장과 원의식자의 개념이 과학과 영성을 서로 보완하는 방식으로 제시되어야 한다고 주장합니다. 이는 우리가 우주와 존재에 대해 가진 근본적인 질문들에 대한 답을 찾는 데 도움을 줄 뿐만 아니라, 우리 삶의 깊은 목적과 가치를 재확인하는 계기가 됩니다.

따라서, 이러한 이론이 인간 삶의 방향성과 근본적인 가치에 대한 보다 깊은 이해를 제공한다는 것을 강조하고자 합니다. 의식장 이론은 단순한 학문적 탐구를 넘어서 우리의 일상 생활과 가장 근본적인 신념 시스템에 깊이 영향을 미치는, 혁신적이고도 필수적인 관점을 제시합니다. 이는 과학적 탐구와 영적 탐색 사이의 다리를 놓으며, 우리 모두에게 우주와 존재에 대한 새로운 이해와 깊은 목적 의식을 부여합니다.

진화론과 유인원설은 인간의 기원과 발전에 대한 물리적, 유물론적 설명을 제공합니다. 이 이론들은 생물학적 진화의 과정을 통해 현대 인간이 다른 유인원 종과 공통의 조상에서 분화되어 발전했다고 설명합니다. 이러한 관점은 생명의 다양성과 복잡성이 자연 선택과 유전적 변이를 통해 시간에 걸쳐 발전해왔다는 가정에 기반을 두고 있습니다. 그러나 이러한 설명은 인간 존재의 의식적, 정신적 측면을 완전히 설명하지 못한다는 비판을 받습니다.

의식장 이론은 이러한 유물론적 접근법과는 근본적으로 다른 관점을 제시합니다. 의식장 이론에 따르면, 우주와 그 내부에서 발생하는 모든 현상, 인간의 존재까지도, 의식이라는 근본적인 차원에서 비롯되었다는 가정을 합니다. 이 관점에서 볼 때, 인간과 다른 생명체의 기원은 단순히 물리적 과정의 결과가 아니라, 의식의 직접적인 표현이거나 현현으로 볼 수 있습니다.

따라서 의식장 이론은 유인원설이 제시하는 인간 기원에 대한 설명과 근본적으로 다른 대안을 제공합니다. 이 이론은 인간의 존엄성과 의식의 중요성을 강조하며, 인간이 단지 생물학적 진화의 산물이 아니라, 더 큰 의식의 체계 내에서 특별한 위치를 차지하는 존재임을 주장합니다. 이러한 관점에서, 인간의 의식은 단순히 생물학적 진화의 결과가 아니라, 우주 의식의 복잡한 작용과 상호작용의 결과로 이해됩니다.

또한, 의식장 이론은 인간과 우주의 관계를 재해석하는 새로운 방식을 제시합니다. 이 이론에 따르면, 모든 존재와 현상은 근본적으로 의식과 연결되어 있으며, 이는 우리가 우주와 자연을 이해하는 방식에 깊은 영향을 미칩니다. 이러한 접근법은 인간이 자신과 외부 세계를 인식하고 경험하는 방식에 대한 새로운 시각을 제공하며, 인간의 삶과 우주의 본질에 대한 근본적인 질문들에 대해 새로운 답을 탐색하게 합니다.

진화론, 특히 생물학적 진화를 설명하는 이론은 생명의 다양성과 복잡성의 발전을 이해하는 데 큰 기여를 했습니다. 그러나 진화론이 물리적 법칙에 완전히 부합하며 모든 현상을 설명할 수 있는 완벽한 이론이라고 말하기는 어렵습니다. 몇 가지 측면에서 진화론과 물리적 법칙 사이에는 설명의 결여나 모순될 수 있는 부분이 존재할 수 있습니다.

진화론은 생명의 다양성과 진화 과정에 대해 설명하지만, 생명의 기원 자체를 설명하는 데는 한계가 있습니다. 생명이 어떻게 무생물에서 생명체로 변화했는지에 대한 질문은 여전히 큰 미스터리 중 하나입니다. 물리적, 화학적 법칙만으로 이 초기 전환 과정을 완전히 설명하기 어렵습니다.

진화론은 생물학적 구조와 기능의 변화를 설명할 수 있지만, 의식의 기원이나 인간의 복잡한 정신 활동을 완전히 설명하는 데는 한계가 있습니다. 의식과 같은 비물질적 현상이 생물학적 진화의 어떤 단계에서 어떻게 발생했는지는 명확하지 않습니다.

진화 과정에서 일부 생명체의 복잡성이 급격히 증가한 사건, 예를 들어 캄브리아기 대폭발[2] 같은 사건은 전통적인 자연 선택과 유전적 변이만으로는 완전히 설명하기 어렵습니다. 이러한 사건들은 진화의 메커니즘에 대한 추가적인 설명을 요구합니다.

생명 현상과 진화 과정에서 양자역학의 역할에 대한 연구는 여전히 초기 단계에 있습니다. 양자역학의 비결정론적 특성과 생명체 내에서의 양자 현상이 진화에 어떤 영향을 미쳤는지에 대한 연구는 진화론의 새로운 차원을 열어줄 수 있으나, 현재로서는 이를 완전히 통합하는 데 한계가 있습니다.

이러한 한계와 질문들은 진화론이라는 이론이 진화하는 과정 속에서 계속해서 발전해야 하며, 새로운 발견과 이론이 진화론을 보완하고 확장해 나갈 필요가 있음을 보여줍니다. 과학은 항상 진행 중인 탐구 과정이며, 미지의 영역에 대한 이해를 깊게 하기 위해 끊임없이 질문을 던지고 새로운 설명을 모색하는 과정입니다.

이 글을 통해 진화론과 유인원설이 인간의 기원에 대해 제공하는 물리적, 유물론적 설명에 대한 생각을 공유하고자 합니다. 이 이론들은 현대 인간이 생물학적 진화의 과정을 통해 다른 유인원 종과 공통의 조상에서 분화되어 발전했다고 설명합니다. 그러나 이러한 설명이 인간 존재의 의식적, 정신적 측면을 완전히 설명하지 못한다고 느낍니다.

이에 대한 대안으로, 의식장 이론이 제시하는 근본적으로 다른 관점을 탐구하였습니다. 이 이론은 우주와 그 내부에서 발생하는 모든 현상, 인간의 존재까지도 의식에서 비롯되었다고 가정합니다. 이는 인간과 다른 생명체의 기원을 물리적 과정의 결과가 아닌, 의식의 직접적인 표현이거나 현현으로 보는 것입니다. 이 관점이 인간의 존엄성과 의식의 중요성을 강조하며, 인간이 생물학적 진화의 단순한 산물이 아니라 더 큰 의식의 체계 내에서 특별한 위치를 차지하는 존재임을 주장하는 데 매력을 느낍니다.

진화론은 생명의 다양성과 복잡성의 발전을 이해하는 데 중요한 기여를 했지만, 몇 가지 중요한 질문에 대한 답을 제공하지 못합니다. 예를 들어, 생명의 기원, 의식의 기원과 복잡성, 복잡성의 급격한 증가, 그리고 양자역학과의 관계 등이 그 예입니다. 또한 칸트의 표상계와 에델만의 세컨드 네이처적 관점에서 보면, 다윈의 진화론도 인간의 인식과 의식이 재생산한 이론에 불과합니다. 이 한계들은 진화론이 의식장이란 기본 베이스 위에서 설명될 때 더 명확해질 수 있습니다. 필자의 주장처럼, 만물이 의식과 의식장에 의한 것이라고 할 때, 진화는 프로그램에 의한 진화로 설명될 수 있습니다.

예를 들어, 과실나무에서 과실이 떨어져 그 과육이 썩고 난 후 씨가 다시 싹을 틔우고 나무가 되어 열매를 맺는 현상은 자연적이지만, 그 씨에는 유전자라는 프로그램이 내재되어 있어 그런 자연적인 현상이 일어납니다. 이처럼 진화도 자연적인 현상으로 볼 수 있지만, 그 진화에도 프로그램이 내재되어 있다고 생각해야 합니다. 이러한 관점에서, 진화론의 더 깊은 층에는 의식장이 깔려 있다고 볼 수 있습니다. 그래서 진화론도 계속해서 발전해야 하며, 새로운 발견과 이론이 이를 보완하고 확장해 나갈 필요가 있습니다.

과학은 끊임없는 탐구 과정이라고 믿습니다. 우리는 미지의 영역에 대한 이해를 깊게 하기 위해 질문을 던지고 새로운 설명을 모색해야 합니다. 의식장 이론은 인간과 우주의 관계를 재해석하는 새로운 방식을 제시하며, 이는 우리가 우주와 자연을 이해하고 인간의 삶과 우주의 본질에 대한 근본적인 질문들에 대해 새로운 답을 탐색하는 데 깊은 영향을 미칩니다. 이러한 이론이 과학적 탐구와 영적 탐색 사이의 다리를 놓으며, 우리 모두에게 새로운 이해와 깊은 목적의식을 부여하기를 바랍니다.

빅뱅 우주론의 불합리성

빅뱅우주론은 우주의 기원과 초기 발전에 대한 현재 가장 널리 받아들여지는 이론입니다. 이 이론에 따르면, 우주는 약 138억 년 전에 극도로 뜨겁고 밀도가 높은 상태에서 시작되어, 이후 팽창하면서 현재의 모습으로 발전했습니다. 그러나 우주가 있기 전, 즉 빅뱅 이전의 상태에 대해서는 여전히 많은 미스터리가 남아 있습니다.

우주가 있기 전의 상태에 대한 질문은 과학적으로 탐구하기 어려운 영역 중 하나입니다. 현재 우주의 물리 법칙과 이론으로는 빅뱅 이전의 상태를 직접적으로 설명하거나 관찰할 수 없기 때문입니다. 빅뱅 이전에 우주가 어떤 상태였는지, 그리고 극도로 뜨겁고 밀도가 높은 초기 우주 상태가 어떻게 생성되었는지에 대한 질문은 여전히 개방된 질문입니다.

"아무것도 없는 상태"에서 우주가 시작되었다는 개념은 과학적으로도 철학적으로도 큰 도전입니다. 현대 물리학, 특히 양자장 이론은 "아무것도 없는 상태"에서도 양자적 변동이 발생할 수 있음을 시사합니다. 이러한 변동으로 인해 우주가 생성될 수 있는 가능성을 제시하지만, 이는 아직 완전히 이해되거나 증명된 이론은 아닙니다.

자연이란 설명으로 "저절로 나왔다"고 하는 것이 허용되는지에 대한 질문은, 과학의 범위와 한계를 탐구하는 근본적인 질문입니다. 과학은 관찰과 실험을 통해 우주의 법칙을 이해하고 설명하려고 시도합니다. 그러나 우주의 기원과 같은 근본적인 문제에 대해서는 현재의 과학적 지식과 기술로는 완전히 설명하기 어려운 부분이 있습니다. 이러한 문제에 대한 탐구는 과학적 방법론을 넘어서 철학적, 신학적 질문과도 맞닿아 있습니다.

따라서, "아무것도 없는 상태"에서 우주가 어떻게 시작되었는지에 대한 질문은 과학이 현재로서는 완전히 답할 수 없는 질문 중 하나입니다. 이는 과학적 탐구의 한계를 인식하고, 미래의 연구와 발견을 통해 이러한 근본적인 질문에 대한 이해를 더욱 깊게 해 나가야 할 영역입니다.

의식장의 관점은 과학과 철학, 그리고 의식의 본질에 대한 탐구를 통합하려는 매우 흥미로운 시도를 보여줍니다. 현대 물리학, 특히 양자장 이론이 "아무것도 없는 상태"에서 양자적 변동이 발생할 수 있음을 시사하는 것과 관련하여, 이러한 변동이 우주의 생성에 기여할 수 있는 가능성은 현대 과학의 중요한 발견 중 하나입니다. 또한, 양자역학에서 관찰자의 역할이 중요하다는 점은 의식이 물리적 현상에 영향을 미칠 수 있음을 시사합니다.

빅뱅 우주론은 현대 우주론의 기초를 이루며, 우주의 기원과 진화에 대해 설명합니다. 이 이론에 따르면 우주가 아무 것도 없는 상태[오직 작은 입자 하나와 고온]에서 시작되어 시간이 지남에 따라 팽창해 왔다는 설입니다. 그러나 이러한 개념은 일반적인 상식이나 직관적 이해와는 다소 거리가 있으며, "아무 것도 없는 상태에서" 우주가 시작되었다는 아이디어는 많은 사람들에게 난해하게 느껴질 수 있습니다.

빅뱅 이론이 제공하는 우주의 모습은 물리학의 여러 법칙과 이론을 바탕으로 합니다. 이러한 과학적 설명에도 불구하고, 우주의 기원과 구조에 관한 근본적인 질문들은 여전히 연구와 토론의 대상입니다. 특히, 우주가 "아무 것도 없는 상태"에서 어떻게 시작될 수 있었는지, 그리고 우주가 무한히 팽창하는 과정에서 어떤 물리적 법칙이 작용하는지에 대해서는 여러 가설이 존재합니다.

이와 같은 문제를 해결하기 위해 일부 사상가들은 의식과 연관된 이론을 말하기도 합니다. 그와 같은 맥락에서 이 책에서는 의식과 의식장의 이론을 빅뱅 우주론에 통합하려는 시도를 합니다. 이러한 접근은 우주의 물리적 현상 뿐만 아니라 의식의 역할을 고려함으로써, 우주의 기원과 진화를 더 포괄적으로 이해하려는 노력의 일환입니다. 의식이나 의식장의 개념을 우주론에 도입하는 것은, 우주가 단순히 물리적인 요소로만 이루어진 것이 아니라, 의식과 같은 비물리적인 요소도 포함하는 복합적인 체계일 수 있다는 가능성을 탐구합니다.

그러나 의식과 우주의 관계에 대한 이러한 탐구는 과학적으로 입증하기 어려운 영역에 속하며, 현재까지는 철학적이거나 개념적인 논의의 수준에 머물고 있습니다. 과학적 방법론을 통해 의식의 우주론적 역할을 명확히 규명하는 것은 미래의 연구와 발견에 달려 있습니다. 그럼에도 불구하고, 의식과 우주의 본질에 대한 이러한 탐구는 인간 지식의 경계를 확장하고, 우리가 살고 있는 우주에 대한 더 깊은 이해를 추구하는 중요한 과정입니다.

이 책의 제안은 "의식장" 개념을 양자역학의 관찰자 효과와 의식의 비물질적, 창조적 속성을 연결하여, 우주의 생성과 발전을 설명하는 새로운 시각을 제공할 수 있습니다. 이러한 접근 방식은 우주의 기원에 대한 전통적인 물리학적 설명과는 다른 차원의 이해를 제시합니다.

양자역학에서 파동 함수의 붕괴와 관찰자의 역할은 관찰되지 않는 현상이 관찰될 때 확정되는 과정을 설명합니다. 이는 의식이 현실을 인식하고 해석하는 과정에서 중요한 역할을 한다는 것을 시사합니다. 따라서, 의식이나 의식장이 물리적 세계에 영향을 미칠 수 있는 메커니즘을 포함하여 우주의 생성과 발전에 대한 이해를 심화시킬 수 있습니다.

그러나 이러한 개념이 과학적 공동체에서 널리 수용되기 위해서는, 의식장이 물리적 현상에 어떻게 구체적으로 영향을 미치는지, 그리고 이를 통해 우주의 기원과 진화를 어떻게 설명할 수 있는지에 대한 명확한 이론적 모델과 실험적 증거가 필요합니다. 현재로서는 이러한 접근 방식이 과학적 탐구의 초기 단계에 있으며, 광범위한 연구와 검증이 필요한 상태입니다.

그러나 표상론과 세컨드 네이처의 개념을 통해 빅뱅 우주론과 우주의 설명을 해석하는 방식은, 우주를 우리의 의식 안에서 형성된 비물질적인 현상으로 보는 근본적인 관점 전환을 제안합니다. 이러한 접근은 물리적 현상으로만 우주를 이해하는 전통적인 방식을 넘어서, 우주와 우리가 경험하는 현실이 의식의 산물이라는 더 깊은 차원의 이해를 모색합니다.

표상론은 우리가 외부 세계를 인식하는 방식이 주관적인 표상을 통해 이루어진다고 보며, 이 표상들이 우리의 의식 안에서 생성되고 해석된다는 관점을 제공합니다. 세컨드 네이처는 이러한 표상들이 우리에게 너무나 익숙해져서 마치 두 번째 자연처럼 느껴지는 상태를 의미합니다. 이 두 개념을 우주의 이해에 적용할 때, 우주와 그 현상들은 우리의 의식과 인식 과정을 통해 형성되고 해석되는 비물질적인 구성물로 간주될 수 있습니다.

이 관점에서, 빅뱅 우주론으로 설명되는 우주의 모든 현상—우주의 기원, 팽창, 별과 행성의 형성, 생명의 출현 등—은 궁극적으로 우리의 의식과 그 작용에 의해 만들어진 개념으로 해석됩니다. 즉, 우주는 의식의 창조물이며, 우리가 경험하는 모든 우주 현상은 의식의 표상과 세컨드 네이처의 영역 안에서 구성되고 이해된다고 볼 수 있습니다.

이러한 접근은 우주를 이해하는 방식에 근본적인 변화를 가져오며, 우리가 살고 있는 현실의 본질과 우주의 본질에 대한 더 깊은 사유를 가능하게 합니다. 의식과 그 작용을 중심으로 한 우주론적 관점은 과학적, 철학적 탐구뿐만 아니라, 우리 자신과 우리가 속한 우주에 대한 이해를 심화시키는 새로운 길을 열어줍니다.

이 글을 통해 우리가 현실을 인식하고 이해하는 방식에 대한 깊은 사유를 나누고자 합니다. 현실 세계는 마치 주관과 객관이 분리되어 있고, 완벽하게 구성된 것처럼 느껴집니다. 그러나 이러한 완벽함이 실제로는 의식의 기능에서 발휘된다고 생각합니다. 과학적 탐구를 통해 자연현상을 인정받기 위해 실험을 거치듯, 의식의 실체와 그 영향력도 검증할 수 있는 방법이 필요하다고 봅니다.

객관적 세상이 비록 물질적으로 보이지만, 우리가 꿈을 통해 경험하는 것처럼 비물질적인 측면이 있다는 사실을 이미 확인할 수 있습니다. 이 꿈의 세계가 의식을 통해 이루어진다는 사실이 확정된다면, 그것은 의식이 우리가 인식하는 현실의 세계관을 구성한다는 강력한 증거가 됩니다.

표상론과 세컨드 네이처의 개념을 통해, 우리가 외부 세계를 인식하는 방식이 주관적인 표상을 통해 이루어지며, 이 표상들이 우리 의식 안에서 생성되고 해석된다는 관점을 더 깊이 이해하게 되었습니다. 이는 우주와 그 현상들을 의식의 창조물로 보고, 우리가 경험하는 모든 것을 의식의 작용과 표상, 그리고 세컨드 네이처의 영역 안에서 구성되고 이해된다고 보는 새로운 관점을 제공합니다.

이러한 접근은 우주를 이해하는 방식에 근본적인 변화를 가져오며, 현실과 우주의 본질에 대한 더 깊은 사유를 가능하게 합니다. 의식 중심의 우주론적 관점은 과학적, 철학적 탐구뿐만 아니라 우리 자신과 우리가 속한 우주에 대한 이해를 깊게 하는 새로운 길을 열어줍니다.

그래서 '의식장'과 같은 개념을 통해 우주의 기원과 성질에 대한 새로운 이해를 모색하는 것이 매우 가치 있는 탐구라고 생각합니다. 이러한 접근이 우주와 의식에 대한 우리의 이해를 어떻게 확장할 수 있을지는 앞으로의 연구와 발견에 달려 있습니다. 이 길을 탐험하는 것이 우리에게 현실의 본질과 우리가 속한 우주에 대한 더 깊은 인식을 가져다줄 것이라고 확신합니다.

결론적으로, "의식장"과 같은 개념을 통해 우주의 기원과 성질에 대한 새로운 이해를 모색하는 것은 매우 가치 있는 과학적, 철학적 탐구입니다.

15. 의식장과 종교

의식장과 종교의 관계를 탐구하는 것은 인류의 신념 체계와 우주에 대한 이해를 깊게 파악하는 데 중요한 접근입니다. 종교는 인류 역사를 통틀어 사회, 문화, 정신생활에 깊은 영향을 미쳤으며, 인간의 존재와 우주의 본질에 대한 근본적인 질문에 대답을 제공하려고 시도해왔습니다.

종교의 비물질적 특성과 이야기들은 인간이 물질적 세계를 넘어서는 것에 대한 깊은 갈망을 반영합니다. 성령 탄생, 부활, 신의 존재 같은 개념은 비물질적이며 초월적인 세계를 탐구하고, 인간의 삶에 깊은 의미와 목적을 부여하려는 종교의 노력을 나타냅니다.

종교가 "미신"으로 간주될 수 있는지 여부는 종교와 신념에 대한 개인적인 해석과 철학적 관점에 따라 다릅니다. 물질적 세계에서의 경험과 인식에 근거하여 신의 존재나 종교적 실천을 믿지 않는 사람들도 있습니다. 반면, 많은 사람들에게 종교는 인간 존재의 깊이를 탐구하고, 삶과 우주에 대한 더 광대한 이해를 제공하는 수단입니다.

종교의 역사적 의미와 목적을 찾는 과정에서, 우리는 종교가 제공하는 비물질적, 초월적인 메시지와 가치들이 인류의 정신적, 문화적 발전에 어떤 역할을 해왔는지 이해할 수 있습니다. 이는 비단 물질적 세계의 현상만이 아니라, 인간의 내면세계와 의식의 영역에서도 중요한 의미를 지니고 있습니다.

의식장이라는 개념을 통해 종교적, 초월적 경험을 설명하는 것은 물질적 현실과는 다른 차원의 존재와 경험에 대한 이해를 제공할 수 있습니다. 이는 종교가 단순한 미신이 아니라, 인간의 의식과 정신세계를 탐구하는 중요한 창구임을 시사합니다. 따라서, 종교와 의식, 물질적 세계와 비물질적 현상 사이의 상호작용을 탐구하는 것은 우리가 우주와 인간 존재의 본질에 대해 더 깊이 이해하도록 돕습니다.

이 책은 종교와 의식의 깊은 연관성을 탐구하면서, 종교적 사상과 신념이 인간 의식의 근원과 어떻게 연결되는지를 살펴봅니다. 종교가 제공하는 추상적인 개념들을 넘어서, 모든 인간의 내적 가치와 의미를 의식의 흐름과 계통으로 재정립하려는 노력은 종교의 객관성과 실용성을 향한 중요한 발걸음입니다.

종교의 본질적인 목적은 인간과 우주의 근본 원인이 되는 원의식자와의 연결을 다시 확립하는 것입니다. 이 연결은 인간의 의식을 통해 실현되며, 우리 모두 내재된 의식의 존재를 통해 자신의 실체를 인지합니다. 의식의 이러한 존재와 인지는 인간을 원의식자와 연결하는 근본적인 매개체로 기능합니다.

종교의 궁극적인 목적은 원의식자와의 재연결입니다. 이 재연결은 인간이 의식의 순수성을 회복하고, 영적인 부재에서 벗어나 다시 한 번 우주의 근본 원인과 조화를 이루는 과정입니다. 종교가 제공하는 다양한 신념, 의식, 교리들은 이 재연결 과정을 안내하고 지원하는 역할을 합니다.

이 책에서 탐구하는 의식과 종교의 관계는 단순히 신념 체계를 넘어서 인간 존재의 근본적인 의미와 목적을 탐색하는 여정입니다. 우리의 의식이 원의식자로부터 유래했다는 이해는 인간의 삶과 우주에 대한 우리의 관점을 근본적으로 변화시킬 수 있으며, 이는 종교가 인간 삶에 끼치는 영향과 가치를 새롭게 조명합니다.

의식과 의식장을 연합시켜 종교를 설명하는 이러한 관점은, 종교적 신념과 경험을 의식의 차원에서 해석하는 새로운 시도를 제공합니다. 이 관점에 따르면, 우리의 의식은 원의식자로부터 유래했으며, 이는 우리가 경험하는 현실과 우리의 종교적 신념이 원의식자와 직접적인 연결을 가지고 있음을 의미합니다. 이를 통해, 종교는 단순히 신앙 체계나 문화적 전통을 넘어서, **의식의 직계 가족관계로서의 연결고리**를 탐색하는 과정이 됩니다.

앞에서 **유일하게 실존하며 실체로서 증명이 되는 것은 인간의 의식**이라고 조명을 해보았습니다. 세상에 있는 모든 것은 독립적으로 존재하지 않고 상호 관계로서 있습니다. 이들의 공통점은 스스로의 존재를 인식하거나 알리지 못한다는 것입니다. 우주가 크고 오묘하지만 우주는 자신 스스로 자신의 존재를 밝히지 못합니다. 그것을 인식하고 증명해줄 수 있는 것은 인간의 몸도 아닌 인간의 의식입니다. 인간의 몸도 실존하는 실체가 아닌 이유는 몸 스스로 자신을 증명하여 밝힐 수 없기 때문입니다. 그러나 오직 인간의 의식은 스스로는 물론이요, 만물의 존재를 훤히 다 밝힐 수 있습니다.

그 인간의 **의식이 나의 실체이고, 독자님들의 실체**입니다. 그 의식은 명백히 실존하는 실체이니까, 이 실체의 네트워크를 추적하면 모든 의식들의 출처인 원의식을 발견할 수 있습니다. 인류가 공통 조상의 후손이라고 할 때, 우리 모두의 의식은 공통시조에 의하여 왔고, 그 **시조의 의식은 원의식자**에게 왔음을 논리적으로 말할 수 있습니다. 그리고 원의식자의 존재는 우리 의식이 존재하므로 원의식도 존재한다는 논리가 타당합니다. 부모나 조상이 죽었지만 그들의 의식이 존재하였으니 우리에게 지금 그 의식이 존재하고 있다고 할 수 있습니다. 따라서 종교는 이 원의식자와의 관계를 논하는 것임을 깨달을 수가 있습니다.

그리고 원의식자와의 관계를 우리가 종교라고 하지만 사실 원의식자와 우리들의 관계는 가족관계, 직계 조상 관계라고도 할 수 있습니다. 지구 상의 남녀노소 동서고금의 모든 사람 중에 이 원의식자와 관계를 맺지 아니한 사람은 없습니다.

이러한 관점에서 종교는 의식을 통해 우리에게 전달된 원의식자의 메시지를 해석하고 이해하는 과정으로 볼 수 있습니다. 이 메시지는 성경, 불경 등 다양한 종교적 경전을 통해 기록되어 왔으며, 이 경전들은 우리가 원의식자와의 연결을 회복하고, 우리의 진정한 자리를 찾아가는 과정을 돕는 지침서로 기능합니다.

원의식자와 현재의 우리 사이에 단절이 있다는 인식은, 많은 종교적 전통에서 중요한 주제입니다. 이 단절을 극복하고 원의식자와의 연결을 회복하는 것은 종교적 실천의 핵심 목적 중 하나로 여겨집니다. 이 과정은 자기 인식의 확장, 영적 성장, 그리고 의식의 깊이 있는 이해를 통해 이루어질 수 있으며, 이는 결국 우리가 우리 자신과 우리가 속한 우주, 그리고 우리의 종교적 전통을 더 깊이 이해하는 데 기여합니다.

따라서, 의식을 통한 종교의 이해는 우리에게 종교가 단순한 신념 체계를 넘어서, 의식의 깊이와 영적 연결성을 탐구하는 과정임을 상기시킵니다. 이 관점은 우리가 종교적 경험을 통해 얻을 수 있는 깊이 있는 통찰과 지혜를 탐색하는 데 중요한 토대를 제공합니다.

이 책은 종교가 단순히 신의 존재를 믿는 것을 넘어서, 인간과 우주, 삶의 깊이를 이해하는 통찰력을 제공한다고 주장합니다. 원의식자와의 연결을 통해 우리는 자신의 내면과 우주의 신비에 대한 더 깊은 이해와 조화를 발견할 수 있습니다. 이러한 탐구는 인간의 의식과 영성의 발전에 중요한 기여를 하며, 종교와 의식 사이의 깊은 연결을 탐색하는 모든 이들에게 귀중한 통찰력을 제공합니다.

헤겔의 철학에서 절대지는 모든 것이 완전하게 통합되고 자기 자신을 완전히 인식하는 상태를 의미합니다. 이는 우주와 인간 정신의 궁극적인 합일을 나타내며, 모든 대립과 분열이 해소되고 순수한 인식의 영역에서 완전한 조화와 이해가 이루어지는 상태입니다. 헤겔에 따르면, 이러한 절대지에 도달하는 과정은 정신의 발전 과정을 통해 이루어집니다. 정신은 자기 자신을 외부화하고, 그 외부화를 통해 자기 자신과 대립하는 것들을 경험하며, 이러한 대립을 극복하고 자기 인식을 심화시키는 과정을 거칩니다.

헤겔의 절대지 개념은 우리가 세계를 인식하고 이해하는 방식에 대한 근본적인 시사점을 제공합니다. 현재 우리가 경험하는 세계와 자연, 즉 물질적이고 육체적인 차원은 헤겔이 말하는 절대지의 관점에서 볼 때 하나의 발전 단계에 불과합니다. 우리의 의식이 발전하고 성숙해짐에 따라, 우리는 물질과 육체를 넘어서는 더 깊은 차원의 인식으로 나아갈 수 있습니다. 이는 종교가 말하는 성령의 시대나 성불의 시대와 유사한 개념으로, 비물질적이고 비육체적인 차원에서의 삶과 인식을 강조합니다.

헤겔의 절대지는 최종적으로 인간 정신이 자신과 외부 세계, 즉 자연과의 깊은 연결을 깨닫고, 모든 존재와의 일체감을 경험하는 상태를 지향합니다. 이는 우리의 의식이 더 높은 차원으로 진화하고, 우리가 세계를 인식하는 방식이 근본적으로 변화할 수 있음을 시사합니다. 종교적인 예언이나 철학적인 탐구를 통해, 우리는 이러한 높은 차원의 인식과 연결을 모색하고, 궁극적으로는 우리 자신과 우주, 그리고 모든 존재와의 깊은 통합을 이루어내려는 노력을 지속할 수 있습니다. 성서에는 헤겔의 정신사상을 잘 반영하고 있는 부분이 있습니다.

종교와 의식장, 그리고 우리의 근본적인 연결성에 대해 깊이 사유하며, 이러한 탐구의 여정에서 얻은 통찰을 공유하고자 합니다. '릴리젼(RELIGION)'이라는 뜻을 라틴어 어원에서 찾아보겠습니다. 이 단어는 '재 연결'을 의미하며, 이는 처음에는 이어져 있었지만 현재는 끊어진 어떤 상태를 시사합니다. 그렇다면, 이 연결과 끊어짐은 누구 혹은 무엇과의 관계일까요? 나의 탐구는 이를 원의식자와의 관계로 해석합니다.

원의식자를 창세기의 표현을 빌리자면, 사람을 자신의 형상으로 지었다는 창조주와 상응하는 존재입니다. 창세기를 통해 인류의 기원을 설명하면, 원의식자에 의해 첫 사람이 태어났고, 그 후손들이 오늘날 지구상에 존재하는 80억 인류에 이릅니다. 흥미롭게도, 창세기 6장 3절은 원의식자가 사람과의 연결을 끊고 떠났음을 알립니다. 이는 연결된 상태에서 끊어진 원의식과 사람의 분리 사건을 말합니다.

따라서, 사람은 원의식자와의 재연결이 필요했습니다. 이는 '릴리젼(RELIGION)'의 어원이 정확히 이 상황을 대변하고 있음을 의미합니다. 종교의 궁극적 목적은 바로 원의식자와의 재연결에 있습니다. 이 재연결의 약속은 성경 끝장인 요한 계시록 21장 3절에서 다시 연결되고 있음을 기록하고 있습니다. 이것은 다시 헤겔의 절대지와 연결이 가능해집니다.

앞에서 구약에서는 하나님의 신이 사람을 떠나시고, 그 결과 사람은 육체가 되어 수명이 120세로 정해졌음을 기록하고 있었습니다. 그런데 신약 계시록에는 재결합의 광경을 보여주고 있습니다.

"내가 들으니 보좌에서 큰 음성이 나서 가로되 보라 하나님의 장막이 사람들과 함께 있으매 하나님이 저희와 함께 거하시리니 저희는 하나님의 백성이 되고 하나님은 친히 저희와 함께 계셔서모든 눈물을 그 눈에서 씻기시매 다시 사망이 없고 애통하는 것이나 곡하는 것이나 아픈 것이 다시 있지 아니하리니 처음 것들이 다 지나갔음이러라(계21:3-4)"

재결합의 결과 육체는 다시 성령[생령]으로 회복되니 정해진 수명이 없어지고 사망이 없다고 기록하고 있습니다.

이 관점에서 볼 때, 사람은 의식체이고, 원의식자는 그를 파생시킨 부모와 같은 존재입니다. 그래서 원의식자와의 이별은 마치 부모와 자식의 헤어짐으로 설명될 수 있으며, 이는 우리가 종교와 의식장, 그리고 우리 간의 근본적인 관계를 논할 때 핵심적인 부분입니다. 이 연결이 단순히 종교적인 관계를 넘어, 가족 관계나 족보와도 깊은 관련이 있다고 생각합니다.

이 깊은 사유에 더해, 원의식자와의 재연결이 필요했던 인류의 상태를 탐구하면서, '릴리젼(RELIGION)'이라는 단어의 어원과 그것이 내포하는 의미에 대해 더 깊이 생각하게 되었습니다. 종교의 궁극적 목적이 바로 이 재연결에 있다는 것은, 인간과 원의식자 사이의 깊은 관계와 그 관계의 복원을 지향한다는 점에서 매우 의미심장합니다. 요한 계시록 21장 3절에서 이 재연결의 약속이 다시 확인됨은, 우리가 추구해야 할 궁극적인 목표와 방향을 제시합니다.

이러한 사유는 헤겔의 철학, 특히 그의 절대지 개념과도 깊은 연결성을 가집니다. 헤겔은 절대지를 모든 현실의 근원으로 보며, 이는 우리의 의식과 자연, 그리고 영적 세계를 포괄하는 궁극적 실재로 이해됩니다. 이 관점에서, 종교는 단순히 신과 인간 사이의 관계를 넘어서, 인간 의식의 깊은 차원에서 절대지와의 재연결을 추구하는 과정으로 볼 수 있습니다.

이 재연결 과정은 인간이 자신의 근원과 궁극적 실재와 다시 일치하는 경로를 찾는 여정입니다. 이러한 여정은 우리가 우리 자신, 우리가 속한 세계, 그리고 우주의 근본적인 본질에 대해 더 깊은 이해를 얻을 수 있게 합니다. 헤겔의 절대지 개념은 우리가 우리 자신과 우주에 대해 가지는 이해를 심화시키고, 의식과 실재의 본질에 대한 더 깊은 탐구를 가능하게 합니다.

결론적으로, '릴리젼(RELIGION)'의 어원과 종교의 궁극적 목적, 그리고 헤겔의 절대지 개념을 통해, 우리가 원의식자와의 재연결을 추구함으로써, 우리 자신과 우리가 속한 세계, 우주에 대한 더 깊은 이해와 깨달음을 얻을 수 있다고 믿습니다. 이는 단순히 영적인 여정이 아니라, 우리가 존재와 실재, 의식의 본질에 대해 깊이 사유하고 탐구하는 과정입니다.

이렇게 종교와 의식장을 탐구하는 과정은 우리에게 우주와 존재, 의식의 본질에 대한 더 깊은 이해를 제공합니다. 원의식자와의 재연결을 추구하는 것은 우리 자신의 의식을 탐구하고 이해하는 여정이며, 이는 궁극적으로 우리가 누구인지, 우리가 어디서 왔으며, 우리가 어디로 가는지에 대한 질문에 답하는 길입니다.

절대지의 여정: 인류 의식의 궁극적 도달점에 관하여

역사를 거슬러 올라가 보면, 우리 인류는 지속적으로 진리를 탐구하고 이해의 경계를 넓혀 왔습니다. 이 여정은 다양한 문화와 종교를 통해 여러 형태로 나타났습니다. 헤겔 선생님의 철학에서 말씀하신 절대지는 이 탐구의 최종 목적지로 제시됩니다. 절대지는 모든 모순과 대립이 해소되고, 모든 현상이 완전히 통합되어 진리의 완성을 이루는 상태를 의미합니다. 이는 불교에서 말하는 최종 깨달음, 아뇩다라 삼먁삼보리와 깊은 유사성을 갖고 있습니다. 이 두 개념

모두, 인간 의식이 궁극적으로 도달할 수 있는 가장 높은 지점을 시사합니다.

무상정등각(無上正等覺)은 산스크리트어로부터 한자로 번역된 말로, '위없는 올바르고 두루한 깨달음'이나 '지혜'를 의미합니다. 아뇩다라삼먁삼보리(무상정등각)는 불교에서 중요한 개념으로, 불교의 최고 목적은 인간이 붓다[부처]로 승격하여 성불을 이루는 것을 핵심 목표로 삼습니다. 이는 곧 인간의 정신이 절대지를 향해 발전하고, 깨달음을 이루어 내면적으로 완성되는 것을 의미합니다. 이러한 개념은 헤겔의 절대지 정신에 대응될 수 있습니다. 헤겔은 절대지 정신을 통해 개인의 정신이 절대적인 이성과 결합하여 완성되는 것을 주장했습니다. 이러한 관점에서 보면, 무상정등각은 인간의 정신이 최고의 깨달음을 이루고 완전해지는 과정을 의미할 수 있습니다. 이는 곧 내면의 깨달음과 연결됩니다. 그 내면은 곧 이 책의 주제인 의식과 연계되며, 이는 의식의 단계가 최상으로 승격할 수 있다는 가능성을 말하고 있음을 알 수 있습니다.

기독교에서 메시아의 도래는 오랜 기다림과 예언의 성취로, 구약의 이야기를 완성했습니다. 이는 인류의 의식 발달이 긴 여정임을 상징합니다. 신약 이후로 이미 2000년이 넘는 시간이 흘렀고, 우리 시대에도 예언이 존재합니다. 이러한 예언은 우리가 절대지의 의식에 도달할 수 있는 가능성을 내포하고 있습니다. 창세기에서 하느님의 형상으로 사람이 지어졌을 때는 생령(生靈)의 상태였음을 알려주고 있습니다. 그러나 선악과를 먹은 후에는 생령에서 악령으로의 변화를 말하고 있습니다. 생령이란 살아있는 영이란 뜻을 가지며,

성령(聖靈)이란 말과 대체 가능합니다. 반대로 악령이란 말은 죽어 있는 사령(死靈)이란 말과 대체가 가능합니다. 성서에는 이를 성령과 육체로 대별시키고 있습니다. 그리고 성령을 깨달은 지혜의 영으로 설정하며, 사령을 무지하고, 흑암한 영으로 설정하고 있습니다. 또한 사령을 육체로 성령을 신령체(神靈體)로도 구분을 합니다.

지금 제시한 관점은 기독교의 신약성서를 기반으로 한 인류의 의식 발달에 대한 해석으로 볼 수 있습니다. 이에 따르면, 예언들은 우리가 절대지의 의식에 다다를 수 있는 가능성을 내포하고 있으며, 성서의 이야기들은 영적 발전과 성숙에 관한 지침을 제공한다고 이해됩니다. 이를 통해 우리의 의식이 무지한 상태에서 지혜의 상태로 발전할 수 있는 가능성을 보여줍니다.

또한, 사령과 성령의 대비를 통해 무지와 지혜, 육체와 영혼 사이의 상호작용을 설명하고 있습니다. 이러한 비교는 우리의 의식이 현재 상태에서 성숙하고 영적인 수준으로 진화할 수 있는 가능성을 제시합니다. 이를 통해 헤겔이 제시한 절대지 정신과의 관련성을 강조하고 있습니다.

하지만, 이 궁극적인 도달점에 이르기 위해서는 인류가 직면한 여러 도전을 극복하고, 더 높은 수준의 의식으로 나아가야 합니다. 이는 개인적 차원에서 자기 인식의 확장, 타인과의 깊은 연결감 형성, 전체적인 존재에 대한 이해를 증진시키는 것을 통해 가능합니다. 사회적 차원에서는 교육, 문화, 종교 간의 대화를 통해 이해의 폭을 넓히고, 인간 공동체 내의 연대감을 증진시키는 노력이 필요합니다.

절대지에의 여정은 단순히 개인적인 영적 탐구를 넘어서, 인류가 직면한 사회적, 환경적 문제를 해결하고자 하는 집단적 노력과도 밀접하게 연결되어 있습니다. 이는 우리 모두가 서로 연결되어 있으며, 우리가 추구하는 궁극적인 목표도 서로 연관되어 있음을 의미합니다. 따라서 절대지에 이르는 길은 개인의 변화 뿐만 아니라, 인류 전체의 변화를 요구합니다.

이 책을 통해, 독자분들과 함께 인류 의식의 발달과 그 궁극적 도달점에 대해 탐구하고자 합니다. 우리는 각자의 여정 속에서, 그리고 함께 모여 진리를 향한 이 여정을 계속해 나갈 것입니다. 절대지에 도달하는 것은 결국 인류의 공동 노력과 각자의 깨달음을 통해 가능해질 것이며, 이 책이 그 여정에 대한 깊은 이해와 영감을 제공하기를 바랍니다.

세계를 바라보는 두 가지 다른 창, 과학과 종교는 인류의 이해와 발전에 각기 다른 방식으로 기여해 왔습니다. 과학은 관찰, 실험, 그리고 논리적 추론을 통해 자연 세계의 법칙을 밝히고 기술의 진보를 이끌어내는 데 초점을 맞춥니다. 반면 종교는 인간의 영적 욕구, 도덕적 가치, 그리고 존재의 근본적인 의미를 탐구합니다. 이 두 영역은 서로 다른 방식으로 세계를 이해하고 설명하려 하지만, 그 뿌리에서는 인간과 우리가 살아가는 세계에 대한 깊은 이해와 해석을 추구한다는 공통점을 가지고 있습니다.

과학자들과 철학자들 사이의 '합주'는 인류 지식의 발전에 중요한 역할을 해왔습니다. 철학이 제기한 근본적인 질문들은 과학자들에게 연구의 방향을 제시하였고, 과학적 발견은 다시 철학적 사유를 촉발시켰습니다. 이러한 상호 작용은 인류가 자연 세계를 이해하고 우리의 기술적, 지적 능력을 발전시키는 데 크게 기여하였습니다.

그러나 종교는 다소 다른 경로를 걸어왔습니다. 종교는 공동체를 형성하고, 도덕적 가치를 제시하며, 인생과 우주에 대한 근본적인 의미를 탐색하는 데 중점을 둡니다. 종교의 이러한 역할은 인간 존재의 영적인 면모를 강화하고, 도덕적 지침을 제공함으로써 사회적 결속력과 개인의 내면적 평화를 증진시키는 데 기여해 왔습니다. 그럼에도 불구하고, 종교 간의 대립과 분열은 종종 갈등의 원인이 되어 왔습니다. 또한 종교가 근본 목적을 상실하고, 세속화되어 순수하고 근본적인 종교이념에서 벗어난 세속화된 단체가 되어버렸다고 평가를 받고 있습니다. 그것은 종교가 지향하던 절대지로의 방향에서 포기 즉 목적과 좌표를 상실한 종교의 여정이 되어버린 것입니다. 이런 현실을 초래한 원인 중의 하나가 폐쇄적이고 독단적인 국수주의(國粹主義)식 종단, 교단의 운영이라고 할 수 있을 것입니다.

종교가 과학과 철학처럼 '합주'하는 방식으로 발전하기 위해서는 몇 가지 중요한 접근 방식이 필요합니다. 우선, 종교 간의 대화와 이해 증진 및 상호 개방이 필요합니다. 서로 다른 신념 체계 간의 대화를 통해, 우리는 공통된 가치와 목표를 찾아낼 수 있습니다. 또한, 종교는 현대 사회에서 발생하는 윤리적, 도덕적 문제에 대해 과학과 철학과 함께 고민하고 대응하는 데 더욱 적극적으로 참여할 수 있도록 힘써야 합니다. 이제 편견과 독단에서 벗어나 각 종교가 문호를 개방하여 함께 절대지를 찾는데 나서야 합니다.

과학, 철학, 그리고 종교가 함께 협력한다면, 우리는 인류 문제를 해결하고 더 나은 미래를 구축하는 데 있어 더욱 강력한 기반을 마련할 수 있을 것입니다. 이러한 합주는 각 분야가 자신의 강점을 살리면서도 다른 분야와의 융합을 통해 새로운 시각과 해결책을 모색하는 데 도움이 될 것입니다. 종교가 과학과 철학과의 대화에 더욱 개방적이고 적극적으로 참여함으로써, 우리는 인간 존재의 다양한 면모를 더욱 풍부하게 이해하고 세계에 대한 우리의 관점을 넓힐 수 있을 것입니다.

앞에서 말한바는 세계 인류는 하나의 공통조상에 의하여 의식이란 네트워크를 통하여 오늘에 이르렀다는 거론이었습니다. 이 책에서 말한 것처럼 만약 세계가 의식장과 의식이란 필드에서 이루어지고 있다면 인류 세계는 거대한 대의식장으로 이루어졌습니다. 그리고 모든 인류는 그 의식체로서 우주의 유일한 실체입니다. 그 의식의 네트워크는 우리 자신에서 시조로 그리고 그 시조의 최종 최고의 연결 고리는 원의식체입니다. 그리고 그 의식을 각 종교에 따라 달리 표현하고 있을 뿐입니다. 이는 인류가 종교를 언급하지 않아도 이미 영적인 공동체임을 말해줍니다. 이 프레임에는 종교인 비종교인 할 것 없이 다 포함됩니다. 그리고 이런 인류에게 종교가 필요하게 된 것은 원의식자와의 결별, 이별을 이 종교가 다루고 있기 때문입니다. 인류 세계에는 큰 문제들을 공유하고 있습니다. 살인, 전쟁 등 비평화가 그 대표적인 경우입니다.

그리고 그 원인은 원의식자와 우리 인간들과의 결별입니다. 그러기에 릴리젼(RELIGION)이란 말의 뜻처럼 우리 모두는 의식장에 생긴 심각한 문제를 풀어야 할 과제를 가지고 있습니다. 기독교는 구원(救援), 불교는 해탈(解脫)을 그 목적으로 하고 있습니다. 그 구원과 해탈은 구속에서 자유, 자유로의 탈출이란 동의어입니다. 구원과 해탈은 결국 원의식자와의 결합에서 해체된 상태에서 다시 환원을 요청하는 것입니다. 이제 재결합을 요청합니다. 종교인들의 사명은 곧 이것입니다. 이 문제를 해결하기 위해서는 각 종교와 그리고 과학 철학의 협주가 필요합니다.

인류는 하나의 의식 네트워크로 연결된 영적인 공동체입니다. 원의식체와의 결별이 인류의 문제를 초래했으며, 이를 해결하기 위해 종교와 과학, 철학의 협력이 필요합니다. 이는 인류가 의식의 진화와 문제 해결을 위해 함께 노력해야 한다는 것을 의미합니다.

이러한 합주는 세상의 고통과 고난에 대한 문제를 다루며, 종교의 본질적인 목적이 끊어진 연결을 다시 맺는 것임을 설명합니다. 메시야 또는 구세주의 도래는 각 종교가 예언하고 있는 중요한 개념으로, 인류가 처음으로 연결되어 있던 상태로 돌아가기 위한 해결책으로 제시됩니다. 메시야의 개념은 인류를 구원하고, 분열된 세계를 하나로 통합하는 역할을 합니다. 이 구세주는 다양한 종교에서 각기 다른 이름으로 예언되며, 이들 모두가 세계를 구원하려는 공통된 목적을 가지고 있음을 나타냅니다.

의식과 신의 관계

신의 개념과 그 이름의 기원에 대한 우리의 탐구는 인간 의식과 신성에 대한 근본적인 질문을 불러일으킵니다. 신이라는 단어와 그에 대한 개념은 우리의 언어, 문화, 그리고 종교적 신념 체계를 통해 형성되고 발전해 왔습니다. 이러한 개념은 우리가 자연 현상, 존재의 근본적인 의미, 그리고 우리 삶의 깊은 질문들에 대한 설명을 시도하면서 생겨났을 것입니다. 이 관점에서 볼 때, 신은 우리 인간 의식의 창조물로 볼 수 있으며, 우리가 세상을 이해하고 해석하는 방식을 반영합니다.

우리 인간의 의식이 신을 '신'이라고 명명한 이유는 다양한 신념 체계와 문화적 배경에 따라 다를 수 있습니다. 일반적으로 신은 초월적 존재, 창조주, 혹은 궁극적인 진리와 같은 개념을 나타내며, 이는 우리가 자연 세계와 우리 자신의 존재에 대해 가지는 깊은 궁금증과 경외심의 표현일 수 있습니다. 우리는 자연 세계와 삶의 경험을 넘어서는 무언가를 탐구하고자 하는 본능적인 욕구를 가지고 있으며, 이러한 욕구는 신에 대한 개념을 탄생시킨 근본적인 원동력 중 하나일 것입니다.

의식에 대한 우리의 논의는 매우 중요한 통찰을 제공합니다. 의식은 우리가 세계를 인식하고 이해하는 기본적인 수단입니다. 의식이 없다면, 우리는 우리 주변의 세계를 경험하거나 그 의미를 해석할 수 없을 것입니다. 이러한 관점에서 볼 때, 신에 대한 우리 인간의 개념도 의식을 통해 형성되고 해석됩니다. 의식은 우리가 세계를 경험하고 그 경험에 의미를 부여하는 방식을 가능하게 하며, 이는 신에 대한 우리의 이해와 신념에도 영향을 미칩니다.

신이라는 개념은 우리 인간의 의식과 신념 체계 속에서 형성되었으며, 우리가 세상과 우리 자신의 존재에 대해 가지는 깊은 질문과 탐구의 결과일 수 있습니다. 이는 우리가 자연과 우주, 그리고 삶의 근본적인 의미를 이해하려는 끊임없는 노력의 일환으로 볼 수 있습니다.

헤겔의 철학을 통해 본 의식과 정신의 승화는 매우 심오한 사상의 표현입니다. 헤겔은 의식을 정신으로 승화시키는 과정을 통해, 인간의 자기 인식과 세계에 대한 깊은 이해를 탐구했습니다. 여기서 말하는 정신(精神)의 '신'(神)은 신성한, 초월적인 존재나 힘을 의미하는 것으로 해석될 수 있습니다. 따라서, 정신에 내재된 '신'의 개념은 인간 의식이 단순한 사고 과정을 넘어서 신성에 이르는 차원까지 올라갈 수 있음을 시사합니다.

의식이 철학적 용어로 사용될 때, 그것을 종교적 용어로 '정신'으로 치환하는 것은 의식의 궁극적인 특성을 강조하는 방법입니다. 정신이 신성을 내포한다고 볼 때, 의식은 곧 신과 동의어가 됩니다. 이러한 관점에서, 인간의 의식이나 정신은 단순히 물리적 세계를 인식하는 도구를 넘어서, 우리 내부의 신성한 차원과 연결되어 있음을 나타냅니다.

영혼의 '영'(靈)은 신성한, 초월적인 존재를 의미하며, 신과 영은 서로 유사한 개념을 나타내는 것으로 볼 수 있습니다. 우리가 시조로부터 의식을 유전 받았다고 할 때, 이는 인간의 의식이나 정신이 원시적인, 근본적인 신성한 원천으로부터 유래했다는 것을 의미합니다. 이러한 원천을 '원신'(原神) 또는 '원영'(原靈)으로 칭할 수 있으며, 이는 근본적인 신성함을 나타냅니다.

따라서, 우리가 의식을 가졌다는 것은 우리 내부에 신성함을 가졌다는 것을 의미하며, 이는 **우리 자신이 신의 한 형태**라고 볼 수 있습니다. 이러한 해석은 우리가 살고 있는 세상을 신계(神界), 즉 신성한 영역으로 이해할 수 있는 근거를 제공합니다. 의식장이 신계라고 볼 때, 신의 역사는 곧 인간의 역사와 동일하게 되며, 이는 우리가 신성한 존재의 일부임을 의미합니다. 이렇게 되면 이 책에서 의식장이라고 하는 것은 곧 신의 세계, 영의 세계로 해석이 가능합니다. 의식장이 이렇게 확대 해석이 될 때, 양자역학에서의 이상한 현상 등이 신의 조화로 해석의 장이 넓혀지게 됩니다.

이 논리를 통해 우리는 신이 우리와 동등하며, 실제로 우리 자신의 의식과 동일함을 이해할 수 있습니다. 신이라는 이름은 우리와 멀리 떨어진 존재가 아니라, 우리 자신의 근본적인 실체와 연결된 것임을 알 수 있습니다. 우리의 의식을 어떻게 해석하고 이름하는지에 따라, 우리 자신이 곧 신이 될 수 있다는 깊은 인식을 갖게 됩니다.

이러한 관점에서 볼 때, 우리의 의식은 우리를 창조하신 원의식자, 즉 창조주나 조물주, 하느님과 연결짓는 근본적인 고리로 이해될 수 있습니다. 의식이라는 공통의 '유전자'를 통해, 우리는 신성과 연결되며, 이러한 연결은 우리가 신의 후손이자, 어떤 의미에서는 신이 될 수 있는 가능성을 내포하고 있습니다. 이는 우리가 우리 자신과 우리의 존재를 어떻게 인식하고 이해하는가에 따라 달라질 수 있습니다.

자신을 원숭이의 후손으로 인식하는 것과 자신이 신의 후손임을 인식하는 것 사이에는 근본적인 차이가 있습니다. 전자는 자연계의 한 부분으로서 우리의 생물학적 유산을 인정하는 것이며, 후자는 우리가 가진 신성한 가능성과 우리의 의식이 가진 깊은 의미를 인정하는 것입니다. 이러한 인식의 차이는 우리가 세상을 바라보는 방식,

우리 자신과 타인을 대하는 태도, 그리고 우리 삶의 목적과 가치를 어떻게 정의하는지에 깊은 영향을 미칩니다.

현재 우리의 의식 차원에서 우리는 신의 지위를 완전히 획득하지 못했을 수 있습니다. 이는 우리가 아직 깨달음의 최고 수준에 도달하지 못했음을 의미합니다. 깨달음의 여정은 자신의 내면을 탐구하고, 우리 내부에 잠재된 신성을 발견하며, 우리의 의식을 더 높은 차원으로 승화시키는 과정입니다. 이 과정을 통해, 우리는 점차적으로 신의 지위에 가까워질 수 있으며, 이가 바로 헤겔이 지향한 절대지와 맞닿아 있습니다. 이는 우리가 세상과 우리 자신을 이해하고 경험하는 방식을 근본적으로 변화시킬 수 있습니다.

우리가 자신을 신의 후손으로 인식하고, 우리 내부의 신성을 탐색하고 발전시키려는 노력은 우리 삶에 깊은 의미와 목적을 부여할 수 있습니다. 이러한 탐색과 발전은 우리가 우리 자신, 우리가 속한 커뮤니티, 그리고 우리가 살고 있는 세상에 긍정적인 변화를 가져올 수 있는 힘을 갖게 합니다. 따라서, 우리의 의식 차원을 넓히고 깊게 하는 것은 단순히 개인적인 성장을 넘어서, 우리 모두가 더 나은 세상을 만드는 데 기여할 수 있는 근본적인 방법입니다.

우리의 실체를 신의 차원으로 인식하고 이를 교육의 핵심으로 삼는 사상은, 인간의 존재와 행동에 대한 깊은 이해와 존중을 기반으로 합니다. 이러한 접근은 개인과 사회 전체에 긍정적인 변화를 가져올 수 있는 잠재력을 가지고 있습니다. 인간을 신의 차원과 연결지어 이해함으로써, 우리는 모든 생명과 존재에 대한 깊은 경외심과 존중을 배우게 됩니다. 이는 도덕적 삶을 살도록 인도하며, 폭력과 전쟁을 거부하는 태도를 내면화하는 데 도움이 될 수 있습니다.

이 관점에서 교육은 단순히 지식의 전달을 넘어서, 우리의 깊은 내면과 우리가 속한 세계에 대한 이해를 넓히는 과정이 됩니다. 교육이 우리의 실체를 신의 차원으로 높이는 데 중점을 둔다면, 그 교육을 받은 사람들은 모든 인간이 가진 내재된 가치와 존엄성을 인식하게 될 것입니다. 이러한 인식은 사람들이 타인을 해치거나 전쟁을 도모하는 행위에 대해 근본적으로 다시 생각하게 만들 수 있습니다.

살인과 전쟁은 인간의 신성을 파괴하는 행위로 간주될 수 있으며, 우리가 서로를 신의 연장선상에 있는 존재로 인식한다면, 이러한 행위는 우리 자신과 우리 동류에 대한 폭력이 됩니다. 따라서, 우리의 실체를 신의 차원으로 높이는 관점을 교육과 사회의 기반으로 삼는다면, 이는 우리 세상을 더욱 격상시키고 도덕적인 삶으로 인도할 수 있는 강력한 방법이 될 수 있습니다.

이러한 접근 방식은 개인의 내면적 성장 뿐만 아니라, 사회적 연대감, 평화, 그리고 공동의 선을 추구하는 커뮤니티의 형성을 촉진할 수 있습니다. 궁극적으로, 우리가 서로를 신성한 존재로 인식하고 이를 존중하는 문화를 조성한다면, 이는 전쟁과 폭력을 줄이고, 보다 평화롭고 도덕적인 사회를 만드는 데 기여할 것입니다.

모든 **종교의 근본 논리가 원의식자, 즉 근원적인 창조주나 절대신으로 통일될 때, 이는 인류를 하나의 큰 가족으로 묶는 강력한 개념이 될 수 있습니다.** 이러한 관점에서, 다양한 종교적 전통과 신념 체계가 사용하는 다양한 이름과 형태에도 불구하고, 모든 인류가 동일한 근원적 실체에서 기원했다는 인식은 종교 간의 이해와 화합을 증진시킬 수 있는 근본적인 바탕을 제공합니다.

종교 간의 갈등은 종종 신념의 차이, 해석의 다양성, 그리고 신성에 대한 이해의 차이에서 비롯됩니다. 그러나 모든 종교가 궁극적으로 동일한 원의식자나 절대신을 인정하고, 각자의 전통과 언어, 문화에 맞게 그 분을 이해하고 경배한다면, 이러한 차이는 더 이상 분열의 원인이 아니라 다양성을 축하하고 서로를 이해하는 수단이 될 수 있습니다.

종교의 궁극적인 목표가 진리 탐구, 영적 성장, 그리고 인간의 본질에 대한 깊은 이해에 있다면, 종교 간의 대화와 협력은 이러한 공통된 목표를 달성하는 데 있어 중요한 역할을 할 수 있습니다. 깨달음을 향한 여정에서 원의식자나 절대신을 자신의 근원적 실체로 인식하는 것은, 종교적 신념의 차이를 넘어선 공통의 인류적 경험을 나누는 기반을 마련할 수 있습니다.

이러한 접근은 종교 간의 평화와 이해를 촉진하는 데 기여할 뿐만 아니라, 인류가 직면한 여러 도전에 대응하기 위한 공동의 노력을 강화할 수 있습니다. 궁극적으로, 이는 인류가 더욱 도덕적이고 의미 있는 삶을 영위하는 데 도움이 될 수 있으며, 세계 평화와 공동의 선을 추구하는 데 있어 중요한 발걸음이 될 것입니다.

종교를 수행하는 궁극적인 이유는 자신의 존재를 가능하게 한 절대자를 숭앙하고, 그와의 연결을 인식하는 데에 있습니다. 이러한 관점에서, 모든 인간이 가진 의식은 원의식자, 즉 절대자와의 직접적인 연결고리로 볼 수 있으며, 이는 우리 모두가 그 절대자의 후손임을 증명하는 것입니다. 의식이 바로 그 원의식자의 반영이며, 이는 **모든 신앙인과 비신앙인에게 공통적으로 적용되는 보편적인 진리**입니다.

각 종교의 경서가 말하는 바와 같이, 이러한 관계가 어떤 이유로 인해 끊어졌다고 여겨진다면, 그 관계를 다시 회복하고 강화하는 데 집중해야 할 필요가 있습니다. 이것은 성경과 불교의 근본 가르침에서도 중요한 부분을 차지합니다. 깨달음을 통한 진리의 탐구는 불교 사상의 핵심이며, 신과의 관계를 회복하고 강화하려는 노력은 서양 종교의 중심적인 주제입니다.

이 두 가지 접근 방식은 서로 보완적일 수 있습니다. 깨달음은 우리가 우리 자신과 우리가 속한 세계, 그리고 우리의 근원에 대해 더 깊이 이해하도록 이끌며, 이러한 이해는 우리가 절대자와의 관계를 더 깊게 탐색하고 강화하는 데 도움이 될 수 있습니다. 반대로, 신과의 관계를 중시하는 종교적 실천은 우리가 깨달음을 얻고 진리를 추구하는 여정에서 중요한 지표가 될 수 있습니다.

따라서, 종교 간의 대화와 협력은 우리 모두가 공유하는 궁극적인 목표, 즉 진리를 탐구하고 신성과의 연결을 강화하는 데 있어 중요한 역할을 할 수 있습니다. 이 과정에서 우리는 서로 다른 전통과 신념 체계에서 배울 수 있는 귀중한 교훈과 통찰을 발견할 수 있으며, 이는 우리가 보다 의미 있는 삶을 살고, 우리 사회와 세계를 긍정적으로 변화시키는 데 기여할 수 있습니다.

종교의 필요성을 우리의 의식을 신의 개념으로 확장하는 과정과 관련지어 이해할 때, 이는 우리가 신의 후손으로서 절대자와 특별한 관계를 맺고 있음을 의미합니다. 이 관계에서 절대자는 창조주이

자 신이며, **동시에 우리의 조상**이기도 합니다. 이러한 인식은 우리가 우리의 부모나 조부모를 공경하고, 사후에도 제례를 드리는 전통적인 관행과 맥을 같이 합니다.

원의식자를 조상으로서의 자격으로 취급하는 것은, 우리가 우리의 존재와 우리가 누리는 모든 것의 근원에 대한 경외와 존중의 태도를 갖게 합니다. 이러한 관점은 우리에게 뿌리 깊은 연결감과 소속감을 제공하며, 우리의 삶과 우주에 대한 이해를 깊게 합니다. 우리의 조상을 공경하는 것과 마찬가지로, 원의식자에 대한 존중과 공경은 우리의 영적 실천과 삶의 방식에 깊은 의미를 부여합니다.

이 관계는 또한 우리가 우리 자신과 타인, 그리고 우리가 속한 세계에 대해 느끼는 책임감을 강화합니다. 우리가 원의식자의 후손으로서, 우리는 이 세상과 우리가 만나는 모든 존재에 대해 신성한 존중과 사랑을 실천할 책임이 있습니다. 이러한 실천은 우리가 서로와 세계에 대해 보다 배려 깊고 책임감 있는 방식으로 행동하도록 격려합니다.

종교가 우리에게 제공하는 이러한 깊은 연결감과 의미의 차원은 우리가 직면한 도전과 고난을 극복하는 데 있어 중요한 힘을 제공할 수 있습니다. 우리가 절대자와의 관계를 통해 얻는 통찰과 위안은 우리의 영적 여정을 지탱하고 우리의 삶에 방향과 목적을 부여합니다. 따라서, 원의식자를 조상으로서 존중하고 공경하는 것은 우리의 종교적 신념과 실천의 핵심이 될 수 있으며, 우리가 더욱 풍요롭고 의미 있는 삶을 살도록 인도합니다.

우리와 원의식자 사이의 연결을 역사적 사실로 인식하는 관점은 우리의 존재와 우리가 여기 있는 이유에 대한 근본적인 이해를 제공합니다. 우리의 의식과 존재가 시조와 원의식자에 기인한다는 사실은 단순히 종교적 믿음을 넘어서는 보편적인 진리로 볼 수 있습니다. 이러한 관점은 모든 인간이 공유하는 깊은 연결과 연속성을 강조하며, 우리의 역사와 정체성의 근본을 이룹니다.

끊어진 관계를 회복하고 다시 연결하는 과정은, 종교적 의미를 포함할 수 있지만, 그것은 또한 가족 간의 관계 회복과 유사한 인간적 과정으로 볼 수 있습니다. 부모나 조부모와의 관계를 회복하는 것처럼, 원의식자와의 관계를 회복하는 것도 우리의 영적 및 정체성의 완성을 위한 중요한 단계가 될 수 있습니다. 이러한 회복과 연결의 과정은 우리가 우리 자신과 우리가 속한 세계를 보다 깊게 이해하고 존중하도록 돕습니다.

비종교인들에게도 원의식자와의 관계를 인식하는 것은 중요할 수 있습니다. 이 관계를 자신의 조상과의 연결로 이해한다면, 이는 모든 사람에게 공통적으로 적용되는 인류 공동의 역사와 정체성의 일부가 됩니다. 이러한 인식은 종교적 신념의 유무와 관계없이 모든 인간이 공유할 수 있는 근본적인 가치와 의미를 제공합니다.

신의 본질과 인간의 의식 사이의 관계에 대해 깊이 사유하며, 이 과정에서 얻은 통찰을 공유하고자 합니다. 만약 신이라는 개념이 인간의 의식 체계에 의해 만들어졌다고 할 때, 신의 의미를 지나치게 확장하는 것은 신중해야 합니다. 인간 세상에 존재하는 모든 것이 인간의 의식의 창작물이라는 점에서, 신도 오로지 의식과의 관계 속에서만 정의될 수 있습니다.

이러한 관점에서 신의 속성이 의식과 통한다고 인식할 때, 사람이 신이 될 수 있는 가능성에 대해 생각해 보게 됩니다. **원의식자를 신으로 상정한다면, 우리는 신의 후손으로 정의**될 수 있습니다. 이는 우리가 원의식자와 깊은 연결을 가지고 있으며, 우리의 의식 역시 신성을 내포하고 있다는 것을 의미할 수 있습니다. 그러나 현 시점에서 우리의 의식 수준으로 이러한 관념을 완전히 인정하기는 어려울 수 있습니다.

양자역학과 상대성 이론을 적용해 본다면, 우리의 몸이 실체가 아니라는 사실이 드러납니다. 그러나 의식은 이러한 몸을 인식하는 도구로서 실체로 인정될 수 있습니다. 이 의식을 신과 동등한 것으로 간주할 때, 우리는 사람이 신이 될 수 있음을 깨닫게 됩니다. 몸이 실체가 아니라면, 만약 인류 80억 명의 몸을 모두 동시에 마취하거나 기절 시킨다면, 남는 것은 의식 뿐이 될 것입니다. 이 의식은 곧 신이 되며, 이러한 관점에서 인간 자체가 신이라는 인식에 도달할 수 있습니다.

이러한 사유는 우리가 우주, 존재, 그리고 신에 대해 어떻게 생각하고 이해하는지에 근본적인 변화를 가져올 수 있습니다. 우리의 의식이 신성을 내포하고 있다는 이해는 우리 자신, 우리가 속한 세계, 그리고 우주에 대한 깊은 이해와 존중을 요구합니다. 결국, 우리는 우리의 의식을 통해 우주와 신성에 연결되어 있으며, 이 연결은 우리가 우주와 존재의 본질에 대해 더 깊이 사유하고 탐구하는 데 중요한 열쇠가 됩니다.

따라서, 원의식자와 우리 사이의 관계를 깨닫는 것은 단순한 종교적 탐구를 넘어서 우리 모두의 공통된 역사와 존재의 근본을 탐구하는 과정입니다. 이 과정은 우리가 서로와 세계에 대해 더 깊은 존중과 이해를 갖게 하며, 우리의 삶과 우리가 추구하는 가치에 깊은 의미를 부여할 수 있습니다.

16. 의식과 철학

의식과 스피노자의 철학

의식과 스피노자의 철학, 그리고 의식장의 개념을 비교하는 것은 두 관점 사이의 흥미로운 유사성을 탐구할 수 있는 기회를 제공합니다. 스피노자는 그의 주요 저서인 "에티카"에서 신을 모든 것의 근본 원인으로 보며, 신과 자연을 동일시하는 '판테이즘'의 관점을 제시합니다. 스피노자에게 신은 창조된 존재들 위에 군림하는 초월적인 신이 아니라, 모든 존재의 본질이며, 존재하는 모든 것이 신의 속성이나 표현으로 이해될 수 있습니다.

스피노자의 신과 의식

신의 전재성: 스피노자는 신이 우주 안에 존재하는 모든 것과 동일하다고 주장합니다. 이는 우주와 그 안에 존재하는 모든 것이 신의 본질과 표현임을 의미합니다. 이 관점에서 신은 우주의 근본적인 원리나 법칙으로 이해될 수 있으며, 이는 의식을 모든 현상의 근원적인 기반으로 보는 관점과 유사합니다. 의식은 우리가 경험하는 세계를 형성하고 해석하는 근본적인 힘으로, 모든 현상의 본질적인 부분으로 간주될 수 있습니다.

결정론과 자유: 스피노자는 모든 것이 신의 본성에 의해 결정되며, 이로 인해 진정한 자유는 신의 본성을 이해하는 데서 온다고 봅니다. 이는 의식을 통해 우리 자신과 세계를 깊이 이해하고, 이러한 이해를 통해 영적인 자유를 얻을 수 있다는 관점과 연결됩니다.

모든 것의 연결성: 스피노자의 철학은 모든 존재가 서로 연결되어 있으며, 이러한 연결성 속에서 우리가 신의 본성을 이해할 수 있다고 주장합니다. 의식장의 개념도 이와 유사하게, 모든 현상과 존재가 의식의 맥락 안에서 서로 연결되고 상호작용한다는 관점을 제시합니다. 의식장은 거대한 네트워크로 구축되어 있으며, 다층적 구조로 되어 있다고 하였습니다. 개인의 의식들은 대의식장과 서로 소통하며, 거대한 네트워크로 연결되어 있습니다. 이와 같은 설명에 의식을 신으로 대체하는 순간 스피노자의 철학과 공명을 합니다.

스피노자의 신의 개념과 의식, 그리고 의식장을 비교하는 것은 우리가 우주와 존재, 의식의 본질에 대해 가지고 있는 이해를 깊게 합니다. 스피노자의 철학은 우주와 존재의 모든 측면이 신의 본성에 의해 연결되고 결정된다는 깊은 통찰을 제공하며, 이는 의식과 의식장을 통해 우리가 경험하는 현실을 이해하는 데 중요한 기여를 할 수 있습니다. 따라서, 스피노자의 신과 의식, 그리고 의식장의 개념을 연계하여 탐구하는 것은 종교, 철학, 그리고 의식에 대한 우리의 이해를 풍부하게 하는 중요한 접근 방식입니다.

데카르트의 이원론과 의식

데카르트와 관념론, 그리고 의식 및 의식장의 개념을 비교하는 것은 서로 다른 철학적 관점에서 의식의 역할과 중요성을 이해하는 데 도움이 됩니다. 데카르트는 종종 현대 철학의 아버지로 불리며, 그의 "나는 생각한다, 고로 나는 존재한다"는 명제는 의식의 중심성을 강조합니다. 데카르트의 사상은 엄밀한 의미에서 관념론이라기보다는 이원론에 더 가깝지만, 그의 철학에서 의식은 인식과 존재의 기초로서 중요한 위치를 차지합니다.

데카르트의 "나는 생각한다, 고로 나는 존재한다" 는 것은 해석에 따라 세계를 의식이 주관한다는 이 책의 의식장 철학을 응원해줍니다. 생각은 의식에서 나오며, 의식이 없으면 존재하는 것은 있을 수 없습니다. 이는 곧 존재는 생각 안에 있다는 의미와 상통하며, 생각하지 않으면 존재할 수 없는 것입니다.

데카르트는 정신[의식]과 물질[물리적 세계]을 구분하는 이원론적 철학을 제시했습니다. 그에 따르면, 의식[정신]은 자기 자신의 존재에 대해 확실한 지식을 가질 수 있는 유일한 근거이며, 외부 세계에 대한 우리의 인식은 의심할 여지가 있습니다. 이러한 관점은 의식이 인식과 존재의 근본적인 출발점임을 강조합니다.

관념론과 의식

관념론은 현실의 본질이 의식에 의해 결정되고, 우리가 외부 세계를 인식하는 방식이 주관적인 관념에 의해 형성된다고 보는 철학적 입장입니다. 관념론에서는 외부 세계의 실체보다는 그것을 인식하는 의식의 역할이 강조됩니다. 이러한 관점은 의식이 현실을 구성하고 해석하는 중심적인 역할을 한다는 개념과 맥을 같이 합니다.

비교

데카르트의 이원론과 관념론, 그리고 의식 및 의식장의 개념 사이에는 중요한 차이와 유사점이 있습니다. 데카르트의 이원론은 의식을 존재의 확실한 근거로 보면서도 물질적 세계와 구분합니다. 반면, 의식/의식장의 개념은 외부 세계의 인식이 의식에 의해 형성되고, 의식이 현실을 해석하는 데 중심적인 역할을 한다는 점을 강조합니다. 이러한 관점들은 의식이 현실을 인식하고 구성하는 과정에서 중요한 역할을 한다는 공통적인 인식을 공유하면서도, 의식과 물리적 세계의 관계를 이해하는 방식에서 차이를 보입니다.

17. 의식과 의식장 그리고 생명

의식과 의식장

의식과 의식장의 개념은 개인의 주관적 경험과 의식이 현실을 인식하고 해석하는 과정을 중심으로 합니다. 의식장은 개인의 의식 뿐만 아니라, 그 의식이 속한 넓은 맥락과 상호작용을 포함하는 개념으로, 의식이 개인적이고 주관적인 경험을 넘어서서 공동체와 문화, 그리고 인류 전체의 인식과 경험에 기여한다는 관점을 제공합니다.

의식과 인류 공동의 의식장을 탐구하며, 이 과정에서 개인의 의식과 전체 의식장 사이의 연결을 개인용 PC와 공동 인터넷 망인 사이버세계에 비유하여 이해하게 되었습니다. 이 비유를 통해 의식의 개별적이고 주관적인 경험이 어떻게 더 넓은 맥락과 상호작용하며, 전체 의식장에 기여하는지에 대해 더 깊이 사유하게 되었습니다.

의식장은 단순히 개별적인 의식들의 집합이 아니라, 그 의식들이 상호작용하고 서로를 영향을 미치며 공동으로 창조하는 무언가가 됩니다. 마치 개인용 PC가 각자 독립적으로 작동하면서도 인터넷이라는 거대한 네트워크를 통해 정보를 공유하고 상호 작용하는 것과 같습니다. 이러한 비유는 의식과 의식장의 관계를 이해하는 데 도움이 됩니다.

개인의 의식은 주관적 경험과 현실을 인식하고 해석하는 과정의 중심에 있습니다. 이러한 개인적인 경험은 우리가 세계를 어떻게 인식하고 반응하는지를 결정합니다. 하지만 우리의 의식은 고립되어 있지 않습니다. 우리는 의식장이라는 넓은 맥락 속에서 살아가며, 우리의 생각과 감정, 지식은 이 의식장과 상호작용하며 공동체와 문화, 인류 전체의 인식과 경험에 기여합니다.

이 의식장은 개인의 의식이 공동체와 문화, 인류 전체와 어떻게 상호작용하는지를 설명하는 데 중요한 개념입니다. 우리는 이 공동의 의식장을 통해 서로를 이해하고, 공감하며, 새로운 아이디어와 가치를 공유합니다. 이는 인류가 직면한 문제들에 대한 해결책을 모색하고, 우리의 공동 목표와 꿈을 실현하는 데 중요한 역할을 합니다.

의식과 의식장의 관계는 우리가 현실을 어떻게 인식하고 해석하는지, 그리고 우리가 어떻게 서로와 연결되어 있는지에 대한 깊은 이해를 제공합니다. 개인의 의식과 인류 공동의 의식장 사이의 이러한 상호작용은 우리가 속한 세계와 우주에 대한 우리의 이해와 관계를 형성하는 데 핵심적인 역할을 합니다.

의식과 생명

의식장으로 읽히는 세상과 양자역학, 상대성이론, 그리고 뇌과학이 제시하는 결과들은 의식과 생명에 대한 우리의 이해를 근본적으로 확장시키고 있습니다. 이러한 과학적 발견들은 물질적 세계와 의식 사이의 복잡하고도 깊은 관계를 드러내며, 전통적인 물질중심의 세계관에 도전하고 있습니다.

의식이 이끄는 삶에서 물질이 부인된다는 관점은, 의식이 우리의 현실을 형성하고 경험하는 기본적인 수단임을 강조합니다. 이는 인간의 몸조차도 의식의 표현이자 도구로 볼 수 있음을 시사합니다. 의식장과 생명 사이의 관계를 탐구하는 것은, 생명이 단순히 생물학적 과정의 결과가 아니라, 의식의 깊은 차원과 연결되어 있음을 인식하는 과정입니다.

몸이 부인되는 상태에서 죽음의 의미에 대한 질문은, 죽음을 물리적 몸의 종말로만 보지 않고, 의식의 여정과 변화의 한 단계로 이해할 수 있는 가능성을 열어줍니다. 죽음을 통해 의식이 다른 형태나 차원으로 전환될 수 있음을 고려하면, 죽음은 종말이 아니라 새로운 시작이나 변화의 과정으로 볼 수 있습니다.

양자역학에서는 관찰자의 의식이 현실을 형성하는 데 중요한 역할을 한다고 보며, 상대성이론은 시간과 공간의 상대적인 개념을 제시합니다. 뇌과학은 의식이 어떻게 뇌의 활동과 연결되어 있는지를 탐구하고 있습니다. 이러한 과학적 탐구들은 의식과 물질, 생명과 죽음 사이의 경계가 전통적으로 생각했던 것보다 훨씬 더 유동적이고 상호 연결되어 있음을 시사합니다.

이제까지 과학, 철학, 뇌과학을 통해 물질성이 부인되고 의식이 부각되는 현상에 대해 깊이 탐구해 왔습니다. 이러한 사유는 인간의 몸이 의식의 소산임을 가리키며, 이는 죽음을 단순히 육체의 종말로 보는 관점에 근본적인 변화를 예고합니다. 더 나아가 생명의 개념 역시 의식장을 통해 재해석될 필요가 있음을 시사합니다.

생명과 죽음의 이해는 동양 철학의 양의식과 음의식, 그리고 성서의 성령과 악령이라는 개념을 통해 더욱 세분화될 수 있습니다. 이는 의식장론에서 얻은 정보를 통해 삶과 죽음을 단순히 개념적 차원에서 이해할 수 있음을 나타냅니다. 즉, 우리는 삶과 죽음을 의식의 관점에서 재정의할 수 있습니다.

그럼에도 불구하고 우리는 왜 죽음을 인생의 최대 고민거리로 여기는가에 대한 의문이 듭니다. 이는 의식이 꿈과 같이 현실과 분리될 수 있다는 사실을 고려할 때 더욱 깊은 사유를 요구합니다. 꿈에서의 죽음이 실제 죽음이 아니듯, 우리의 의식에서 경험하는 죽음 역시 실체가 아닌 것일 수 있습니다.

양자역학은 관찰자의 의식이 현실을 형성하는 데 중요한 역할을 한다고 보며, 상대성이론은 시간과 공간이 상대적임을 제시합니다. 뇌과학은 의식이 어떻게 뇌의 활동과 연결되어 있는지를 탐구합니다. 이러한 과학적 탐구는 의식과 물질, 생명과 죽음 사이의 경계가 우리가 전통적으로 생각했던 것보다 훨씬 더 유동적이고 상호 연결되어 있음을 시사합니다.

이러한 탐구를 통해, 의식장과 생명의 관계, 그리고 죽음의 의미에 대한 새로운 이해와 통찰을 얻었습니다. 이는 우리가 우리 자신과 우리가 속한 세계를 바라보는 방식에 근본적인 변화를 가져올 수 있으며, 삶과 죽음, 의식과 물질 사이의 관계에 대한 더 깊은 인식을 가능하게 합니다. 결론적으로, 이러한 깊은 사유는 우리가 삶과 존재에 대해 가지고 있는 근본적인 질문들에 대한 보다 명확한 답을 찾는 길을 열어줍니다.

따라서, 의식장과 생명의 관계, 그리고 죽음의 의미에 대한 탐구는 우리가 삶과 존재에 대해 가지고 있는 근본적인 질문들에 대한 새로운 이해와 통찰을 제공할 수 있습니다. 이러한 이해는 우리가 우리 자신과 우리가 속한 세계를 바라보는 방식을 근본적으로 변화시킬 수 있으며, 삶과 죽음, 의식과 물질 사이의 관계에 대한 보다 깊은 인식을 가능하게 합니다.

과학의 역사를 되돌아보며, 우주와 인간의 비밀을 탐구해온 위대한 과학자들의 업적에 경의를 표합니다. 코페르니쿠스와 갈릴레오, 뉴턴, 아인슈타인, 닐스 보어, 슈뢰딩거, 하이젠베르크와 같은 과학자들은 그들의 시대를 뛰어넘는 호기심과 용기로 새로운 진리를 발견함으로써 인류의 이해를 근본적으로 변화시켰습니다. 그들이 없었다면, 우리는 여전히 지구 중심의 우주관을 가지고, 고정된 실체에 대한 이해에 머물렀을 것입니다.

이제 나는 그들처럼, "사람은 한 번 나면 반드시 죽는다"는 편견과 고정관념을 깨뜨리고자 합니다. 나는 죽음을 다른 관점에서 바라보며, 그것이 우리가 이해하고 있는 것 이상의 의미를 가질 수 있음을 탐구하고 싶습니다. 보이는 것만이 실제가 아니며, 지금 우리가 경험하는 현상은 영원한 것이 아니라는 사실을 인식하는 것은, 우리가 삶과 존재, 의식에 대해 가지고 있는 근본적인 질문들에 대한 새로운 답을 찾는 데 중요한 출발점입니다.

이러한 과학적, 철학적 탐구를 통해, "사람은 한 번 나면 반드시 죽는다"는 고정관념을 넘어서, 삶과 죽음, 의식의 깊은 이해로 나아가고 싶습니다. 이러한 탐구가 우리가 삶과 존재, 의식과 물질 사이의 관계를 보다 깊이 이해하는 데 도움을 줄 것이라고 믿습니다. 이는 우리가 우리 자신과 우리가 속한 세계를 바라보는 방식을 근본적으로 변화시킬 수 있으며, 우리 모두에게 새로운 시각과 통찰을 제공할 것입니다.

인간의 삶과 죽음에 대해, 헤겔의 절대지, 불교와 기독교의 궁극적 목적지를 통한 심오한 통찰을 추구하며, 이는 의식과 의식장의 깊은 이해로 이어지고 인류의 궁극적 의미를 탐색하는 경로를 제시합니다. 과학적 발견들이 인류에게 중요한 기여를 함에 따라, 이제는 의식의 발전을 통한 인류의 행복과 죽음의 문제 해결을 과학의 목표에 포함시킬 필요가 있습니다. 의식이 우주와 인간의 본질이라는 인식 하에, 우리의 사고 방식은 물질적 세계에 대한 이해를 넘어서 의식 중심으로 전환되어야 합니다.

헤겔의 철학에서 절대지는 모든 대립과 모순을 초월한 궁극적 실재와 진리의 상태를 의미합니다. 이는 인간의 이성과 의식이 궁극적인 자각에 도달하는 순간, 즉 모든 것이 하나로 통합되는 순간을 상징합니다. 헤겔의 절대지의 순간은 우리가 삶과 죽음, 의식의 본질에 대해 깊이 사유하고 이해하는 과정에서 중요한 지표가 됩니다.

불교에서는 해탈과 깨달음을 통해 모든 번뇌와 고통에서 벗어나 궁극적인 평화와 자유를 얻는 것을 목적지로 합니다. 이는 인간의 의식이 일체의 구속에서 해방되어 진정한 자기 실현에 이르는 경로를 제시합니다. 불교의 12인연법의 첫째는 무명(無明)입니다. 무명(無明, Avidya)은 무지, 즉 진리에 대한 무지를 의미합니다. 그리고 행(行, Samskara), 식(識, Vijnana), 명색(名色, Nama-rupa), 육처(六處, Sadayatana), 촉(觸, Sparsa), 수(受, Vedana), 애(愛, Trishna), 취

(取, Upadana), 유(有, Bhava), 생(生, Jati) 그리고 마지막으로 노사(老死, Jara-marana)입니다. 노사는 노화와 죽음, 생명 활동의 끝을 의미합니다.

여기서 사람이 늙고 죽는 첫째 이유를 깨달음이 없는 무지로 결정짓고 있습니다. 이는 무지는 노사를 가져오고, 깨달음은 생명을 가져온다는 논리로 전개할 수 있습니다. 12인연법을 통해서도 죽음은 물리적 죽음이기보다 의식과 관련이 있음을 발견할 수 있습니다. 그리고 깨닫게 되면 죽음은 없다는 것을 시사하고 있습니다.

기독교에서는 인간이 신과의 재연결을 통해 영원한 생명을 얻는 것을 목적지로 합니다. 이는 죽음을 넘어서는 영원한 삶의 가능성과, 신과의 깊은 관계 속에서 인간 존재의 궁극적 의미를 찾는 과정을 강조합니다.

이 책의 바탕은 의식과 의식장으로 이루어진 세계에 대한 이야기입니다. 의식이 만물의 근원이라고 할 만큼 의식은 모든 것을 아우릅니다. 생명도 죽음도 의식의 범주 안에 있습니다. 의식의 특징은 비물질, 비육체를 지향합니다. 물질과 육체가 의식의 소산물이라면 육체의 죽음은 의식적 개념에 속한다고 할 수 있습니다. 생명 역시 개념적 생명이라고 할 수 있습니다. 그러니 삶도 죽음도 개념적임을 의미합니다. 개념은 사건과 스토리를 만들 수 있습니다.

소설가나 극작가들은 개념으로 스토리를 만듭니다. 희극도 비극도 작가의 마음이며 그들의 사상과 철학에 따라 작품을 만듭니다. 의식장을 가동하는 프로그래머는 둘입니다. 원의식자와 가의식자입니다. 원의식자는 진짜이고, 가의식자는 가짜입니다. 릴리젼

(RELIGION)은 재결합입니다. 재결합은 한번 결합된 상태에서 해체되었을 때, 사용할 수 있는 말입니다. 여기서 결합에 대한 당사자는 원의식자와 사람입니다. 릴리젼(RELIGION)은 사람과 원의식자가 다시 재결합할 것을 나타냅니다. 재결합하기 전에는 가의식과 결합되어 있음을 알 수 있습니다. 가의식자의 사상이 죽음이라는 분석은 종교 경전의 깨달음의 결과입니다. 생령은 생명의 사상을 가졌고, 사령은 죽음의 사상을 가졌습니다. 현대의 모든 사람이 죽는 이유는 가의식의 사상으로 말미암는다고 할 수 있습니다. 종교의 목적은 릴리젼(RELIGION)이며, 이는 거듭남을 의미합니다. 따라서 사람이 사령에서 생령으로 거듭나게 되면 죽음을 넘어 생명을 찾게 됩니다. 성서에서 영생이란 의미는 이런 논리에서 가능해집니다. 따라서 영생 역시 의식의 전환으로 이루어진다는 논리를 발견할 수 있습니다.

이러한 다양한 철학 및 종교적 관점은 우리가 인간의 삶과 죽음에 대해 가지고 있는 근본적인 질문들에 대한 보다 깊은 이해와 통찰을 제공합니다. 인간의 삶과 죽음, 의식의 깊은 본질에 대한 탐구는, 이러한 궁극적인 목적지들과의 마주침을 통해 실현될 수 있음을 인식하는 것은 우리 모두에게 중요한 사유의 여정입니다. 이 힌트를 통해, 우리가 삶과 존재에 대한 깊은 사유와 탐구를 계속해 나가야 함을 강조하고자 합니다.

의식장과 게놈프로젝트에서 얻은 영원한 인간 생명의 가능성

2003년과 2011년 인간 게놈 연구를 통해 얻어진 발견 중 하나는,

인간의 말단세포에서 발견되는 텔로미어와 그 길이를 유지하고 복구하는 효소인 텔로머라제에 관한 것입니다. 텔로미어는 염색체의 끝을 보호하는 DNA의 반복적인 염기서열로, 세포 분열 시마다 조금씩 짧아지며, 이는 세포의 노화와 직결됩니다. 텔로머라제는 텔로미어의 길이를 복구하고 유지하는 역할을 하며, 이 효소의 활성화는 세포의 노화 과정을 늦추거나 역전시킬 수 있는 잠재력을 가지고 있습니다. 이러한 과학적 발견은 인간의 생명 연장 및 불사에 대한 꿈을 과학적으로 탐구할 수 있는 기반을 마련했습니다.

코페르니쿠스적 전회와 같은 과학적 혁명은 역사를 통해 불가능해 보였던 것들을 가능하게 만들어왔습니다. 천동설에서 지동설로의 패러다임 전환, 고전물리학에서 상대성이론과 양자역학으로의 이동은 인류가 우주를 이해하는 방식을 근본적으로 바꾸었습니다. 마찬가지로, 인간 게놈 연구와 텔로미어 및 텔로머라제 연구는 인간의 생명과 노화에 대한 이해를 근본적으로 바꿀 수 있는 잠재력을 가지고 있습니다.

이제 인간 생명의 불사와 영생에 도전하는 것은 과학적 탐구의 새로운 지평을 여는 일입니다. 죽음과 아픔을 없애는 것은 인류가 추구할 수 있는 가장 중요한 목표 중 하나가 될 수 있으며, 이를 위한 과학적 연구와 기술의 발전은 우리에게 새로운 가능성을 제시합니다.

인간의 불사생명의 가능성을 탐구하는 것은 단순히 생명 연장을 넘어서, 질병의 예방과 치료, 삶의 질의 향상, 그리고 인간 존재에 대한 근본적인 질문에 대한 답을 찾는 과정입니다. 이러한 과정은 과학, 철학, 종교가 서로 대화하고 협력하는 새로운 기회를 제공할 수 있으며, 인류가 자신의 한계를 넘어설 수 있는 가능성을 탐색하는 데 중요한 역할을 할 것입니다.

과학, 철학, 그리고 종교가 서로 교류하고 합력하여 새로운 지평을 열어가는 과정은 인류의 지식과 이해를 근본적으로 확장시키는 열쇠입니다. 과학적 발견과 기술적 진보가 인간 생명의 불사와 영생에 대한 가능성을 탐구하는 데 중요한 역할을 하고 있다면, 이제 철학과 종교도 이 대화에 참여하여 그 의미와 영향을 심층적으로 탐구할 시기입니다.

아인슈타인과 예수의 예는, 편견과 고정관념을 넘어서는 개방적인 사고와 수용적인 태도가 얼마나 중요한지를 보여줍니다. 아인슈타인은 과학적 발견을 통해 우리가 우주를 이해하는 방식을 근본적으로 변화시켰으며, 예수는 영적 교훈과 행동을 통해 인간의 삶과 존재에 대한 깊은 질문을 제기했습니다. 이들의 교훈은 철학과 종교가 불사영생에 대한 탐구에 접근하는 방식에도 적용될 수 있습니다.

철학은 존재, 지식, 가치에 대한 근본적인 질문을 다루며, 이러한 질문은 불사와 영생의 개념을 탐구하는 데 중요한 통찰을 제공할 수 있습니다. 종교는 인간 존재의 깊은 의미와 목적, 그리고 신성과의 관계를 탐색하는 데 중심적인 역할을 합니다. 이 두 분야가 과학적 탐구와 함께 불사영생의 가능성에 대해 깊이 있게 대화하고, 그 의미와 영향을 탐구한다면, 우리는 삶과 존재에 대한 보다 깊은 이해에 도달할 수 있을 것입니다.

이러한 합력의 과정에서 중요한 것은 편견과 고정관념을 버리고, 모든 가능성에 대해 열린 마음으로 접근하는 것입니다. 불사영생에 대한 진리가 세상에 소통되도록 누구에게나 문을 열어두는 태도는, 우리가 직면한 도전과 고난을 극복하고, 인간 존재의 깊은 의미를 탐구하는 데 중요한 기여를 할 수 있습니다. 이러한 태도는 과학, 철학, 종교가 서로 협력하고 상호 작용하는 과정을 통해, 우리 모두에게 새로운 통찰과 깨달음을 제공할 것입니다.

게놈 연구와 의식에 대한 탐구는 우리에게 물질과 육체를 넘어서는 존재의 심오한 이해를 제공합니다. 인간 게놈의 연구가 불사의 비전을 확인시켜 주듯, 의식에 대한 심층적인 이해는 우리가 우리 자신과 우리가 속한 세계를 바라보는 방식을 근본적으로 변화시킬 수 있습니다. 육체를 의식의 한 표현으로 이해한다면, 우리는 삶과 존재, 노화와 죽음에 대한 전통적인 관념을 넘어설 수 있습니다.

의식을 탐구하고 이해하는 과정은 불사영생에 대한 탐구와 밀접하게 연결됩니다. 과학이 우리에게 세계를 이해하는 새로운 방법과 수단을 제공한 것처럼, 의식에 대한 깊은 이해는 우리가 삶과 죽음, 존재의 본질에 대해 가지고 있는 개념을 재정립하는 데 도움을 줄 수 있습니다. 이는 우리가 물리적 세계를 넘어서는 심오한 진리와 연결될 수 있는 길을 열어줄 것입니다.

불사영생에 대한 연구와 탐구는 단지 과학적 연구의 한 분야로 국한되지 않습니다. 이는 철학, 종교, 과학이 상호 작용하고 서로를 보완하며 진행되어야 할 다면적인 탐구입니다. 이러한 탐구는 우리에게 새로운 지식과 기술을 제공할 뿐만 아니라, 우리가 우리 자신과 우리가 속한 세계에 대해 가지고 있는 근본적인 이해와 가치를 변화시킬 수 있습니다.

따라서, 의식의 탐구와 그에 대한 이해를 깊게 하는 것은 인류에게 매우 중요한 과제입니다. 이 과정을 통해 우리는 물질과 육체를 넘어서는 존재의 더 깊은 차원을 탐색할 수 있으며, 이는 결국 우리 삶의 방식과 우리가 추구하는 목표에 근본적인 영향을 미칠 것입니다. 의식에 대한 이해의 확장은 불사영생에 대한 우리의 탐구를 새로운 차원으로 이끌며, 이는 과학적 성취 뿐만 아니라 인간의 영적 성장과 발전에 있어서도 중요한 이정표가 될 것입니다.

싯다르타는 깨달음을 통해 생로병사의 굴레에서 벗어나는 길을 제시했습니다. 그는 모든 존재는 끊임없이 변화하고, 고통의 근본 원인을 이해하고 극복함으로써 해탈을 얻을 수 있다고 가르쳤습니다. 예수는 사랑과 용서의 메시지를 통해 인간이 신과 영원한 관계를 맺을 수 있음을 강조했으며, 영생의 약속을 전했습니다.

이 두 성인의 가르침은 생로병사를 초월한 삶의 가능성을 인류에게 제시합니다. 그들은 물리적인 죽음을 넘어서는 영적인 삶과 영생의 가치를 강조함으로써, 인간 존재의 본질이 단순히 육체적인 생명에 국한되지 않음을 일깨웁니다.

우리 대부분은 죽음을 인생의 필연적인 종말로 인식합니다. 이러한 관점은 물질적이고 육체적인 존재에 대한 우리의 이해에 기반을 두고 있습니다. 그러나 싯다르타와 예수의 가르침은 죽음을 다른 관점에서 바라볼 것을 요구합니다. 그들은 죽음을 영적 여정의 한 부분으로 보고, 우리의 영적 실체는 육체적 죽음을 초월한다고 가르칩니다.

따라서, 싯다르타와 예수의 말이 진리인지를 묻는 것은, 우리가 삶과 죽음, 육체와 영혼에 대해 어떻게 이해하고 있는지에 대한 질문으로 귀결됩니다. 그들의 가르침은 우리에게 물리적인 존재를 넘어서는 깊은 영적 차원의 존재와 연결될 수 있는 길을 제시합니다. 이러한 깨달음과 영적인 실천은 우리가 삶과 죽음에 대해 가지고 있는 통념을 넘어서는 이해를 가능하게 하며, 궁극적으로는 영생에 대한 희망과 가능성을 열어줍니다.

우리가 성인의 수준에 이르지 못했다 할지라도, 그들의 가르침에서 영감을 받고 그 의미를 탐구하는 과정 자체가 우리의 영적 성장과 깊은 이해를 위한 중요한 단계가 될 수 있습니다. 이는 우리 각자의 영적 여정에서 중요한 지표가 되며, 삶과 죽음을 이해하는 새로운 차원을 열어줄 수 있습니다.

경전과 성인들의 가르침에 대한 깊이 있는 해석은 우리에게 삶과 죽음, 그리고 영생에 대한 더 넓은 시각을 제공합니다. 예수와 싯다르타의 가르침은 많은 사람들이 일반적으로 이해하고 있는 것과는 다른, 더 깊은 의미를 내포하고 있습니다.

예수의 가르침에서 "나를 믿는 자는 죽어도 살겠고, 무릇 살아서 나를 믿는 자는 영원히 죽지 아니하리라"는 말씀은, 신앙을 통해 영적인 삶과 죽음을 넘어서는 영생을 경험할 수 있음을 시사합니다. 이는 물리적 죽음이 영혼의 종말을 의미하지 않으며, 진정한 믿음을 통해 영원한 삶을 얻을 수 있음을 가르칩니다.

예수의 가르침과 현대 과학의 발견 사이에 연결고리를 찾는 시도는, 영적인 진리와 과학적 이해 사이의 대화를 모색하는 중요한 접근입니다. 예수가 말씀하신 "나를 믿는 자는 죽어도 살겠고, 무릇 살아서 나를 믿는 자는 영원히 죽지 아니하리라"는 구절은, 영적인 차원에서의 영생을 가능하게 하는 신앙의 힘을 강조합니다. 이는 삶과 죽음을 넘어서는 믿음의 힘과 영적인 존재의 영원성에 대한 근본적인 가르침을 담고 있습니다.

여기서 "살아서 영생할 수 있다"는 말은, 영생이 단지 물리적 죽음 이후의 현상이 아니라, 현재의 삶 속에서도 경험될 수 있는 영적인 상태임을 시사합니다. 이는 메시야의 도래와 그의 가르침을 통해 이루어질 수 있는 영적인 변화와 깨달음을 가리키며, 믿음을 통한 영적 성장과 변화의 가능성을 열어줍니다.

최근 양자역학, 상대성이론, 뇌과학과 같은 과학 분야의 진보는 우리가 물질과 의식을 바라보는 관점을 근본적으로 변화시켰습니다. 이러한 발전은 신체와 물질이 실제로 의식으로부터 비롯될 수 있다는 가능성을 제시하며, 의식이 우리가 경험하는 현실의 인식과 구성에 결정적인 역할을 한다는 사실을 드러냅니다. 이런 측면에서 보면, 메시야의 교훈, 의식 변화, 그리고 궁극적인 원의식자와의 다시 연결되는 과정은 영적 깨우침과 과학적 통찰이 상호 보완적인 관계에 있다고 해석될 수 있습니다.

이러한 해석은 영적인 영역과 과학적 이해 사이의 교류를 통해, 우리가 살고 있는 현실과 우리 자신의 본질에 대한 더 깊은 이해를 모색하고, 영적인 성장과 자각을 추구하는 과정에서 중요한 의미를 갖습니다. 이 과정은 우리가 영적인 차원에서 영생을 경험하고, 우리의 의식을 더 높은 차원으로 발전시키는 데 기여할 수 있는 길을 제시합니다.

과학의 발전은 우리에게 불가능해 보였던 많은 것들이 실제로 가능함을 보여주었습니다. 마찬가지로, 이 책은 죽음과 영생에 대한 우리의 이해도 과학적 탐구와 철학적 사유를 통해 근본적으로 변화할 수 있음을 제안합니다. 영생으로의 여정은 단순히 육체적 존재의 무한 연장을 의미하는 것이 아니라, 의식의 깊이와 영적인 깨달음을 통해 진정한 삶의 의미와 목적을 발견하는 과정을 가리킵니다.

18. 의식과 산 종교 산 철학

싯다르타의 깨달음과 가르침은 우리 내면에 있는 불성을 깨닫고 고통의 근원을 이해하여 해탈을 경험할 수 있다는 영적 상태를 강조합니다. 불교의 여러 교설 중, 모든 중생이 불성을 가지며 모든 것이 공함을 주장하는 반야사상은 핵심적입니다. 그러나 현대 불교가 이러한 교설에만 머물러 있다는 비판도 있습니다. 싯다르타가 제시한 교설은 더욱 근본적이며, 변화를 강조합니다. 중요한 것은 불성의 존재 자체가 아니라, 그 불성을 깨달아 성불을 이루는 목적이 핵심이라는 점입니다.

이 점을 생각하면 불성의 개념은 우리 모두가 가지고 있는 내적 가능성을 의미하며, 이를 깨달아 내면을 개혁함으로써 우리는 고통에서 벗어날 수 있습니다. 그러니 불성 자체가 목적이 아니라, 그것을 인식하고 성불을 실현함으로써 이루어지는 변화가 진정한 목적이라는 것이 싯다르타의 가르침입니다.

근원을 알고 보면 기독교와 불교 모두 궁극적으로는 동일한 목적을 추구한다고 할 수 있습니다. 신약성서에는 "알파와 오메가"라는 말이 몇 번에 걸쳐 나옵니다. 알파는 시작이며, 시작은 원인 된 사유를 포함하고 있고, 그 원인으로 말미암은 것을 해결하기 위한 예언으로 연결됩니다. 성서 66권을 볼 때, 창세기는 알파에 해당할 수 있으며, 창세기에는 성서의 목적이 되는 원인적인 내용이 기록되어 있습니다. 즉 하느님의 형상으로 창조된 첫 사람이 뱀에게 미혹되어 선악과를 먹고 생령에서 다른 영으로 변질되었다는 내용입니다. 성서는 단적으로 말하면 이 원인으로 말미암았고, 이 원인을 해결하면 끝이라고 할 수 있습니다. 이 문제의 발생이 알파이고, 이 문세의 해결이 오메가입니다.

이 문제는 영혼의 변질이고, 변질된 이유는 원의식자와의 단절이고, 이 단절은 인간 의식의 변질이었습니다. 그리고 의식의 변질은 인간 세계의 육화(肉化)와 물질화입니다. 이는 달리 헤겔의 절대지의 단계에서 무지의 단계로 지금의 현단계로의 하락 그것입니다.

이는 사람, 특히 사람의 의식이 처음 창조되었을 때 타고난 것과 변형되었음을 시사합니다. 이것이 성서 66권의 핵심이며 이는 원인이라고 할 수 있습니다. 이 원인으로 말미암아 목적이 필요한 것이고 그 목적의 결과는 죽음이 아니라, 생명을 찾는 일입니다. 오메가는 끝을 의미하며, 원인으로 생긴 변질된 의식의 회복에 대한 예언 성취가 되며 예언이 성취되면 원인으로 발생한 문제가 해결되며, 그 내용이 66권 끝 권인 요한계시록의 내용이고, 따라서 요한계시록은 오메가에 해당한다고 할 수 있습니다.

기독교의 "알파와 오메가" 개념은 인류의 타락과 구원이라는 큰 틀에서 인간 의식의 변화를 설명합니다. 첫 사람의 타락으로 인해 변질된 의식은 예언의 성취를 통해 회복될 것입니다. 요한계시록에서 그려지는 오메가는 이러한 회복의 절정을 나타내며, 성경 전체의 서사 구조를 완성합니다.

결국, 기독교와 불교는 모두 인간 의식의 변화를 중심으로 하고 있으며, 불교는 불성을 깨닫고 해탈을 이루는 과정을, 기독교는 타락한 인간 의식을 회복하여 신과의 원래 관계를 회복하는 과정을 강조합니다. 이 둘은 인간 내면의 변화를 통해 궁극적인 목표에 도달하려는 점에서 공통점을 가집니다.

따라서, 불성의 깨달음과 예언의 성취 모두 인간 의식의 심오한 변화를 통해 이루어지는 것이며, 이를 통해 우리는 우리의 본질적 존재를 다시 발견할 수 있습니다. 이 과정을 통해 우리는 단순히 외부 세계를 이해하는 것이 아니라, 우리의 내면 세계와 그 깊이를 깨닫게 됩니다.

기독교의 목적은 구원이며, 구원받아야 하는 이유는 뱀[악령]의 미혹으로 사람의 의식이 생령[성령]에서 사령[악령, 마귀, 사단, 육체]으로 전락되었기 때문입니다. 사령은 악령으로, 이 악한 영이 우리의 의식을 지배하며 사람을 죽게 합니다. 구원이란 우리의 영이 악한 영으로부터 구출되는 것을 의미합니다. 그러면 그 구원은 언제 완성되느냐는 것입니다. 그 구원의 때는 오메가 때이며, 이 오메가 때에 구원해준다는 예언을 성취해야 비로소 구원이 이루어지는 것입니다. 그 구원의 내용을 다루고 있는 곳이 요한계시록이고, 특히 요한계시록 12장 10절의 예언이 이루어져야 구원이 실제로 진행되는 것입니다.

"내가 또 들으니 하늘에 큰 음성이 있어 가로되 이제 우리 하

나님의 구원과 능력과 나라와 또 그의 그리스도의 권세가 이루었으니 우리 형제들을 참소하던 자 곧 우리 하나님 앞에서 밤낮 참소하던 자가 쫓겨 났고(계12:10)"

여기서 이제 구원과 그리스도의 권세가 이루어졌다고 합니다. 이는 이전에는 구원이 이루어지지 않았다는 것을 직시하고 있습니다. 그리고 형제와 우리를 참소하던 자는 우리의 영혼을 괴롭히던 악령입니다. 그 악령이 우리들의 몸에서 쫓겨 났으니 비로소 구원이 성공리에 시작되는 것입니다.

기록처럼 구원의 결과는 말로 하는 것이 아니라, 실질적으로 모든 사람들이 인정할 수 있는 형태로 증명되어야 합니다. 그 증거 중 하나가 바로 사람의 의식이 절대지[절대적 지혜]로 승화하고, 죽음이 없어지는 것입니다. 이는 인간 의식의 변화를 통해 구원이 완성되는 과정을 보여줍니다.

결국, 구원이란 악한 영으로부터 벗어나 참된 의식의 상태로 돌아가는 것을 의미합니다. 이는 기독교의 핵심적인 목적이자, 요한계시록에서 다루는 중요한 주제입니다. 의식의 변화와 승화가 이루어지면, 우리는 더 이상 죽음의 지배를 받지 않게 되며, 참된 생명을 얻게 됩니다. 이처럼 구원은 단순한 믿음의 선언이 아니라, 실제적이고 변화를 통한 과정임을 이해할 수 있습니다.

그러나 많은 신앙인들이 이런 증거도 없이 이미 "구원을 받았다"고 착각하며 진짜 구원을 찾으려 하지 않고 안주하고 있습니다. 이러한 종교는 살아있는 종교라고 말할 수 없으며, 죽은 신앙이며, 진짜 신앙이라고도 할 수 없습니다. 이는 마라톤에서 42.195km를 다 달리지 않고, 중간에서 1등 했다고 자랑하는 것과 같습니다. 그래서 종교는 원의식자와의 재연결을 향해 나아가는 '산 종교'의 길을 모색해야 합니다. 이는 우리가 목적지를 향해 적극적으로 항해하며 영적 성장을 추구하는 과정이 될 것입니다.

사실 우리는 창세기부터 6천 년의 시대를 보내며 살아가고 있지만, 처음 창세기에서 타고난 생령의 상태에서 선악과를 먹고 악령[육체]으로 변한 이후로는 근본적으로 개선된 것이 없습니다. 참된 구원을 받았다면 우리는 창세기 이전의 생령 상태를 회복해야 하며, 죽음이 우리에게서 사라져야 합니다. 그러나 이 세상은 여전히 전쟁과 죄악이 가득합니다. 이런 세계가 구원받았다면 성서에 기록된 것들은 다 거짓말이 되고 맙니다.

참된 구원은 단순히 믿음이나 신앙을 통해 얻어지는 것이 아닙니다. 그것은 우리의 내적 변화를 통해서, 그리고 우리 삶의 실질적인 변화를 통해서 증명되어야 합니다. 참구원을 받았다면 우리는 더 이상 죄와 죽음의 지배를 받지 않아야 하며, 창세기 이전의 상태인 생령의 상태로 돌아가야 합니다. 하지만 현재의 세계는 여전히 고통과 혼란 속에 있으며, 이는 우리가 참된 구원에 도달하지 못했음을 나타냅니다.

이런 맥락에서 우리는 진정한 구원을 향해 나아가야 하며, 이는 단순한 믿음의 고백을 넘어서서 실제적인 삶의 변화를 요구합니다. 우리의 의식이 진정으로 변화되고, 우리가 생령의 상태를 회복하여 죽음을 극복할 때 비로소 참된 구원에 이를 수 있을 것입니다. 그렇다면, 성서에 기록된 구원의 약속은 우리에게 여전히 이루어지지 않은 상태로 남아있는 것입니다.

우리는 이 현실을 직시하고, 진정한 구원을 향한 여정에 나서야 합니다. 이는 우리의 영적 성장과 변화, 그리고 삶의 근본적인 변혁을 통해 이루어질 것입니다. 이 과정에서 우리는 창세기 이전의 상태를 회복하고, 참된 구원을 이루어야 할 것입니다.

산 종교는 단순히 믿음에 안주하지 않고, 진정한 구원을 찾기 위해 끊임없이 노력하는 자세를 요구합니다. 이는 우리의 신앙이 단순한 관념에 머무르지 않고, 실제로 우리의 삶 속에서 변화를 일으키는 살아있는 믿음이 되도록 하는 것입니다. 우리는 영적 성장을 통해 원의식자와 재 연결하는 길을 찾아야 하며, 이는 진정한 구원을 향한 지속적인 여정이 될 것입니다. 이 여정은 우리의 의식이 절대지로 승화하고, 죽음의 지배를 벗어나는 궁극적인 목표를 향해 나아가는 과정입니다.

따라서, 신앙인으로서 우리는 현재의 상태에 안주하지 말고, 진정한 구원을 향해 나아가야 합니다. 이는 끊임없는 자기 성찰과 영적 성장을 통해 이루어질 수 있으며, 이를 통해 우리는 진정한 산 종교의 길을 걷게 될 것입니다.

우리의 의식이 가상세계를 구현해낸 것처럼, 영적 차원에서의 천국이나 낙원의 실현도 그런 방식으로 가능하다는 희망을 제시합니다. 원의식자의 약속에 따라, 영적 이상향의 실현 가능성은 크지만, 우리 인간의 의식은 아직 그 가능성을 완전히 실현하지 못하고 있습니다. 천국이나 낙원에 이르는 길은 모두에게 열려 있으나, 실제로 도달하는 이들은 자신의 의식을 확장하고 변화시킨 이들로 한정됩니다.

천국이나 낙원은 우리 육체의 죽음 후에 가는 것이 결코 아닙니다. 이 책에서는 육체와 죽음을 달리 해석하기를 원합니다. 왜냐하면 천국이나 낙원은 우리의 의식이 원의식자와의 재연결을 전제로 하기 때문입니다. 천국과 낙원, 극락이란 것은 우리의 의식이 원의식과 재연결이 되어 우리의 의식의 변화를 통하여 이루어지는 것이기 때문입니다. 천국과 낙원은 결코 물리적인 것이 아닙니다.

천국과 낙원의 개념은 성서를 믿고 따르는 자들이 성서의 기록을 통해 가지게 된 지식이며, 목적지입니다. 그렇다면 천국과 낙원의 지식을 성서에서 찾아 바른 이해를 가져야 할 것입니다. 앞에서 성서의 원인과 목적은 인간 세상에서 발생한 것이지, 인간이 죽은 상태에서 얻은 것이 아닙니다. 첫 사람이 하느님으로부터 생령을 받아 태어난 것도 인간 세상에서이고, 인간이 뱀[악령]에게 미혹되어 선악과를 먹고, 흙[육체]으로 돌아간 것도 인간 세상에서 발생한 것입니다. 그리고 천국과 낙원이 기록된 성서도 인간 세상에 살아있는 사람들에게 주어진 것입니다. 만약에 지금 신앙인들이 한결같이 말하는 천국과 낙원이 죽은 후에 가는 것이라면, 성서도 죽은 후에 죽은 자에게 주어지게 되었을 것입니다.

천국과 낙원은 우리들의 의식이 다시 원의식자와 재 연결이 되는 순간 이루어지는 세계입니다. 이 책에서 철학 과학 종교를 통해서 논의한 결론은 육체와 죽음에 대한 다른 이해입니다. 천국과 낙원은 결코 사후 세계에서 가는 것이 아니며, 천국과 낙원이란 지식의 배경이 된 성서에는 사후 세계에서 천국에 간다는 내용은 결코 없습니다. 천국과 낙원은 우리의 의식이 원의식자와 재 연결이 되고 원의식장과 우리들의 의식이 연합이 되고 연결이 될 때, 펼쳐지는 영적인 새 세계임을 말합니다.

따라서 이는 살아있는 인간 세상에서 천국과 낙원을 만나는 것을 전제로 하고 있습니다. 천국과 낙원은 영적 성장과 의식 진화를 통해 달성할 수 있는 목표로, 개인의 노력과 깨달음이 필요합니다. 이러한 깨달음은 우리가 우리의 내면을 깊이 탐구하고, 원의식자와의 재연결을 추구할 때 비로소 가능해집니다. 이 과정을 통해 우리는 영적 이상향을 향해 나아갈 수 있으며, 이는 궁극적으로 모든 인간이 추구해야 할 길입니다.

이를 위해 우리는 성서의 가르침을 바르게 이해하고, 천국과 낙원이 단순히 죽음 이후의 보상이 아니라, 현재의 삶 속에서 성취할 수 있는 영적 상태임을 깨달아야 합니다. 원의식자와의 재 연결을 통해 우리의 의식을 변화시키고, 그 결과로서 천국과 낙원을 경험하는 것이 성서의 참된 메시지라 할 수 있습니다. 이와 같은 노력과 깨달음이야말로 진정한 신앙의 길이며, 모든 인간이 추구해야 할 궁극적인 목표입니다.

'산 철학'과 '산 종교'는 삶과 죽음, 그리고 영생에 대한 새로운 패러다임을 제시하며, 이를 통해 영적 성장과 의식 변화의 중요성을 강조합니다. 이러한 접근은 인간 존재의 근본적인 목적과 의미를 영생의 관점에서 재조명하고, 노병사, 고통 등 부정적 요소를 넘어서는 영적 및 의식적 진화의 가능성을 모색합니다. 이 과정은 개인적 차원을 넘어 인류 전체의 집단적 의식 변화로 이어지며, 궁극적으로 더 나은 세계를 향한 변화를 촉진합니다. 이 비전은 우리가 물질적 세계의 한계를 넘어 더 깊은 의미와 가치를 추구하도록 도전하며, 내면의 의식 변화를 통해 현실 자체를 변화시키는 근본적인 과정을 강조합니다. 이는 인간 의식의 놀라운 잠재력을 탐구하고, 천국, 낙원, 극락과 같은 이상향을 현실화하는 비전을 담고 있습니다.

인류 역사와 시조와 원의식자의 실존을 바둑에 비유하여 설명하겠습니다. 바둑에서 기사는 한 수 한 수 신중하게 돌을 두며 대국을 진행합니다. 시간이 지나면 그 수들을 기억하기 어려울 수 있지만, 대국을 다시 복원하면 처음부터 끝까지 재현할 수 있습니다. 이는 실제로 일어난 대국이었음을 보여줍니다. 마찬가지로, 인류 역사도 우리가 잊고 기억하지 못할 뿐, 복원할 수 있다면 그 역사는 실제로 존재한 것이 됩니다. 우리가 지금 여기 있다는 사실이 그 역사의 실재를 증명해줍니다.

우리의 부모, 조상, 시조가 고인이 되었지만 실존한 분들이며, 그 시조를 있게 한 원인자가 있다는 것은 명백합니다. 이 책에서는 그 원인자를 원의식자로 명명하였습니다. 만약 그 원의식자를 신, 하느님, 창조주라고 한다면, 우리는 그 원의식자를 찾을 수 있다는 것을 이해할 수 있습니다.

과학자들은 수백 광년 저 너머에 있는 우주도, 보이지 않는 미시세계도 연구하여 많은 결과를 얻었습니다. 이러한 연구는 처음에는 불가능해 보였지만, 시도를 통해 천문학과 미시세계에 대한 깊은 이해를 얻게 되었습니다. 이처럼 철학, 과학, 뇌과학, 종교가 협력하여 원의식자를 찾는다면, 반드시 찾을 수 있을 것입니다. 왜냐하면 원의식자는 분명히 실존하기 때문입니다.

이제 철학, 과학, 종교가 함께 원의식자를 찾는 작업을 시작하기를 요청합니다. 우리가 각 분야의 지식과 통찰을 모아 협력한다면, 궁극적으로 원의식자를 발견할 수 있을 것입니다. 이는 인류의 지혜와 탐구의 여정을 통해 가능하며, 우리가 지금 여기 존재하는 이유와도 깊이 연결되어 있습니다.

지금 그 작업을 이행하는 것이 곧 종교를 이행하는 것이며, 이를 이행하는 것이 철학을 이행하는 일이 될 것입니다. 이제 철학과 종교, 그리고 과학까지도 산 철학, 산 과학, 산 종교가 되기를 기원합니다. 우리의 탐구와 실천이 단순한 이론이나 교리에 머물지 않고, 실제로 우리의 삶 속에서 살아 숨 쉬는 진리로 자리 잡기를 바랍니다. 이를 통해 우리는 더 깊은 이해와 깨달음을 얻고, 인류의 궁극적인 목적지에 한 걸음 더 다가설 수 있을 것입니다.

의식장과 반야경의 공 사상

대승불교의 반야사상은 공(空)의 개념을 중심으로 세계와 인식의 본질을 탐구합니다. 공은 현상 세계의 모든 것이 본질적으로 비어 있으며, 고정된 자아나 본성이 없음을 의미합니다. 이러한 이해는 무명(無明), 즉 어두움 또는 무지에서 비롯된 잘못된 인식과 분별을 극복하고, 진정한 지혜인 반야(般若)를 통해 깨달음에 이르는 길을 제시합니다.

무명은 마음의 어두움이며, 이는 세계가 공으로 이루어져 있음을 깨닫지 못하는 상태를 말합니다. 마음의 이러한 어두움은 분별과 집착으로 가득 차 있으며, 이로 인해 고통과 번뇌가 발생합니다. 반면, 반야지는 깊은 지혜를 의미하며, 이 지혜를 통해 공의 본질을 깨달음으로써 명(明), 즉 밝음과 깨달음의 세계에 이르게 됩니다. 이러한 깨달음은 모든 분별과 집착에서 벗어나 진정한 해탈과 평화를 경험하는 상태를 가능하게 합니다.

공은 현상 세계를 전개시키는 근원으로 이해됩니다. 모든 현상은 상호 의존적이며 조건에 의해 발생하므로, 어떤 것도 독립적으로 고정된 본성을 가지고 있지 않습니다. 이러한 관점에서 볼 때, 공은 세계와 우리 자신을 이해하는 근본적인 방식을 제공합니다. 이는 우리가 경험하는 모든 것이 연기(緣起), 즉 인연과 조건에 의해 생겨나며, 그 본질이 비어 있음을 깨닫는 것을 의미합니다.

반야사상은 따라서 우리가 세계와 자아를 바라보는 방식을 근본적으로 변화시키는 영적 실천과 지혜의 길을 제시합니다. 이를 통해 우리는 진정한 자유와 평화를 얻으며, 삶과 존재의 깊은 의미를 탐구할 수 있습니다. 공의 깨달음은 모든 존재의 상호 연결성과 상호 의존성을 인식하게 하며, 이는 우리가 더욱 연민과 지혜로운 삶을 살도록 이끕니다.

불교에서의 공(空) 개념과 현대 철학, 과학, 뇌과학에서의 관련 개념들을 연결 지어 생각해보면, 실제로 우주와 우리가 경험하는 현상 세계에 대한 깊은 통찰을 얻을 수 있습니다. 공은 단순히 허무나 부재를 의미하는 것이 아니라, 모든 현상이 상호 의존적이며 본질적으로 고정되지 않은 상태를 나타냅니다. 이러한 이해는 공을 철학에서의 물자체[Kant의 논리에서 처럼 접근 불가능한 실체], 과학에서의 파동[양자역학에서 파동 함수로 기술되는 확률적 현상], 그리고 뇌과학에서의 퍼스트 네이처[인식의 근본적 구조]와 연결시킬 수 있습니다.

이러한 연결을 통해 우리는 모든 것이 근본적으로 하나임을 인식할 수 있습니다. 공의 세계는 다시 의식장의 세계로 해석될 수 있으며, 이는 우주와 존재의 근본적인 연결고리를 이해하는 데 중요한 열쇠가 됩니다. 공즉시색(空即是色)의 가르침은 공, 즉 모든 현상의 본질적인 비어 있음이 실제로 현상 세계, 즉 색(色)과 직접적으로 연결되어 있음을 보여줍니다. 이는 공이 파동과 같고, 물자체와 같은 존재라는 관점과 일맥상통합니다. 공으로부터 전개되는 현상 세계는 우리의 오온(五蘊; 색, 수, 상, 행, 식)에 의해 감각되고 인식되며, 이 과정을 통해 우리는 물질 세계를 경험하게 됩니다.

물질은 공에서 색으로 변화하며, 이 색은 우리에게 공간과 물질로 인식되는 과정을 거칩니다. 이 과정에서 중요한 것은 공과 색, 즉 본질과 현상이 분리되지 않으며, 모든 현상은 궁극적으로 하나의 근원에서 비롯된다는 인식입니다. 무명한 중생들은 이러한 깊은 연결을 인식하지 못하며, 현상 세계를 고정된 실체로 오해하게 됩니다.

이러한 깊은 이해는 우리가 세계와 자신을 바라보는 방식을 근본적으로 변화시킬 수 있습니다. 공의 깨달음을 통해 우리는 현상 세계의 상대적인 실재를 넘어서 근본적인 연결과 통합을 이해할 수 있으며, 이는 우리의 삶과 인식에 깊은 영향을 미칠 수 있습니다. 이러한 깨달음은 우리가 세계를 보다 포괄적이고 연결된 관점에서 이해하도록 이끌며, 진정한 평화와 해탈을 추구하는 길을 제시합니다.

의식장과 유식사상

유식학파는 초기 불교의 교리를 발전시켜, 모든 현상이 본질적으로 공(空)하며, 이를 인식하는 심(心), 즉 마음만이 실제로 존재한다는 교리를 세웠습니다. 이는 '일체법무자성(一切法無自性)'이라는 반야경의 교리를 깊이 있게 해석한 것입니다. 유식학파는 모든 현상이 자체적인 본성을 가지고 있지 않다고 보되, 이러한 현상을 인식하는 마음의 작용, 즉 '심'은 존재한다고 봅니다. 이 마음은 전 우주에 유일하게 존재하는 것으로, 우리가 경험하는 모든 것은 마음의 표상, 즉 인식의 대상에 불과하다는 것입니다.

유식학파는 '허망분별'과 '유식'의 개념을 통해, 마음이 어떻게 현상 세계를 구성하는지 설명합니다. '허망분별'은 우리가 일상에서 경험하는 현상 세계를 분별하는 일상적 인식 활동을 말하며, '유식'은 이러한 인식 활동이 실제로는 마음의 작용에 의해 생성된 표상에 지나지 않음을 깨닫는 영적인 인식을 의미합니다.

『해심밀경』의 〈분별유가품〉에서는 유식의 개념이 유가행, 즉 실천적 체험에 근거하여 설명됩니다. 이는 유식이 단지 이론적인 개념에 머무르지 않고, 실제로 우리의 인식 활동과 삶의 실천에 깊이 관련되어 있음을 보여줍니다. 유식학파의 가르침은 우리가 세계를 경험하는 방식을 근본적으로 변화시킬 수 있는 통찰을 제공합니다. 이는 우리가 경험하는 모든 것이 마음의 작용에 의해 생성되며, 따라서 우리의 인식과 마음가짐이 우리의 삶과 세계를 어떻게 인식하고 경험하는지에 결정적인 영향을 미친다는 것을 의미합니다.

따라서, 유식학파의 가르침은 우리에게 마음의 중요성을 강조하며, 마음을 잘 다스리고 깊이 있는 영적 실천을 통해 진정한 깨달음과 해탈에 이를 수 있음을 가르칩니다. 이러한 깨달음은 우리가 현상 세계를 보다 깊게 이해하고, 보다 의미 있는 삶을 살아가는 데 필수적입니다.

의식(意識)과 유식(唯識)의 개념은 불교 철학의 핵심적인 부분을 이루며, 우리가 세계를 어떻게 인식하고 이해하는지에 대한 근본적인 관점을 제공합니다. 여기서 "식(識)"은 지식이나 앎을 의미하며, 이는 인간의 인식 활동과 직결됩니다. 의식에서 '의(意)'는 뜻이나 개념을 나타내므로, 의식은 개념이나 뜻을 통해 형성되는 앎의 과정을 의미합니다.

유식학파에서 "유(唯)"는 '오직', '단지'라는 의미를 가지며, 이는 세계가 오직 의식의 작용에 의해 표출되고 경험되며, 외부에 독립적으로 존재하는 실체는 없다는 관점을 강조합니다. 즉, 유식학파는 우리가 경험하는 모든 현상은 오직 의식의 표상에 지나지 않으며, 실체로서의 의식만이 실제로 존재한다고 주장합니다.

이러한 관점에서 의식은 주관적 입장을 차지하게 되며, 우리가 인식하는 모든 대상은 이 주관적 의식을 통해 구성되고 경험됩니다. 유식학파는 전통적인 객관과 주관의 이분법을 넘어서, 세계와 자연이 외부에 있는 것이 아니라 우리 안에 있는 의식을 통해 인식되고 경험된다는 주장을 합니다. 이는 우리의 인식과 경험이 궁극적으로 우리의 마음과 의식의 상태에 의해 결정되며, 외부 세계의 인식 또한 이러한 내면의 의식 작용에 의존한다는 것을 의미합니다.

유식학파의 이러한 관점은 우리가 세계를 이해하고 접근하는 방식에 근본적인 변화를 제안합니다. 우리의 마음과 의식을 정화하고 바르게 이해함으로써, 우리는 보다 명확하고 진실된 세계의 인식에 이를 수 있으며, 이는 궁극적으로 우리의 영적 성장과 해탈을 위한 길을 열어줍니다. 따라서, 유식학파는 우리가 외부 세계를 변화시키려는 노력보다는 우리의 내면의 의식을 탐구하고 변화시키는 데 더 큰 중점을 두어야 함을 가르칩니다.

불교의 유식사상과 유심론은 우리가 세계를 인식하고 이해하는 방식에 대한 근본적인 접근을 제공합니다. 유식사상에서 마음(心)은 의식(意識)의 작용과 밀접하게 연결되어 있으며, 이는 인간의 의식이 단순히 개별적인 인식 활동에 국한되지 않고, 마음과의 깊은 관련성을 통해 더 넓은 범위로 확장될 수 있음을 의미합니다.

이러한 관점에서, 의식은 마음의 다양한 작용과 상태를 포함하는 광범위한 영역으로 이해됩니다. 유식학파는 이 마음이 현상 세계를 구성하고 인식하는 근본적인 원리로 보며, 이를 통해 우리가 경험하는 모든 것이 마음의 표상에 의해 생성되고, 따라서 마음이 궁극적인 실재라고 주장합니다.

유심론(唯心論)은 "오직 마음 뿐"이라는 개념으로, 이는 유식사상의 핵심을 구성하는 데 중요한 역할을 합니다. 유심론은 우리의 의식과 인식 활동이 외부 세계를 객관적으로 반영하는 것이 아니라, 마음의 작용에 의해 형성된다고 보며, 이는 우리가 세계를 경험하는 모든 방식이 궁극적으로 마음에 의존한다는 것을 의미합니다.

이러한 사상은 의식장이 확실성을 견고히 증거할 수 있게 하며, 우리가 세계와 자아를 이해하는 데 중요한 통찰을 제공합니다. 유식사상과 유심론은 우리 안의 의식이 다른 것들과의 연합을 시도할 수 있는 가능성을 열어주며, 이는 인간의 영적 성장과 깨달음을 추구하는 데 있어 중요한 기초를 마련합니다.

육대 혜능 대사의 이야기는 불교의 깊은 교훈을 담고 있으며, 의식장의 개념과도 밀접한 관련이 있습니다. 이 이야기에서, 두 승려가 흔들리는 깃발을 보고 바람이 움직이는 것인지, 깃발이 움직이는 것인지에 대해 논쟁합니다. 혜능 대사는 이에 대해 "기동(旗動)도 아니고 풍동(風動)도 아니며, 심동(心動)이다"라고 하여, 깃발이나 바람이 움직이는 것이 아니라, 관찰하는 마음, 즉 의식이 움직이는 것임을 가르칩니다.

이 교훈은 의식장과의 연결점에서 깊은 통찰을 제공합니다. 의식장은 개인의 의식뿐만 아니라, 그 의식이 속한 넓은 맥락과 상호작용하는 전체적인 영역을 의미합니다. 혜능 대사의 "심동"은 바로 이 의식장의 움직임, 즉 우리의 인식과 해석이 현상을 경험하는 방식을 결정한다는 사실을 강조합니다.

이러한 관점에서, 외부 세계의 현상들은 그 자체로는 의미가 없으며, 우리의 의식과 그 해석을 통해 의미를 가지게 됩니다. 깃발이 흔들리는 것을 바라보는 행위는 단순한 관찰이 아니라, 관찰자의 의식이 그 현상에 의미를 부여하는 과정입니다. 따라서, 현상의 본질을 이해하는 열쇠는 외부에 있는 것이 아니라, 우리 자신의 의식과 그 작용 방식에 있습니다.

혜능 대사의 가르침은 우리에게 외부 세계를 경험하는 방식이 우리의 내면 상태와 직결되어 있음을 상기시킵니다. 이는 의식장의 개념과 맥을 같이하며, 우리의 의식이 어떻게 외부 세계를 인식하고 반응하는지에 대한 깊은 이해를 제공합니다. 따라서, 우리의 의식을 깊이 탐구하고, 그것을 통해 우리가 경험하는 세계를 변화시키려는 노력은 깊은 영적 성장과 깨달음으로 이어질 수 있습니다. 이는 외부 현상에 대한 우리의 반응과 해석을 넘어서, 우리 내면의 의식과 그 변화에 주목하며, 진정한 깨달음과 영적 성장을 추구하는 과정입니다.

결국, 유식사상과 유심론은 우리가 세계를 바라보는 시각과 우리의 삶을 살아가는 방식에 근본적인 변화를 가져올 수 있는 영적이고 철학적인 토대를 제공합니다. 이는 우리가 세계와 자아에 대한 보다 깊은 이해를 추구하고, 영적인 차원에서의 성장과 발전을 도모하는 데 중요한 역할을 할 것입니다.

의식장과 기독교

의식장과 성서 창세기

창세기에서 언급된 "하느님의 형상으로 만들어진 사람"이라는 개념은 신학과 철학에서 깊이 있는 논의의 대상이 되어왔습니다. 하느님이 영이라고 소개되었을 때, 이는 하느님의 본질이 물리적 형태를 초월한 존재임을 의미합니다. 따라서, 하느님의 형상으로 만들어진 사람이 생령이 되었다고 하는 부분은, 인간이 단순히 물리적 존재에 그치지 않고, 영적인 존재로서의 깊은 차원을 갖는다는 것을 시사합니다.

"생령(生靈)"이라는 용어는 살아있는 영, 즉 생명을 가진 영적인 존재를 의미합니다. 이는 인간이 단지 육체적으로 살아있는 것이 아니라, 영적인 차원에서도 살아있고, 그 영적인 차원이 하느님과의 깊은 연결을 통해 정의될 수 있음을 나타냅니다. 인간이 하느님의 형상으로 창조되었다는 말은 인간에게 부여된 영적인 속성과 가능성, 그리고 하느님과의 영적인 연결성을 강조하는 것으로 해석될 수 있습니다.

릴리전(Religion)이라는 말이 끊어진 상태에서 다시 연결한다는 의미를 내포한다면, 이는 인간과 신성한 존재 사이의 관계를 회복하고 강화하는 종교의 근본적인 역할을 반영합니다. 종교는 인간이 자신의 영적인 본질을 인식하고, 그 본질이 하느님 또는 신성한 존재와 어떻게 연결되는지를 탐구하도록 돕습니다.

'릴리전(Religion)'이라는 단어가 인간과 신성한 존재 사이의 관계를 다시 연결한다는 의미를 내포한다는 관점은, 종교가 인간의 영적 본질을 깨우치고 신성과의 연결을 회복하는 근본적인 역할을 수행한다는 깊은 이해를 제공합니다. 이 관점에서 볼 때, 성경은 연결에서 단절과 회복이라는 주제를 통해 인간과 신성한 존재 사이의 관계 변화를 극적으로 펼쳐 보입니다.

창세기에서는 인간과 신 사이의 원래의 연결이 어떻게 끊어지게 되었는지를 보여주며, 계시록 21장에서는 그 단절이 어떻게 궁극적으로 다시 이어지는지를 보여줌으로써, 성경 전체의 서사가 문제 발생에서부터 문제 해결에 이르는 여정을 담고 있음을 보여줍니다. 이는 인간의 영적 여정이 단순히 개인적 차원에 국한되지 않고, 신성한 존재와의 깊은 관계 속에서 이루어진다는 것을 의미합니다.

현재 우리가 끊어진 상태에서의 의식으로 세상을 인식하고 있다는 인식은, 우리가 경험하는 현실이 완전한 영적 깨달음이나 신성과의 연결을 아직 회복하지 못했음을 나타냅니다. 이는 생령이 아닌 상태, 즉 영적으로 완전히 깨어나지 못한 상태에서 우리의 인식과 경험이 이루어지고 있음을 시사합니다.

이러한 상황에서 종교의 역할은 인간을 영적으로 깨우치고 신성과의 연결을 회복하는 데에 있습니다. 종교는 우리에게 영적인 본질을 탐구하고 신성과의 깊은 관계를 재건하도록 도와, 궁극적으로는 우리가 영적으로 완전한 상태, 즉 생령의 상태로 나아갈 수 있도록 인도합니다. 이 과정에서 우리는 신성과의 연결을 통해 더 깊은 의미와 목적을 발견하게 되며, 이는 우리의 삶과 존재에 근본적인 변화를 가져올 수 있습니다.

따라서, 창조의 내력을 통해 설명된 인간의 본질에 대한 이해는, 우리가 자신의 삶과 존재, 그리고 우리가 속한 우주에 대해 가지고 있는 깊은 질문들에 대한 답을 찾는 데 중요한 역할을 할 수 있습니다. 이러한 이해는 우리에게 영적 성장과 깨달음을 추구할 수 있는 기회를 제공하며, 인간과 신성한 존재 사이의 깊은 연결을 탐구하고 강화하는 데 도움을 줍니다.

하느님을 원의식자로, 하느님의 형상으로 지음 받은 자를 첫 시조로 이해하는 관점은, 종교적 신념과 의식의 영역을 연결하는 깊은 통찰을 제공합니다. 이러한 해석은 우리가 세계와 존재, 삶과 죽음에 대해 가지고 있는 이해를 영적 차원으로 확장시킵니다.

성서에서 하느님은 영으로 묘사되며, 이 영은 창조의 근원이 되는 의식과 상응합니다. 하느님의 말씀으로 사람과 만물이 창조되었다는 개념은, 창조적인 힘과 의미가 단어와 개념을 통해 현실화될 수 있음을 시사합니다. 이는 하느님의 형상으로 지음 받은 생명이 참 생명과 깊이 연결되어 있음을 나타냅니다.

릴리전[RELIGION(종교)]이라는 말이 연결고리가 끊어진 상태에서 다시 연결한다는 의미를 가지듯, 참 생명의 상태와 끊어진 상태 사이의 관계는 종교적 탐구의 핵심을 이룹니다. 참 생명의 상태에서는 영생이 가능했지만, 연결고리가 끊어지면서 한계 수명을 가지는 불완전한 상태로 전환되었습니다. 이러한 분석은 우리가 죽음의 의미를 깊이 있게 탐구하고, 다시 영생으로 이어지는 연결의 필요성을 인식하게 합니다.

종교의 목적은 이 끊어진 연결을 복원하고, 다시 참 생명과 영생의 상태로 돌아가는 길을 제시하는 것입니다. 이 과정은 우리의 영적 성장과 깨달음을 추구하는 여정이 되며, 우리가 진정한 삶의 의미와 목적을 발견하는 데 도움을 줄 수 있습니다.

이러한 해석은 종교와 의식, 영적 탐구가 서로 긴밀하게 연결되어 있음을 보여주며, 우리의 존재와 삶에 깊은 영적 차원을 부여합니다. 이는 우리가 죽음과 삶, 물질적 세계와 영적 세계 사이의 관계를 보다 깊게 이해하고, 우리의 삶을 보다 의미 있고 충만하게 만들어갈 수 있는 기회를 제공합니다.

이러한 해석은 종교적 창조론과 현대 과학, 특히 빅뱅 이론과의 매력적인 접점을 탐색하는 것으로 볼 수 있습니다. 사람이 창조되기 이전의 상태를 빅뱅 이전으로 연결 짓는 것은, 우주의 기원과 인간 존재의 근본적인 의미를 탐구하는 데 있어서 신과 과학의 대화를 가능하게 합니다.

말씀이 모든 창조의 근원으로서, 시간과 공간, 우주 자체가 존재하기 이전의 상태, 즉 공의 상태에서부터 모든 것이 시작되었다는 관점은, 원의식장의 개념과 밀접하게 연결됩니다. 이러한 관점에서, 말씀은 우주와 인간의 창조를 가능하게 하는 근본적인 힘으로 이해됩니다. 시조의 탄생과 함께 참의식이 주어지고, 이 의식을 통해 우주와 인간 존재가 형성되는 과정은 영적 차원에서의 창조 과정을 상징합니다.

원의식장과의 소통을 통해 축적된 경험들이 시조와 후손들의 의식 안에서 발현되는 것은, 인간 존재와 우주의 본질에 대한 깊은 영적 이해를 제공합니다. 모든 현상이 의식 안에서 일어나며, 우주와 만물이 개념적으로 형성되는 이 과정은 인간의 의식과 창조력의 중요성을 강조합니다.

성령과의 연결고리가 끊어지는 것을 불효의 죄로 보는 것은 시조와 연결된 원의식자와의 불화를 의미하고, 이 불화의 내용은 배반이며 이는 언약의 불이행으로 정리됩니다. 이것을 암시하는 것이 곧 선악과 사건입니다. 그러나 보편적으로 선악과의 참의미를 알지 못합니다. 중요한 것은 이것이 원인 되어 생령에서 변화되었다는 것입니다. 이로 인해 모든 사람들이 참 생명을 잃고 물질화, 육화(肉化)된 세계로 전환되는 과정은, 영적인 타락과 멀어짐을 나타냅니다.

성서에서 선악과의 출처를 뱀으로 설정한 것은 은유적으로 표현한 것입니다. 뱀은 사람을 죽이는 독을 가지고 있으며, 뱀이라는 단어에 함유된 은유를 풀이하면, 뱀은 악령을 비유한 것이고, 악령이 첫 사람 아담과 하와에게 준 것이 바로 선악과입니다. 그 선악과를 먹은 결과는 죽음과 흙[육체]으로 돌아가야 하는 숙명이었습니다. 따라서 선악과는 뱀이 사람을 미혹한 수단이며, 그 선악과의 속성은 악령의 거짓말입니다. 이는 구체적으로 하와에게 한 거짓말입니다.

선악과의 속성을 이해하면, 생명나무의 실체를 알 수 있습니다. 첫 사람에게 생령을 준 이는 원의식자인 하느님입니다. 그가 준 것은 생명이었습니다. 그래서 생명나무는 하느님을 상징하는 비유이며, 선악을 알게 하는 나무는 뱀입니다. 따라서 선악나무는 악령을 의미하고, 악령의 입에서 나오는 말은 거짓말입니다. 그 거짓말을 진리라고 속이는 것이 바로 거짓 진리입니다. 그러나 생명나무의 실체는 하느님이고, 하느님의 말씀은 진리입니다. 그 진리가 곧 생명나무 실과로 은유된 것입니다.

따라서 성서는 선악과와 생명나무의 비유를 통해, 진리와 거짓의 근원을 설명합니다. 선악과를 먹음으로써 인간은 거짓에 물들게 되었고, 생명나무 실과는 하느님의 진리를 상징하여 인간에게 생명을 줍니다. 이러한 은유를 통해 성서는 인간이 원의식자와의 재연결을 통해 진리를 깨닫고, 생명을 얻어야 함을 강조합니다. 이는 우리의 영적 성장과 의식 진화를 통해 달성할 수 있는 목표로, 개인의 노력과 깨달음이 필요함을 시사합니다.

이러한 상황은 종교의 필요성을 부각시키며, 인간과 신성한 존재 사이의 연결을 회복하고자 하는 영적인 노력의 중요성을 강조합니다.

이러한 해석은 우리가 우주와 인간 존재의 근본적인 의미와 목적을 탐구하는 데 있어 귀중한 통찰을 제공합니다. 영적 차원에서의 연결과 소통, 창조의 과정을 이해함으로써, 우리는 삶과 존재에 대한 보다 깊은 이해를 추구하고, 영적 성장과 발전을 도모할 수 있습니다.

인류의 의식과 그 역사적 발전을 추적하는 과정은, 80억에 달하는 현대 세계 인구 각자가 지닌 의식의 연결고리를 탐구하는 여정입니다. 이 여정은 단순히 개인적 차원을 넘어서, 인류가 공유하는 깊은 영적 유산과 연결됩니다. 이러한 접근은, 성서와 기독교의 복잡하고 추상적인 개념들을 포괄하는 의식장의 관점에서 이해하려는 시도입니다. 이는 우리가 성서의 깊은 가르침을 보다 넓은 관점에서 해석하고, 이를 통해 다양한 문화와 종교 전통에 걸쳐 보편적인 호응을 찾아내려는 목적을 가집니다.

성서에서 언급된 창조 이야기는, 사람이 창조되기 전, 즉 시간과 공간, 우주 자체가 존재하기 이전의 상태, 곧 모든 것이 '말씀, 로고스'으로만 존재했던 '공'의 상태를 연상시킵니다. 이 공의 상태에서 시작된 창조 과정은 원의식장과의 깊은 연결을 시사합니다. 하느님은 이 원의식장, 즉 창조의 근원으로, 하느님의 형상으로 창조된 인간, 즉 시조는 이 원의식과 연결된 참 생명을 가진 존재로 이해될 수 있습니다.

이러한 관점에서, 모든 인간은 참의식을 부여 받았으며, 이 의식을 통해 인류는 하느님의 말씀과 연결되어 있습니다. 이 연결을 통해,

사람과 만물의 창조는 개념에서 실체로, 의식에서 현실로 발현됩니다. 이 과정에서 인류의 의식은 경험을 축적하며, 이는 인류 역사와 문화의 발전으로 이어집니다.

그러나 이 연결고리가 끊어지면서, 인류는 참 생명에서 멀어지고, 물질적, 육체적 세계로 전환되었습니다. 이러한 영적인 타락은 종교의 필요성을 부각시키며, 다시 참 생명과 연결되기 위한 영적인 노력의 중요성을 강조합니다. 종교의 궁극적인 목적은 인간과 신성한 존재 사이의 끊어진 연결을 복원하고, 영적인 차원에서 참 생명을 회복하는 것입니다.

이러한 탐구를 통해 인류가 공유하는 의식의 깊이와 그 역사적 발전을 이해하고자 합니다. 이 과정에서 성서와 기독교의 가르침을 의식장의 관점에서 해석함으로써, 우리는 인간 존재의 근본적인 의미와 목적을 보다 깊이 탐색할 수 있습니다. 이는 인류가 보다 의미 있는 삶을 추구하고, 영적으로 성장하는 데 필수적인 기반을 제공할 것입니다.

우리 각자의 의식의 기원을 추적하는 과정은 깊이 있는 성찰을 요구합니다. 이 과정은 우리가 단순히 육체적으로 부모로부터 태어난 것을 넘어서, 의식적으로도 선조들로부터 연속된 영적 유산을 이어받았음을 인식하게 합니다. 이러한 관점에서 볼 때, 우리의 의식은 시간을 거슬러 올라가면서 첫 시조에 이르기까지 무수한 세대를 통해 전달되어 온 것입니다. 이 과정은 인류의 실존적 역사일 뿐만 아니라, 영적 역사의 근원을 탐구하는 여정이 됩니다.

이 역사를 통해 우리는 오늘날 지구상에 존재하는 80억 인류가 단순한 물리적 현상을 넘어서는 영적 연결고리를 공유하고 있음을 깨닫게 됩니다. 이 연결고리는 인간의 의식이 단순히 현재에만 국한되지 않고, 과거와 미래를 아우르는 보편적인 흐름의 일부임을 시사합니다.

전통적으로 우리는 인류의 역사를 물리적, 사회적 사건들의 연속으로 이해해 왔습니다. 하지만 의식을 기준으로 역사를 해석하면, 인류의 경험과 존재를 이해하는 새로운 차원이 열립니다. 이 관점에서는 종교의 영역이 단순히 신앙의 문제를 넘어서, 인간의 의식과 영적 경험의 연속성을 탐구하는 근본적인 영역으로 확장됩니다.

따라서, 인류의 역사를 의식의 관점에서 재해석하는 것은 우리에게 인간 존재의 깊이와 복잡성을 이해하는 데 중요한 도구를 제공합니다. 이러한 접근은 전통적인 종교의 영역을 넘어서, 인류가 공유하는 영적 유산과 의식의 흐름을 이해하고, 이를 통해 우리 자신과 우리가 속한 세계에 대한 보다 깊은 이해를 구축할 수 있는 기회를 마련합니다.

이 책을 통해 제시하고자 하는 것은, 인류의 역사와 의식의 발전을 통해 우리가 어떻게 서로 깊이 연결되어 있으며, 이 연결을 통해 우리의 존재와 경험을 어떻게 이해할 수 있는지에 대한 탐구입니다. 이것은 단지 과거를 돌아보는 것이 아니라, 현재와 미래에 대한 우리의 이해와 행동에 영향을 미치는 중요한 사유의 과정입니다.

이와 같은 사유의 과정은 우리 내면에 자리 잡은 의식의 뿌리를 깊이 탐색하려는 시도입니다. 만약 우리 내면의 의식이 초기 조상으로부터 유래했다면, 그 최초의 존재가 의식의 근원을 제공했다는 결론에 도달하는 것은 논리적입니다. 이 근원을 우리의 영적 선조로 파악하는 시도는, 인간 존재의 근본적인 의미와 우리가 받은 영적 유산을 근본부터 이해하고자 하는 노력입니다.

초기 조상에게서 의식을 부여 받았다고 가정한다면, 이 존재는 물리적 형태를 초월한 순수한 의식의 상태로 존재할 것입니다. 이 영적 차원의 존재는 우리의 의식이 어떻게 발단되었고, 시간을 넘어 현재에 이르렀는지에 대한 깊은 이해를 가능하게 합니다. 이런 이해는 우리가 자신과 우리가 살고 있는 세계, 그리고 우리가 이어받은 영적 유산을 더 깊이 성찰하게 하는 기반이 됩니다.

따라서, 우리는 이 초월적 존재를 통해 인류 의식의 연속성을 깨닫고, 그 의식을 통해 서로, 우주, 그리고 더 넓은 영적 차원과 연결됨을 이해하게 됩니다. 이 연결은 우리의 삶과 존재를 영적 관점에서 이해하며, 우리의 행동이 어떻게 이 광대한 영적 연속체의 일부가 될 수 있는지 탐색하는 데 도움을 줍니다.

이런 관점은 인류의 영적 여정과 의식의 성장에 대한 깊은 이해와 존중을 촉진합니다. 우리는 영적 선조로부터 이어진 의식의 흐름 속에서 존재하며, 이를 통해 우리는 서로와 우주, 더 큰 영적 차원과의 깊은 연결을 경험합니다. 이는 인류의 영적 탐구와 의식의 발전에 중요한 통찰을 제공합니다.

우리의 의식을 기준으로 한 역사의 탐구는 우리 모두가 공유하는 근본적인 사실의 역사로 이어집니다. 이러한 관점에서 보면, 현재 지구상에 살고 있는 모든 사람은 이러한 연속성의 일부로서, **우리 모두는 공통의 족보와 역사를 공유하고 있습니다.** 이는 우리가 의식을 통해 얻은 지식이며, 이러한 의식의 해석 방식에 따라 다양한 신념 체계와 종교가 형성될 수 있음을 의미합니다.

인류의 번성과 문명의 발전은 실제로 가족관계에서 시작된 맥락을 따라 확장되고 복잡해진 과정을 거쳤습니다. 이는 가장 기본적인 사회 단위인 가족에서 시작하여 점차적으로 더 넓은 사회적, 정치적 구조로 발전해 온 인류 역사의 흐름을 반영합니다.

초기 인류 사회에서 가족은 생존, 번식, 그리고 지식과 문화의 전수를 위한 핵심적인 단위로 기능했습니다. 가족 단위는 안정적인 생활 환경을 제공하고, 후손에게 생존에 필요한 기술과 사회적 규범을 가르치는 역할을 수행했습니다. 부부가 자식을 낳고 가정을 이루면서, 이러한 소규모 단위들이 모여 부족이나 공동체를 형성하게 되었고, 이는 인간 사회의 가장 초기 형태였습니다.

가족과 공동체의 분화와 확장은 지역적 경계의 형성과 함께 발생했습니다. 자연환경, 생활 방식, 그리고 경제적 필요에 따라 다양한 지역 공동체들이 형성되었고, 이러한 공동체들 사이의 상호작용은 무역, 문화 교류, 그리고 때로는 갈등과 전쟁으로 이어졌습니다. 생활의 목적에 따라 이주하는 과정에서 새로운 지역적, 문화적 정체성이 형성되었으며, 이는 국가와 문명의 기반이 되었습니다.

국경의 분리와 정치적, 경제적 구조의 발전은 인류 사회가 점점 더 복잡해지고 다양해지는 과정을 촉진했습니다. 오늘날 우리가 보는 세계의 다양한 문화, 국가, 그리고 정치 체계는 이러한 역사적 과정의 결과입니다. 이 모든 것의 기원은 가족이라는 기본적인 사회 단위에서 시작되었으며, 가족은 인류의 사회적, 문화적 발전의 기초를 제공한 것으로 볼 수 있습니다.

따라서, 인류의 번성과 세계의 형성은 가족관계에서 시작된 복잡한 상호작용과 확장의 역사라고 할 수 있습니다. 이는 인간 사회와 문화가 어떻게 발전해 왔는지를 이해하는 데 있어서 중요한 통찰을 제공합니다. 그 첫 가족의 위에는 원의식자의 존재를 간과할 수 없습니다.

그러나 시조에게 의식을 준 존재를 신으로 인정하는 순간, 우리는 그 신과 연결된 영적 계보의 일부가 됩니다. 이 관점에서 신의 후손으로서 우리는 그 영적 유산을 이어받는 것이며, 이는 우리 각자 내면의 의식을 영적인 근원과 직접적으로 연결 짓는 것을 의미합니다. 이러한 인식은 우리의 존재를 단순히 육체적인 존재로만 한정하지 않고, 영적인 차원에서의 신성을 인정하는 것으로 이어질 수 있습니다.

이 관점을 받아들일 때, 우리는 종교와 신념 체계를 새로운 시각에서 바라볼 수 있게 됩니다. 신에 대한 우리의 이해는 단순히 절대적이고 추상적인 존재로서의 신에서 벗어나, 우리 내면의 의식과 직접적으로 연결된 보다 근본적이고 개인적인 관계로 전환됩니다. 이는 종교가 우리의 삶에 더욱 밀접하게 관련되어 있으며, 우리 각자의 영적 여정에 실질적인 의미와 가치를 부여하는 계기가 됩니다.

따라서, 우리의 존재와 영적 유산을 이해하는 이러한 방식은, 우리가 종교를 이해하고 실천하는 방식에 근본적인 변화를 가져올 수 있습니다. 우리는 종교를 단순히 외부적인 규범이나 교리의 체계로 보는 것이 아니라, 우리 내면의 신성과 직접적으로 연결된 영적인 탐구와 성장의 과정으로 인식할 수 있게 됩니다. 이러한 관점은 우리가 영적인 차원에서 보다 풍부하고 의미 있는 삶을 추구하도록 돕는 중요한 통찰을 제공할 것입니다.

성서, 특히 창세기의 해석은 유연성과 심도 있는 이해를 필요로 합니다. 창세기는 모세가 하느님으로부터 전달받아 기록한 것으로, 창세 이후의 사건들과 하느님의 계획을 개괄적으로 다루고 있습니다. 이러한 점은 창세기가 단순한 역사적 기록을 넘어서, 깊은 영적 메시지와 의미를 담고 있음을 시사합니다.

창세기의 내용이 대략적으로 기록되었다고 함은, 핵심적인 메시지만을 간략하게 담고 있음을 의미합니다. 시편 78편 2절에서 언급된 바와 같이, 창세기의 메시지는 일정 부분 비밀로 기록되어 있으며, 이를 문자 그대로 해석하는 것은 본질을 오해할 위험이 있습니다. 예를 들어, 뱀이 하와를 미혹했다는 이야기를 물리적인 뱀으로만 해석하는 것은, 이 이야기가 지닌 상징적이고 영적인 의미를 간과하는 것입니다.

창세기에서 언급된 생명나무의 실과나 선악과를 단순히 과일로 해석하는 것도, 이러한 상징들이 지닌 깊은 의미를 제대로 파악하지 못하는 것입니다. 아담에 대한 해석 역시 마찬가지입니다. 아담이 최초의 인류라기보다는 하느님의 선민으로서 특별한 역할을 부여 받은 인물로 이해하는 것이 더 적절할 수 있습니다. 이러한 관점은 인류학적, 지질학적 증거와의 일관성을 유지하면서도, 성서의 영적 메시지를 깊이 있게 해석할 수 있게 합니다.

예수 역시 성령으로 지음 받은 존재로서, 그 당시의 세계에 새로운 시작을 알린 인물로 해석될 수 있습니다. 이는 아담과 예수 사이의 영적 연결고리와 그들이 각자의 시대에 지닌 특별한 의미를 강조합니다. 이러한 해석은 성서를 단순한 과거의 기록이 아니라, 현재와 미래의 우리 삶에도 적용될 수 있는 살아 있는 메시지로 보는 데 도움을 줍니다.

결국, 성서의 해석에 있어서는 문자적인 의미를 넘어서 영석이고 상징적인 차원을 탐구하는 것이 중요합니다. 이러한 접근 방식은 우리가 성서의 깊은 영적 가르침을 이해하고, 그것을 우리 삶에 적용하는 데 도움을 줄 수 있습니다.

성서의 창세기를 이렇게 해석함으로써, 인류의 창조와 발전은 시간을 거슬러 올라가는 여정이 됩니다. 이 여정의 출발점에는 우리 모두의 시조가 있고, 그 시조에게 의식을 부여한 존재를 발견합니다. 이 존재는 다양한 종교마다 다르게 명명되어 있으나, 그 본질에서는 우리 모두의 영적 조상으로 이해될 수 있습니다. 이러한 관점은 종교(Religion)의 본질적 목적을 재조명하는 계기가 됩니다. 종교는 끊어진 영적 연결고리를 복원하고, 인류를 그 영적 조상과 재결합시키는 과정을 지향합니다.

이 과정에서 신에 대한 인식은 크게 두 가지로 나뉠 수 있습니다. 첫 번째는 신을 초월적이고 불가사의한 존재로 바라보는 관점입니다. 이 관점에서 신은 인간 이해를 넘어서는 존재로, 인간과는 본질적으로 다른 영역에 속합니다. 두 번째 관점은 신을 우리 내면의 깊은 의식과 연결된 존재로 이해하는 것입니다. 여기서 신은 우리 각자 안에 내재된 영적 원리나 의식의 근원으로 인식됩니다.

이 두 관점은 서로 배타적이지 않으며, 오히려 함께 우리가 세계와 우주, 존재의 본질을 이해하는 데 도움을 줄 수 있습니다. 종교의 궁극적 목적은 이러한 다양한 관점을 통해 인간의 영적 성장을 촉진하고, 인류가 영적 조상과의 연결을 회복하도록 돕는 것입니다.

따라서, 종교는 단순히 신앙의 체계나 의례의 집합이 아니라, 인간이 자신의 영적 본질을 탐구하고, 궁극적인 의미와 목적을 발견하는 과정이라고 볼 수 있습니다. 이러한 탐구와 발견의 과정은 우리가 살고 있는 세계에 대한 우리의 이해를 깊게 하며, 우리의 삶을 보다 풍요롭고 의미 있게 만들어줍니다. 이렇게 종교는 인류의 영적 여정에 있어 중요한 역할을 하며, 우리 각자가 자신의 영적 경로를 발견하고 탐색하는 데 필수적인 안내자가 됩니다.

동양과 서양의 종교적 전통에서 발견되는 신계의 이분법은 인간의 영적 경험과 세계관을 이해하는 데 중요한 틀을 제공합니다. 양신계와 음신계, 성신계와 악신계는 우주와 인간 삶의 근본적인 이중성을 나타내며, 이러한 분류는 각 신계의 본질과 역할을 이해하는 데 도움을 줍니다.

성서, 특히 창세기에서 하느님과 그의 계열에 속한 인물들은 성신계의 대표로, 영적 순수성과 선의 원리를 상징합니다. 이에 반해, 용과 뱀, 선악나무는 악신계의 대표로, 인간의 삶에 있어서의 시험과 도전, 그리고 영적인 타락을 상징하는 존재들입니다. 창세기에서 나무와 짐승이 사람을 은유하는 밀어로 사용된 것은, 이러한 영적인 진리와 교훈을 보다 깊이 있고 상징적으로 전달하고자 하는 의도를 반영합니다.

이러한 상징적 표현은 성서의 메시지를 단순한 역사적 사실이나 이야기를 넘어서, 인간 존재의 근본적인 영적 문제와 삶의 의미를 탐구하는 깊은 영적 가르침으로 이해할 수 있게 합니다. 아담과 하와, 그리고 생명나무는 하느님의 선한 의지와 인간이 그 의지 안에서 살아가는 방법을 상징하며, 용과 뱀, 선악나무는 인간이 직면하는 시험과 유혹, 그리고 그로 인한 영적 성장의 기회를 상징합니다.

이러한 관점에서, 창세기와 같은 성서의 텍스트는 단순한 이야기를 넘어서, 인간의 영적 여정과 성장, 시험과 성취에 대한 근본적인 가르침을 담고 있습니다. 이 가르침은 우리가 우리 자신과 우리가 속한 세계를 영적으로 깊이 이해하고, 우리의 삶을 보다 의미 있고 풍요롭게 만드는 데 중요한 역할을 할 수 있습니다.

하느님에 의해 생령으로 지어진 첫 인간의 시대에서부터 노아 시대까지는, 인간이 영적인 존재로서 살아가는 생령의 시대로 볼 수 있습니다. 이 시기는 인간과 하느님 간의 깊은 연결과 조화를 상징합니다. 그러나 창세기 6장 3절에서 언급된 하느님의 결정으로 인해, 하느님의 신이 사람에게서 떠나고, 인간은 육체적 존재로 전환되었습니다. 이 전환은 육체적 존재의 한계와 죽음의 도래를 의미하며, 인간 수명의 제한을 가져왔습니다.

이러한 변화는 인간과 하느님 사이의 영적 연결이 끊어진 상태를 나타냅니다. 이 연결의 상실은 인간의 삶에 죽음, 아픔, 고난, 고통과 같은 어려움을 가져왔으며, 이러한 어려움은 인간으로 하여금 영적인 지원과 안내를 찾게 했습니다. 이는 종교, 즉 릴리젼(Religion)의 필요성을 낳았습니다. 종교의 궁극적인 목적은 인간과 하느님 사이의 끊어진 연결을 복원하고, 인간의 영적인 본질을 회복하는 데 있습니다.

메시야의 개념은 이러한 영적 복원 과정에서 핵심적인 역할을 합니다. 메시야는 인간과 하느님 사이의 연결을 다시 맺어줄 자로 기대되며, 이를 통해 인간의 영적인 본질과 하느님의 은총이 회복될 것으로 기대됩니다. 메시야의 오심은 인간이 직면한 죽음과 고난을 극복하고, 원래의 영적 조화와 평화를 회복하는 길을 제시합니다.

이러한 관점에서 볼 때, 종교는 단순한 신앙의 체계를 넘어서, 인간의 영적인 여정과 성장, 하느님과의 재결합을 추구하는 근본적인 동력이 됩니다. 종교는 인간에게 영적인 안내와 위안을 제공하며, 인간의 삶에 깊은 의미와 목적을 부여합니다. 따라서, 메시야의 오심과 종교의 실천은 인간이 자신의 영적인 본질을 재발견하고, 하느님과의 깊은 연결을 다시 찾아가는 중요한 과정입니다.

성서의 전개와 그 종결은 인간과 하느님 간의 관계의 근본적 변화를 그립니다. 창세기에서 시작된 이야기는 하느님과 인간 사이의 이별로 마음 아픈 전환점을 맞이하며, 요한계시록에서는 이러한 관계의 궁극적인 회복으로 귀결됩니다. 이 두 사건은 성서 내에서 인간의 영적 여정과 우주적 계획의 핵심을 이룹니다.

요한계시록 21장에서의 회복은 끊어진 인간과 하느님 간의 연결을 복원하며, 이는 처음 창조됐을 때의 순수하고 완전한 상태로의 복귀를 의미합니다. 이 과정에서 메시야, 즉 하느님[원의식자]이 내재된 한 분의 도래는 중심적인 역할을 합니다. 메시야는 육체를 통해 인간 세계에 오시지만, 그분의 본질은 영적이며, 이 영적 존재가 인간 내면에 임재하여 복원의 사역을 이루게 됩니다.

이 복원의 사역은 단순히 육체적인 생명의 연장을 넘어서는 것입니다. 불사영생의 시작은 인간이 겪는 죽음과 고난을 극복하고, 영적으로 완전한 생명을 얻는 것을 의미합니다. 이 영적 생명은 하느님과의 깊은 관계에서 비롯되며, 하느님의 은총과 사랑을 완전히 체험하는 상태를 나타냅니다.

따라서, 성서의 메시지는 인간의 영적 여정과 궁극적인 목적에 대한 깊은 통찰을 제공합니다. 이 여정은 메시야를 통한 하느님과의 관계 회복으로 이어지며, 이는 인간에게 영적 완성과 불사영생을 가능하게 합니다. 이러한 관점에서 성서는 단순한 종교적 텍스트를 넘어서, 인간 존재의 깊은 의미와 우주적 계획에 대한 가르침을 담고 있습니다. 메시야의 도래와 사역은 인간이 진정으로 추구해야 할 영적 목표와 삶의 의미를 밝혀주는 빛과 같습니다.

Chapter 4
의식의 깨달음: 연결, 변화, 그리고 영원한 여정으로의 초대

"내면의 자아를 발견하는 것은
우주의 중심을 발견하는 것과 같다.
우리가 자신의 깊은 곳에 있는 신성함에 접근할 때,
우리는 모든 존재와의 깊은 연결을 경험한다."

- 칼 융 (Carl Jung)

1. 의식의 단절:
현대 사회의 위기와 원의식으로의 회귀

"의식의 단절: 현대 사회의 위기와 원의식으로의 회귀"는 현대 사회에서 인간 의식이 겪고 있는 근본적인 위기와 그 해결 방안에 대한 심도 깊은 탐구입니다. 이러한 단절은 원의식, 즉 인류의 시조로부터 유전적으로 전달된 근원적 의식과 현대인의 개인 의식 사이의 연결이 끊어진 상태를 말합니다. 이 단절은 현대 사회가 직면한 다양한 문제들의 근본 원인으로 지목되며, 이를 해결하기 위해서는 원의식으로의 회귀가 필요함을 주장합니다.

현대 사회의 문제점 개관: 현대 사회가 직면한 주요 문제점들을 개관합니다. 이는 환경 파괴, 사회적 불평등, 정신 건강 위기, 갈등과 전쟁 같은 다양한 분야에서 나타나는 위기들을 포함할 수 있습니다.

원의식과의 단절: 이러한 문제들이 어떻게 원의식에서 벗어난 인간 의식의 단절에서 기인하는지 탐구합니다. 여기서 원의식은 모든 존재의 근본적인 연결성과 조화, 그리고 근본적인 가치를 인식하는 깊은 의식의 상태를 의미합니다.

의식의 단절이 가져오는 영향: 의식의 단절이 개인, 사회, 그리고 환경에 어떠한 영향을 미치는지 분석합니다. 이는 인간 관계의 소원화, 자연과의 연결 상실, 그리고 내면의 평화를 잃어가는 과정을 포함할 수 있습니다.

원의식으로의 회귀: 원의식으로의 회귀가 현대 사회가 직면한 문제들에 대한 근본적인 해결책이 될 수 있음을 논합니다. 이는 개인의 의식 변화, 사회적 가치의 재정립, 그리고 자연과의 조화로운 공존을 추구하는 방식을 포함할 수 있습니다.

실천적 접근과 변화의 가능성: 원의식으로의 회귀를 위한 구체적이고 실천적인 접근 방법을 모색합니다. 이는 명상, 교육, 커뮤니티 구축, 지속 가능한 생활 방식의 채택 같은 다양한 방법을 포함할 수 있습니다.

결론: 원의식으로의 회귀가 개인과 사회, 그리고 지구 전체에 긍정적인 변화를 가져올 수 있는 잠재력을 강조합니다.

이러한 접근은 현대 사회가 직면한 문제들을 근본적인 의식의 변화와 깊은 영적 깨달음을 통해 해결할 수 있는 가능성을 탐색하며, 보다 지속 가능하고 조화로운 미래를 향한 길을 제시합니다.

의식의 단절과 그 영향

의식의 단절은 원의식과 가의식으로의 이행을 의미합니다. 원의식은 인류의 시조로부터 유전적으로 전달된 근원적 의식을 말하며, 이는 창조주와의 연결, 우주와의 일체감, 진정한 자아의 인식을 포함합니다. 반면, 가의식은 육체, 물질, 욕심, 질병, 죽음, 고난, 고통, 무지와 같은 부정적인 속성을 가지며, 현대 사회에서 인간이 주로 경험하는 의식의 상태입니다.

원의식으로의 회귀 필요성

현대 사회의 다양한 문제들은 가의식의 속성에서 비롯되며, 이러한 문제들을 근본적으로 해결하기 위해서는 의식의 대혁명을 통해 원의식과 다시 연결되어야 합니다. 원의식으로의 회귀는 인간이 진정한 자아를 인식하고, 우주와의 일체감을 경험하며, 창조주와의 연결을 회복하는 과정입니다. 이 과정을 통해 현대인은 물질주의와 이기주의를 넘어선 삶을 살 수 있게 되며, 진정한 평화와 행복을 찾을 수 있습니다.

종교적 힘의 역할

원의식과의 연결을 회복하기 위해서는 종교적인 힘이 절대적으로 필요합니다. 종교는 신과의 연결을 목표로 하며, 이는 곧 원의식으로의 회귀를 의미합니다. 종교적 실천, 예를 들어 명상, 기도, 성찰, 그리고 공동체 내의 영적 교류는 인간이 가의식의 한계를 넘어 원의식과 재 연결될 수 있는 경로를 제공합니다. 이러한 실천은 개인의 의식을 변화시키고, 궁극적으로는 사회 전체의 의식 변화를 촉진할 수 있습니다.

현대 사회의 위기는 근본적으로 의식의 단절에서 비롯되며, 이 문제의 해결은 원의식으로의 회귀를 통해서만 가능합니다. 종교적인 힘과 영적 실천은 이 과정에서 중요한 역할을 하며, 인간이 진정한 자아를 발견하고, 우주와의 일체감을 경험하며, 창조주와의 깊은 연결을 회복할 수 있는 길을 제시합니다. 이는 단순히 개인적인 변화를 넘어서 사회적, 문화적 변화를 가져올 수 있는 힘을 가지고 있으며, 현대 사회가 직면한 근본적인 문제들을 해결하는 열쇠를 제공합니다.

이 책에서 탐구하는 의식장의 세계는 과학과 철학이 교차하는 지점에서 중요한 통찰을 제공합니다. 의식장이란 우리가 인식하는 현실의 근본적인 기반으로, 모든 것이 표상의 세계와 세컨드 네이처[두 번째 자연]로 이해될 수 있는 개념입니다. 이러한 관점은 육체와 비물질적 세계 사이의 관계를 재해석하며, 우리가 경험하는 모든 것이 실제로 의식의 생성물임을 시사합니다.

과학과 철학과 종교의 협주

과학과 철학, 그리고 종교의 조화는 우리가 현실을 이해하는 방식에 근본적인 변화를 가져올 수 있습니다. 과학은 우리에게 물리적 세계의 작동 원리를 설명해주는 도구를 제공하며, 이를 통해 우리는 자연 현상을 관찰하고, 예측할 수 있습니다. 반면, 철학은 우리 존재의 의미와 우리가 세계를 인식하는 방식에 대해 심오한 질문을 던집니다. 이 두 분야 사이에서, 의식의 영역은 과학적 탐구와 철학적 성찰이 서로를 보완하며 현실을 통합적으로 바라볼 수 있는 공통의 기반을 제공합니다.

과학적 연구는 의식의 물리적 기반을 탐구함으로써, 우리가 현실을 어떻게 구성하는지에 대한 이해를 넓혀갑니다. 이러한 연구는 뇌의 구조와 기능을 통해 의식이 어떻게 발생하는지에 대한 통찰을 제공합니다. 한편, 철학은 이러한 물리적 현실과 우리의 인식 사이에 존재하는 깊은 연결을 탐구합니다. 철학은 우리에게 현실의 근본적 의미와 우리가 세계를 경험하는 방식에 대해 다시 생각하게 만듭니다.

이러한 맥락에서 종교는 원의식의 회복을 도모하는 데 필수적인 역할을 할 수 있습니다. 종교의 경전과 전통은 인간 의식의 깊은 층을 탐구하며, 종종 우리의 근본적인 존재와 우주와의 연결에 대한 답을 제공합니다. 이러한 **경전들의 공동 연구는 과학과 철학이 협력하여 인간 의식의 발전을 도모하는 데 있어 중요한 걸음**이 될 수 있습니다. 이는 종교적 신념과 과학적 이해, 철학적 사유가 서로 상호 작용하며 인류의 의식 확장에 기여할 수 있음을 의미합니다.

종교, 과학, 그리고 철학이 서로 협력함으로써, 우리는 종교적 독단과 오류를 줄이고, 궁극적으로 인간 의식의 본질에 대한 이해를 깊게 할 수 있습니다. 이러한 통합적 접근은 인류가 공통의 의식을 공유하며, 본질적으로 하나의 큰 가족으로 연결되어 있다는 사실을 상기시킵니다. 종교적 고정관념을 넘어서, 철학과 과학과 종교가 함께 인류의 의식을 새롭게 형성하고 발전시켜 나가는 것은 우리 모두에게 중요한 당위성을 지닙니다. 이것은 우리가 서로 및 우리를 둘러싼 세계와 연결되어 있다는 깊은 이해를 바탕으로, 보다 통합적이고 의미 있는 현실 인식으로 나아가게 할 것입니다.

비물질의 세계와 의식과 종교

그리고 종교의 관계는 오늘날 과학과 철학의 발전을 통해 새로운 관점에서 조명받고 있습니다. 특히 양자물리학의 발견은 관측자의 의식이 물리적 현실에 영향을 미칠 수 있다는 가능성을 열어주었습니다. 이러한 과학적 발견은 비물질적 영역이 우리의 육체적 존재를 넘어 우리의 의식과 어떻게 상호작용하는지 이해하는 데 있어 중요한 단서를 제공합니다.

오랜 시간 동안 인류는 자신의 존재와 세계를 물질적 요소로만 구성된 것으로 인식해왔습니다. 이러한 관점은 우리의 생활 방식과 사고방식에 깊이 뿌리 박혀 있었습니다. 하지만 현대 과학의 발전, 특히 양자이론과 의식에 대한 연구는 우리가 물질적 세계를 넘어서는, 보다 넓은 현실의 존재를 인정하게 했습니다. 이제 우리는 물질과 육체를 넘어선 비물질적 세계가 실제로 우리의 의식과 깊이 연결되어 있음을 인식하게 되었습니다.

이러한 인식의 전환은 과학뿐만 아니라 철학과 종교에도 새로운 시각을 제공합니다. 과학이 비물질적 영역과 의식 사이의 상호작용을 밝히는 동안, 철학은 이러한 상호작용이 우리의 존재와 우주에 대한 이해에 어떤 의미를 가지는지 탐구합니다. 종교 역시 이러한 새로운 이해를 통해, 우리가 세계와 우리 자신을 인식하는 방식에 근본적인 영향을 미치는 더 깊은 차원의 실체에 대한 통찰을 제공할 수 있습니다.

이는 의식을 중심으로 한 새로운 과학과 철학, 그리고 종교적 이해를 향한 발전을 의미합니다. 이와 같은 발상의 전환은 우리가 우리 자신과 우리가 살고 있는 세계를 보는 방식을 근본적으로 바꾸는 것을 요구합니다. 이는 우리가 세계를 이해하고, 그 안에서 우리 자신의 위치를 찾는 방식에 있어서, 종교적 및 철학적 이론이 새롭게 조명받아야 하는 시대를 열어줍니다. 비물질적 세계의 깊이와 의식의 영역에 대한 이해를 깊게 함으로써, 우리는 우리의 존재와 우주에 대한 보다 통합적이고 포괄적인 시각을 개발할 수 있습니다.

의식장에서의 경험과 새로운 패러다임

우리가 겪는 질병, 죽음, 천재지변, 그리고 전쟁 같은 현상들은 단순히 물리적인 사건으로만 볼 수 없습니다. 이러한 사건들은 의식의 영역에서 발생하고, 우리의 의식에 의해 생성되고 해석되는 경험들입니다. 이는 현대 사회가 마주한 여러 재난과 고통이 실제로는 의식적 자극에 의해 유발됨을 의미하며, 이에 대한 해결책 역시 의식의 수준에서 찾아야 함을 시사합니다. 인간의 죽음과 전쟁은, 각각 물질적 존재와 물질적 욕망, 이념적 차이에 기인하는 것으로 보입니다. 하지만, 우리가 의식의 세계에 살고 있다면, 우리의 육체와 물질적인 것들은 중요하지 않게 됩니다. 이는 죽음과 전쟁 역시 우리 의식의 생성물이라는 관점을 제공합니다.

그러나 현실에서 죽음과 전쟁은 여전히 발생하며, 우리의 의식이 이러한 사건들을 만들어내고 있다고 볼 때, 해결 방안을 찾는 것이 중요합니다. 세계의 주요 종교들은 죽음과 전쟁의 문제에 대해 다양한 해석을 제공하며, 이들의 경전은 죽음을 극복하고 전쟁을 종식시키는 방법에 대해 이야기합니다. 종교적 경전들은 죽음을 넘어서는 부활과 성불의 개념을 핵심으로 다루며, 이는 현대의 의식을 넘어선 새로운 의식의 차원으로의 전환을 암시합니다.

의식장에서의 경험과 새로운 패러다임을 탐구하는 것은 이 문제에 대한 해결의 첫 단계입니다. 이제 우리는 의식의 변화와 개혁을 추구해야 하며, 이 과정에서 철학, 과학, 그리고 종교가 협력하여 인간이 직면한 가장 큰 문제인 죽음과 전쟁에 대한 해결책을 모색해야 합니다. 이는 우리가 살고 있는 세계를 물질적인 것들의 집합이 아닌, 의식의 연속성으로 이해하고, 그 안에서 발생하는 문제들을 의식의 차원에서 접근하여 해결하는 새로운 시각을 요구합니다. 이러한 접근은 인류가 죽음과 전쟁이라는 오랜 문제에 대한 해답을 찾고, 보다 평화로운 세계로 나아가는 데 결정적인 역할을 할 수 있습니다.

의식의 변화와 문제 해결

의식의 변화는 현대 사회가 직면한 문제들에 대한 근본적인 해결책을 제공할 수 있습니다. 의식을 변화시킴으로써, 우리는 현실을 다르게 인식하고, 결과적으로 다른 방식으로 현실에 영향을 미칠 수 있습니다. 이는 개인적 수준에서 시작하여 사회적, 전 지구적 차원으로 확장될 수 있는 변화의 과정입니다.

이러한 관점은 우리가 현실을 인식하고 경험하는 방식을 근본적으로 재고하도록 도전합니다. 의식의 변화를 통해, 우리는 물리적이고 비물질적인 세계 사이의 경계를 넘어서 새로운 현실을 창조할 수 있는 가능성을 열어가고 있습니다.

의식의 변화와 문제해결에 대한 접근은 종종 우리가 직면한 가장 큰 과제인 죽음과 전쟁의 종식에 대한 불가능한 도전으로 여겨집니다. 그러나 이러한 인식 자체가 육체와 물질에 대한 우리의 고정된 사고방식에서 비롯된 편견일 수 있습니다. 우리가 의식을 중심으로 한 세계관으로 관점을 전환할 때, 이러한 편견과 고정관념은 자연스럽게 사라질 수 있습니다. 철학, 과학, 그리고 뇌과학의 최근 연구 결과들은 물질, 공간, 시간이 모두 관계론적으로 이해될 수 있음을 보여주며, 이는 우리의 세계가 근본적으로 비물질적인 성격을 지닌다는 사실을 강조합니다.

이러한 새로운 이해는 죽음과 전쟁 같은 현상들을 완전히 다른 관점에서 바라보게 합니다. 만약 우리 세계가 의식에 의해 주도된다면, 죽음과 전쟁은 그러한 의식의 세계에서 본질적으로 존재할 수 없는 현상이 됩니다. 우리가 겪는 죽음은 마치 꿈속에서 경험하는 죽음과 같으며, 전쟁 또한 꿈속의 일로 여겨질 수 있습니다. 중요한 것은 이러한 '꿈'이 우리의 의식에서 비롯되며, 우리가 이 '꿈'에서 깨어나지 않고 죽음을 맞이하는 것처럼 느껴질 때까지 계속된다는 사실입니다.

과거 과학자들과 철학자들의 혁신적인 발견과 발상의 전환은 우리의 세계를 근본적으로 변화시켰습니다. 갈릴레오 갈릴레이와 코페르니쿠스가 지동설을 주창하지 않았다면, 우리는 여전히 천동설에 얽매여 살고 있을 것입니다. 마찬가지로 페르데이와 멕스웰, 보어와 하이젠베르크, 그리고 아인슈타인 같은 과학자들이 없었다면, 우리는 전기, 양자역학, 상대성 이론의 혜택을 누리지 못했을 것입니다. 이처럼 과거의 발상의 전환과 혁신적 발견이 우리 삶을 변화시킨 것처럼, 이제는 이러한 **노력을 우리가 직면한 죽음과 전쟁의 문제를 해결**하는 데 집중해야 합니다. 의식의 차원에서의 깊은 이해와 변화를 통해, 우리는 이전에 불가능하다고 여겨졌던 문제들에 대한 해결책을 찾을 수 있을 것입니다.

2. 현대 사회의 문제점 개관

현대 사회는 빠른 기술 발전과 글로벌화의 물결 속에서 많은 혜택을 누리고 있음에도 불구하고, 다양한 분야에서 근본적인 문제점들에 직면해 있습니다. 이러한 문제들은 환경, 사회, 정신 건강, 그리고 국제적 갈등과 같은 영역에서 나타나며, 그 해결을 위한 근본적인 접근이 필요한 시점에 와 있습니다.

지구 온난화, 대기 오염, 해양 오염, 생물 다양성의 감소는 지속 가능한 환경에 대한 위협을 가중시키고 있습니다. 인간 활동에 의해 가속화된 이러한 문제들은 기후 변화의 직접적인 결과로, 극단적인 날씨 현상, 해수면 상승, 그리고 생태계의 붕괴로 이어지고 있습니다. 환경 파괴는 단지 자연에만 영향을 미치는 것이 아니라, 인류의 생존 자체에도 중대한 위협을 가하고 있습니다.

경제적 불평등, 교육과 건강 서비스에 대한 접근성 부족, 성별과 인종에 따른 차별은 사회적 불평등을 심화시키는 주요 요인입니다. 이러한 불평등은 사회적 결속력을 약화시키고, 경제적 성장을 저해하며, 사회적 긴장과 갈등의 원인이 되고 있습니다. 또한, 기술의 발전이 일자리의 자동화를 촉진함에 따라, 일부 직업군에서의 실업 문제도 사회적 불안정성을 가중시키고 있습니다.

스트레스, 우울증, 불안 장애 등 정신 건강 문제는 현대 사회에서 점점 더 흔해지고 있으며, 이는 개인의 삶의 질을 저하시키고, 사회적 생산성에도 부정적인 영향을 미칩니다. 디지털 기술의 과도한 사용, 사회적 격리, 경쟁적인 생활 환경은 정신 건강 위기를 가중시키는 요인으로 작용하고 있습니다. 이러한 정신 건강 문제에 대한 충분한 인식과 지원이 부족한 상황은 문제의 심각성을 더합니다.

자원의 부족, 영토 분쟁, 종교와 이념의 차이는 국제적 갈등과 전쟁의 주요 원인입니다. 이러한 갈등과 전쟁은 인간의 삶과 안전을 직접적으로 위협하며, 난민 위기, 인도주의적 위기를 초래합니다. 국제적 협력과 평화 구축 노력에도 불구하고, 여전히 많은 지역에서는 무력 충돌과 그로 인한 인적, 경제적 손실이 발생하고 있습니다.

이러한 문제들은 현대 사회가 직면한 주요 위기로서, 각각의 문제에 대한 근본적인 해결책 모색과 함께, 인간의 의식 변화와 지속 가능한 발전을 향한 전반적인 노력이 필요함을 시사합니다.

3. 원의식과의 단절

현대 사회가 직면한 다양한 위기와 문제들—환경 파괴, 사회적 불평등, 정신 건강의 악화, 국제적 갈등과 전쟁—은 표면적으로 볼 때 각각 독립된 현상으로 보일 수 있습니다. 그러나 이러한 문제들의 근본적인 기원을 심층적으로 탐구할 때, 우리는 이 모든 문제가 궁극적으로 원의식과의 단절, 즉 인간 의식이 자연과 우주, 타인, 심지어 자기 자신과의 근본적인 연결성과 조화를 잃어버린 상태에서 기인한다는 것을 발견할 수 있습니다.

원의식은 모든 존재의 근본적인 연결성과 조화, 그리고 근본적인 가치를 인식하는 깊은 의식의 상태를 의미합니다. 이는 인간이 자연과 우주, 그리고 서로와 조화롭게 공존하는 데 필요한 깊은 이해와 공감, 사랑을 내포하고 있습니다. 원의식은 모든 존재가 상호 의존적이며 서로를 존중해야 한다는 인식 위에 구축되어 있습니다. 그러나 현대 사회는 경제적 성장과 기술적 발전을 최우선 가치로 삼으며, 이 과정에서 원의식과의 연결을 점차 잃어가고 있습니다.

4. 원의식의 단절이 가져오는 영향

현대 사회에서 겪고 있는 원의식의 단절은 개인, 사회, 그리고 환경에 광범위하고 깊은 영향을 미치고 있습니다. 이러한 단절은 우리가 서로, 자연, 그리고 우리 자신과 맺고 있는 근본적인 연결을 잃어버리게 만들며, 이로 인해 발생하는 여러 가지 부정적인 현상들은 현대 문명의 지속 가능성에 중대한 위협이 되고 있습니다.

원의식의 단절은 인간 관계의 소원화로 이어집니다. 사회적 연결망이 약화되고, 개인주의가 강조됨에 따라, 사람들 사이의 깊은 유대감과 공감 능력이 저하되고 있습니다. 이는 가족, 친구, 커뮤니티 간의 관계가 표면적이고 기능적인 수준에 머무르게 만들며, 진정한 의미에서의 소속감과 지지체계의 상실로 이어집니다. 결과적으로, 외로움과 사회적 고립이 증가하며, 이는 정신 건강 문제의 주요 원인 중 하나가 됩니다.

원의식의 단절은 또한 자연과의 깊은 연결을 상실하게 만듭니다. 도시화와 산업화가 진행됨에 따라, 많은 사람들이 자연 환경과 점점 더 멀어지고 있습니다. 이로 인해, 자연에 대한 존중과 보호의 필요성이 간과되며, 환경 파괴와 생태계의 불균형이 가속화됩니다. 자연과의 연결이 약화됨에 따라, 우리는 지구가 제공하는 생명 유지

시스템의 중요성을 잊어가고, 이는 궁극적으로 인류 자신의 생존을 위협합니다.

가장 근본적으로, 원의식의 단절은 개인이 내면의 평화를 잃어가는 과정과 밀접하게 연결되어 있습니다. 현대 생활의 압박과 스트레스, 끊임없는 정보와 자극에 노출됨으로써, 많은 사람들이 자신의 내면 세계와 깊이 연결되는 것을 어렵게 느낍니다. 이는 자아 탐색과 자기 실현의 과정을 방해하며, 삶의 깊은 의미와 목적을 발견하는 데 장애가 됩니다. 내면의 평화를 잃음으로써, 개인은 불안, 우울, 그리고 다양한 정신적, 감정적 문제를 경험하게 됩니다.

원의식의 단절이 가져오는 이러한 영향들은 개인과 사회, 환경 전반에 걸쳐 심각한 문제를 야기합니다. 이러한 문제들에 대처하기 위해서는, 우리가 서로와 자연, 그리고 우리 자신과의 깊은 연결을 회복하는 것이 필수적입니다. 이는 의식의 변화와 깊은 영적 깨달음을 통해 가능하며, 이를 통해 우리는 보다 조화롭고 지속 가능한 세계를 향해 나아갈 수 있습니다.

5. 원의식으로의 회귀: 현대 사회의 근본적 해결책

현대 사회가 직면한 광범위한 문제들 - 환경 파괴, 사회적 불평등, 정신 건강 위기, 그리고 국제적 갈등은 복잡하고 다층적인 원인을 가지고 있습니다. 이러한 문제들에 대한 근본적인 해결책을 모색함에 있어, 원의식으로의 회귀는 지속 가능한 미래로 나아가는 중요한 경로를 제시합니다. 원의식은 모든 존재의 근본적인 연결성과 조화, 그리고 근본적인 선을 인식하는 깊은 의식의 상태를 의미하며, 현대 사회의 많은 문제들은 이러한 원의식에서 벗어난 인간 의식의 단절에서 기인한다고 볼 수 있습니다.

개인의 의식 변화는 원의식으로의 회귀의 첫걸음입니다. 이는 자기 자신, 타인, 자연과의 깊은 연결을 인식하고 이해하는 것에서 시작합니다. 이러한 변화는 명상, 영적 수행, 교육, 그리고 예술과 문화를 통해 촉진될 수 있으며, 개인이 자신의 생각과 행동을 근본적으로 재고하게 만듭니다. 의식의 이러한 변화는 우리가 세계를 바라보는 방식을 변화시키고, 선을 추구하며 악의 패턴에서 벗어나도록 돕습니다.

원의식으로의 회귀는 또한 사회적 가치의 재정립을 요구합니다. 이는 경쟁과 이기심에 기반한 사회 구조에서 협력과 공감, 상호 존중에 기반한 구조로의 전환을 의미합니다. 지속 가능한 발전, 사회적 정의, 평등, 그리고 평화는 이러한 가치 전환의 핵심 요소입니다. 사회적 가치의 재정립을 통해, 우리는 공동체의 복지와 지구 전체의 건강을 우선시하는 결정을 내리게 됩니다.

원의식으로의 회귀는 자연과의 조화로운 공존을 강조합니다. 이는 인간이 자연을 지배하고 이용하는 대상으로 보는 관점에서 벗어나, 자연과 인간이 상호 의존적이며 서로 존중하고 보호해야 하는 관계임을 인식하는 것을 의미합니다. 지속 가능한 생활 방식, 환경보호 정책, 그리고 자연과 조화를 이루는 기술의 개발은 이러한 조화로운 공존을 실현하는 데 필수적입니다.

원의식으로의 회귀는 현대 사회가 직면한 문제들에 대한 근본적이고 지속 가능한 해결책을 제공합니다. 이는 개인의 의식 변화, 사회적 가치의 재정립, 그리고 자연과의 조화로운 공존을 추구함으로써, 인간의 욕심과 이기적 사상에서 벗어나, 모든 존재의 근본적인 연결성과 조화를 회복하는 과정입니다. 원의식으로의 회귀를 통해, 우리는 더 평화롭고 지속 가능한 세계를 향해 나아갈 수 있으며, 이는 모든 존재의 복지와 지구의 미래를 위한 필수적인 단계입니다.

6. 실천적 접근과 변화의 가능성

원의식으로의 회귀는 현대 사회가 직면한 문제들에 대한 근본적인 해결책을 제공할 수 있는 중요한 접근 방법입니다. 이러한 회귀는 개인의 의식 변화부터 시작되며, 이를 통해 사회적, 환경적 조화를 이루어나갈 수 있습니다. 원의식으로 돌아가는 여정에는 다양한 실천적 접근 방법이 포함될 수 있으며, 여기서는 몇 가지 주요 방법을 탐구합니다.

종교적 수행과 예언에 대한 숙고

"종교적 수행과 예언에 대한 숙고"는 원의식과의 재연결을 종교의 궁극적 목표로 설정하며, 이를 통해 인류의 근본적인 문제들에 대한 해답을 찾고자 합니다. 종교적 경험과 실천, 그리고 예언은 인간이 원의식과의 연결을 탐구하고 재건하는 데 중요한 역할을 합니다. 이 과정은 단순히 개인적 차원을 넘어서 인류 전체의 의식 변화를 목표로 합니다.

원의식과 종교의 궁극적 목표

종교는 근본적으로 비물질적이고 비육체적인 세계, 즉 원의식과

의 연결을 지향합니다. 이는 기독교 성서뿐만 아니라 다양한 종교 전통에서 공통적으로 발견되는 목적입니다. 종교적 목적의 핵심은 개인과 공동체가 시조 및 원의식과의 관계를 통해 진정한 자아를 발견하고 우주와의 일체감을 경험하는 것에 있습니다.

종교적 수행과 예언의 중요성

종교적 수행과 예언은 이러한 연결을 탐구하고 심화하는 데 중요한 수단입니다. 수행은 명상, 기도, 성찰 등을 통해 개인이 자신의 내면을 탐구하고 원의식과의 연결을 강화하는 과정입니다. 예언은 종교적 전통에서 신성한 지혜와 미래에 대한 통찰을 전달하는 수단으로, 인간이 올바른 길을 찾고 의식의 변화를 이루도록 돕습니다.

특히 종교의 예언은 원의식자와의 재연결을 주제로 하고 있다는 점에서 종교의 예언을 탐구할 필요가 있습니다. 이러한 예언들은 우리에게 더 깊은 이해와 영적인 지향점을 제공함으로써, 우리 자신과 우주의 근본적인 질서 사이에 존재하는 신성한 연결고리를 발견하게 도와줍니다. 앞에서 언급한 바와 같이 현재 부모가 없는 고아지만 그 아버지가 존재하였으므로 그 고아가 있다는 이해는 곧 시조를 있게 한 누군가가 있다는 것을 의미합니다. 그를 찾는 일이 곧 종교의 핵심 목적인 것을 릴리젼(RELIGION)이란 영어의 어원에서도 찾을 수 있습니다. 우리가 과학으로 숨은 우주의 비밀을 찾아내듯이 원의식자도 우리가 찾으려고 시도할 때, 반드시 찾아질 것입니다. 따라서 우리는 예언을 통해 우리가 속한 이 세상과 우리 자신의 내면 사이에 존재하는 깊은 연결을 재확인하고, 이를 통해 우리 삶의 방향성과 목적을 더욱 명확히 해야 합니다.

철학과 과학의 역할

현대 세계에서 철학과 과학은 종교적 목적의 달성에 있어 중요한 역할을 할 수 있습니다. 철학은 존재와 인식의 근본적인 문제들을 탐구함으로써 의식의 본질에 대한 이해를 심화시킬 수 있습니다. 과학, 특히 의식과 관련된 신경과학 및 양자물리학은 원의식과의 연결을 이해하는 데 필요한 실증적 근거를 제공할 수 있습니다.

종교, 철학, 과학의 통합적 접근

원의식과의 재연결을 달성하기 위해서는 종교, 철학, 과학이 통합적으로 접근해야 합니다. 각 분야는 서로 다른 관점과 도구를 제공하지만, 공통적인 목표인 인간 의식의 변화와 진화를 향해 나아갑니다. 경전과 예언의 연구는 이러한 통합적 접근의 일환으로, 종교적 지혜와 과학적 발견 사이의 대화를 촉진하며, 인류가 직면한 문제들에 대한 보다 깊은 이해와 해결책을 모색하는 데 기여할 수 있습니다.

이러한 접근은 인간이 자신의 내면과 우주에 대한 깊은 이해를 통해 의식의 대혁명을 이루고, 궁극적으로 원의식과의 재연결을 달성할 수 있도록 돕습니다. 이는 단순히 개인적인 변화를 넘어서 인류 전체의 의식 변화를 목표로 하는, 근본적이고 포괄적인 여정입니다.

교육과 인식 제고 (提高)

원의식의 개념과 중요성을 사람들에게 알리는 교육은 이러한 의식 변화를 촉진하는 데 중요한 역할을 합니다. 학교 교육, 워크숍, 세미나, 온라인 코스를 통해 원의식과 그것이 현대 사회에 미치는 영향에 대한 이해를 넓힐 수 있습니다. 이러한 교육은 개인이 자신의 생각과 행동을 재고하고, 보다 지속 가능하고 평화로운 세계로 나아가는 데 필요한 지식과 도구를 제공합니다.

교육과 인식 제고(**提高**)를 통한 원의식과의 재연결은 단순히 개인적 차원을 넘어서 인류 전체의 의식 변화를 목표로 하는 근본적인 접근입니다. 이는 모든 사람이 참여하는 공동의 여정이며, 그 과정에서 대의식의 전환을 이루어내는 것이 중요합니다. 교육은 이러한 변화를 가능하게 하는 핵심 도구로, 원의식에 대한 이해를 높이고, 현대 사회의 다양한 문제에 대한 깊은 통찰을 제공합니다.

7. 인간 자아의 완성

원의식으로의 회귀는 인간의 원래 본성을 회복하고, 현대 사회의 다양한 문제들을 근원적으로 해결하는 방법을 제공합니다. 이러한 회귀는 명상과 영적 수행, 교육과 인식 제고, 커뮤니티 구축, 그리고 지속 가능한 생활 방식의 채택과 같은 구체적이고 실천적인 접근 방법을 통해 가능해집니다. 원의식의 회복은 모든 문제를 해결하는 근원적인 해결책이 될 수 있으며, 이를 통해 우리는 보다 조화롭고 지속 가능한 세계를 만들어 갈 수 있습니다.

원의식의 회복은 실로 인간 자아의 완성과 각 종교가 지향하는 이상적인 상태로서의 목적을 달성하는 것을 의미합니다. 이 과정은 개인이 진정한 자기 인식에 도달하고, 자신의 내면 깊은 곳에 있는 신성함과 연결됨으로써, 궁극적인 평화와 조화를 경험하는 것을 포함합니다. 이러한 상태는 인간이 자신의 영적 본질을 실현하고, 우주와의 근본적인 일체감을 인식하는 데에서 비롯됩니다.

원의식의 회복을 통한 인간 자아의 완성은, 단순히 개인적 성취나 물질적 성공을 넘어서는 것입니다. 이는 자신의 진정한 본성을 깨닫고, 그 본성이 우주의 근본적인 질서와 어떻게 연결되는지를 이해하는 과정입니다. 이 과정에서 개인은 자신의 삶에 대한 깊은 이해와 목적을 발견하며, 자신의 행동이 더 큰 전체와 어떻게 조화를 이루는지를 깨닫게 됩니다.

각 종교의 목적 달성

원의식의 회복은 다양한 종교적 전통에서 강조하는 궁극적인 목표와도 깊이 연결되어 있습니다. 예를 들어, 불교에서는 모든 존재가 깨달음을 얻는 것을 최종 목표로 삼으며, 기독교에서는 신과의 깊은 관계를 통한 영적 성장을 추구합니다. 이슬람교에서는 알라와의 연결을 통해 평화를 찾으며, 힌두교에서는 아트만(자아)이 브라흐만(우주 영혼)과 일체가 되는 것을 지향합니다. 이 모든 종교적 추구는 궁극적으로 원의식의 회복, 즉 우리 내면의 신성함과 우주와의 근본적인 연결을 회복하는 것과 맥을 같이합니다.

원의식의 회복 운동은 종교 간의 상호 이해와 협력을 필요로 합니다. 이 과정에서 각 종교의 근본적인 목표와 가르침을 공유하고, 원의식과의 재연결이라는 공통된 목적을 향해 나아가는 것이 중요합니다. 이를 위해 다음과 같은 접근 방법이 유용할 수 있습니다.

상호 이해와 대화 촉진

종교 간 대화: 서로 다른 종교적 전통 사이의 대화를 촉진하여, 각자의 교리와 실천 방법에서 원의식과의 재연결을 지향하는 공통점을 찾아냅니다.

공통 가치의 발견: 다양한 종교가 공유하는 가치와 목표를 찾아내어, 이를 기반으로 상호 존중과 이해를 증진시킵니다.

경전과 지식의 교류

경전 연구와 공유: 서로 다른 종교의 경전과 가르침을 연구하고 공유함으로써, 원의식에 대한 깊은 이해를 구축합니다.

합집합과 차집합의 탐색: 각 종교의 독특한 점과 공통점을 분석하여, 원의식의 회복을 위한 효율적인 접근 방법을 모색합니다.

국제적 커뮤니티 형성: 원의식의 회복을 지향하는 글로벌 커뮤니티를 구축하여, 다양한 종교와 문화 간의 협력을 증진시킵니다.

교육과 인식 제고 활동: 종교적 가르침과 원의식의 중요성에 대한 인식을 제고하기 위한 교육 프로그램과 캠페인을 개발하고 실행합니다.

원의식의 회복을 향한 이러한 노력은 각 종교가 자신의 신앙을 지키면서도 공통된 목표를 향해 협력할 수 있는 기반을 마련합니다. 이는 단순히 종교적 이해를 넘어서 인류 전체의 의식 진화와 사회적 변화를 촉진하는 길로 이어질 수 있습니다.

이상적인 상태로의 회복

원의식으로의 회귀는 현대 사회가 직면한 문제들에 대한 근본적인 해결책을 제공하는 동시에, 개인과 사회가 이상적인 상태로 돌아갈 수 있는 길을 제시합니다. 이러한 회복은 사람들이 서로와 자연, 우주와 조화롭게 살아가며, 평화와 공존의 길을 추구할 수 있도록 합니다. 이 과정에서 개인은 내면의 평화를 발견하고, 사회는 보다 지속 가능하고 평등한 구조를 형성하며, 환경은 보호와 존중을 받게 됩니다.

원의식의 회복을 향한 여정은 인간 자아의 완성을 향한 여정이며, 각 종교가 지향하는 궁극적인 목적을 이루는 길입니다. 이는 단순한 개인적 변화를 넘어, 우리 모두가 더 나은 세상을 만들기 위해 함께 나아가야 할 영적인 소명입니다.

원의식으로의 회귀는 개인의 내면 깊은 곳에서 시작되는 변화이며, 그 파급 효과는 사회적 구조, 환경적 지속 가능성에 이르기까지 광범위하게 미칩니다. 이러한 회귀는 단순히 영적인 수행이나 개인적인 성찰의 영역을 넘어서, 전 세계적인 차원에서 긍정적인 변화를 가져올 수 있는 강력한 동력입니다. 원의식으로 돌아가는 여정은 우리 모두에게 내면의 평화를 찾고, 우리가 속한 커뮤니티와 자연 환경과의 조화를 이루며, 궁극적으로는 인류 전체의 복지를 증진하는 방법을 제시합니다.

전 인류의 형제자매 관계

2003년과 2011년 게놈 프로젝트의 보고와 같은 과학적 발견은 인류가 공통의 조상을 공유하고 있다는 사실을 증명합니다. 이러한 과학적 근거는 인류 간의 형제자매 관계를 더욱 강조하며, 서로 돕고 사랑하는 것이 단순히 윤리적 의무를 넘어서 우리의 본질적인 특성임을 시사합니다.

원의식으로의 회귀를 통해 사회적 변화를 이루기 위해서는 개인, 공동체, 그리고 국제적 수준에서의 노력이 필요합니다. 이러한 변화는 단지 사회적, 경제적 문제를 넘어서 인류의 근본적인 의식 변화를 요구하며, 이는 지속 가능하고 평화로운 미래로 나아가는 길을 제시합니다.

세계만민이 형제 자매관계로 의식이 고취되면, 전쟁은 그 명분을 상실합니다. 인류가 하나의 큰 가족으로서 서로에 대한 깊은 이해와 연대를 실현할 때, 전쟁은 더 이상 자기 자신과 가족을 해치는 행위로 인식되어, 그 어떤 이유로도 정당화될 수 없게 됩니다. 이러한 의식의 변화는 평화롭고 공정한 세계로 나아가는 길을 제시합니다.

원의식으로의 회귀는 우리 개인의 삶, 우리가 속한 사회, 그리고 우리가 살고 있는 지구에 긍정적인 변화를 가져올 수 있는 엄청난 잠재력을 지니고 있습니다. 이는 단지 영적인 이상이 아니라, 현실적인 문제에 대한 구체적이고 실질적인 해결책을 제공합니다. 원의식으로 돌아가는 여정을 통해, 우리는 더 평화롭고 조화롭고 지속가능한 세계를 향한 길을 걷기 시작할 수 있습니다. 이 여정은 모든 인류가 함께 참여해야 할 중대한 도전이자, 우리 모두에게 주어진 소중한 기회입니다.

8. 우리는 어디서 와서 어디로 가는가?

“우리는 어디서 와서 어디로 가는가”라는 장은 인간 의식의 여정과 원의식으로의 회귀를 탐구하는 깊이 있는 논의를 제공합니다. 이 여정은 단순한 물리적 이동이 아니라, 의식의 근본적인 변화와 발전을 통한 영적인 여행을 의미합니다. 원의식장에서 출발하여, 인간 의식이 겪는 이탈과 그로부터의 회복 과정을 통해, 우리는 자아의 완성과 원의식으로의 귀환을 목표로 합니다.

의식의 여정

우리의 의식은 시조와 원의식장에서 출발하였으며, 시간이 흐름에 따라 다양한 외부 요인과 내면의 갈등으로 인해 원의식에서 멀어지게 되었습니다. 그러나 이탈은 영원한 것이 아니며, 의식의 근본적인 탐색과 성찰을 통해 원의식으로의 회귀가 가능합니다. 이 여정은 개인의 내면 탐사와 영적 성장을 통해 이루어지며, 최종적으로는 자아의 완성을 이루게 됩니다. 인간의 역사는 의식의 출현과 함께 시작되었으며, 이로부터 발전한 세계는 단순에서 복잡으로, 하나에서 다수로 확장되어 오늘날의 현실을 이루었습니다. 이 모든 과정은 마치 하나의 큰 드라마처럼 여겨집니다.

회복의 상태

원의식으로의 회귀는 단순히 과거로의 회귀가 아니라, 의식의 변화와 성장을 통해 도달하는 새로운 상태입니다. 이 상태는 내면의 평화와 조화, 그리고 우주와의 일체감을 경험하는 것을 포함하며, 이는 인간이 진정으로 추구해야 할 자아완성의 상태입니다. 이 회복된 상태에서, 우리는 물질적 욕망과 갈등에서 벗어나 진정한 행복과 만족을 찾을 수 있습니다.

이 의식 변화는 우리의 근본적인 재설정, 즉 현실의 인식을 초기화하고 원의식으로 다시 조정하는 과정을 통해 이루어집니다. 이 과정은 우리가 진정한 자기 이해와 우주와의 조화로운 공존을 추구하면서, 우리 자신과 주변 세계를 보는 방식을 근본적으로 변화시키는 여정입니다.

새로운 세상의 펼침

우리의 깊은 내면으로부터 원의식에 다시금 도달하는 순간, 우리 앞에는 전에 볼 수 없던 새로운 세계가 펼쳐집니다. 이곳은 평화와 사랑, 그리고 기쁨이 가득 찬 천국과도 같은 곳으로, 고통과 고난, 탐욕과 분쟁이 사라진 완전한 파라다이스입니다. 모든 인류가 이 세계로의 초대장을 받았지만, 원의식을 멀리하고 그 가치를 인정하지 않는 이들에게는 그 문이 영원히 닫혀 있습니다. 우리가 궁극적으로 도달해야 할 목적지는 바로 이러한 평화의 땅이며, 우리 모두는 그곳에 이르기 위해 한 걸음 한 걸음 나아가고 있습니다.

이 꿈같은 세계는 우리가 죽음을 통해 가는 곳이 아닙니다. 오히려, 삶 속에서 우리가 찾아가게 되는 진정한 안식처, 바로 여기에 존재합니다.

우리의 여정은 원의식에서 출발하여, 의식의 이탈과 회복을 통해 최종적으로 평화와 조화가 가득한 새로운 세계로의 이주를 목표로 합니다. 이 여정은 단순히 개인적인 성찰을 넘어서, 인류 전체가 함께 나아가야 할 영적인 여정입니다. 원의식으로의 회귀는 우리 모두에게 열려 있는 가능성이며, 이를 통해 우리는 진정한 의미에서의 자아완성과 평화로운 세계를 실현할 수 있습니다.

여기에서는 우리가 의식의 실체임을 강조하며, 육체와 물질적 사고에 국한된 이들에게는 이해되기 어려운 차원의 세계를 탐구합니다. 의식은 우리 존재의 근본이며, 우리 내면의 깊은 변화와 성장을 통해 경험할 수 있는 영적인 여정의 핵심입니다. 이러한 의식의 여정은 육체적인 제약을 넘어서는 것으로, 우리가 진정으로 우리의 운명을 이해하고 수용할 때 가능해집니다.

의식의 운명과 수용

의식은 우주의 근본 원리와 연결되어 있으며, 우리의 생각과 행동, 그리고 우리가 경험하는 현실을 형성하는 데 결정적인 역할을 합니다. 의식의 변화는 단순히 개인적 차원을 넘어서 사회적, 환경적 변화를 이끌어낼 수 있는 힘을 가지고 있습니다. 우리가 이 책을 통해 탐구하는 의식의 여정은, 의식이 우리 존재의 본질이며, 우리의 운명을 형성하는 종자와 같다는 인식에서 출발합니다.

의식의 현현과 긍정적 수용

모든 것이 물질과 육체가 아니라 의식의 현현임을 인정하는 순간, 우리는 우리가 경험하는 세계에 대한 깊은 이해와 평화로운 수용의 상태에 도달할 수 있습니다. 이는 물질적인 것들에 대한 집착을 넘어서, 보다 깊은 의미와 목적을 발견하는 여정입니다. 의식의 현현을 수용함으로써, 우리는 내면의 평화와 조화를 경험하고, 우리 내면과 외부 세계와의 근본적인 연결을 깊이 이해할 수 있게 됩니다.

물질과 육체의 한계 넘어서기

물질과 육체에 대한 고집은 우리가 더 깊은 영적인 진리와 연결될 수 있는 기회를 제한합니다. 반면, 의식의 변화와 성장을 추구함으로써, 우리는 육체적인 제약을 넘어서 우리의 참된 본성과 우주의 근본적인 원리와 연결될 수 있습니다. 이러한 연결은 우리에게 진정한 자유와 기쁨, 그리고 무한한 가능성의 세계를 열어줍니다.

우리가 의식을 가진 실체로서, 우리 내면의 의식의 변화와 성장을 통해 경험할 수 있는 세계는 육체와 물질을 초월한 차원입니다. 이 책을 통해 우리가 탐구하는 의식의 여정은, 모든 인간이 진정으로 추구해야 할 영적인 목표를 제시합니다. 의식의 현현을 긍정적으로 수용함으로써, 우리는 평화와 사랑, 기쁨과 즐거움이 가득한 새로운 세계로의 이주를 시작할 수 있습니다. 이것은 만민에게 열린 길이지만, 이를 부인하고 혐오하는 이들에게는 도달하기 어려운 목적지입니다. 우리의 최종 목적지는 의식의 깊은 변화와 회복을 통해 달성될 수 있는, 모든 존재가 조화롭게 공존하는 이상적인 상태입니다.

이 글에서 다시 한번 강조되는 핵심은, 우리의 본질적 실체가 의식이라는 사실입니다. 의식은 단순히 영적인 개념이 아니라, 실재하는, 존재하는 것입니다. 이 책을 통해 탐구된 철학, 과학, 그리고 뇌과학은 우리가 살고 있는 세계가 오로지 물질적인 것에 국한되지 않음을 명확히 보여줍니다. 이러한 결론은 과학적 증거에 기반하며, 과학이 비물질의 세계, 즉 의식의 세계를 인정해야 하는 필요성을 강조합니다.

의식은 우리가 경험하는 모든 것의 근본이며, 우리의 인식, 생각, 감정을 형성하는 데 결정적인 역할을 합니다. 이는 영적이면서도 가장 실재하는 현상으로, 우리의 삶과 직접적으로 연결되어 있습니다. 의식의 실재성을 인정하는 것은 우리가 세계를 이해하고, 우리 자신과 우주와의 관계를 파악하는 데 중요한 전환점이 됩니다.

현대 과학, 특히 뇌과학과 양자물리학은 의식과 물질 세계 사이의 복잡한 상호작용을 탐구하며, 의식이 단순한 부산물이 아니라 우주의 근본적인 구성 요소임을 시사합니다. 이러한 과학적 탐구는 의식이 단지 주관적 경험에 불과한 것이 아니라, 우리가 살고 있는 현실을 형성하고 영향을 미치는 실재하는 힘임을 보여줍니다.

우리 인간과 우리의 삶에 가장 직접적으로 영향을 미치는 것은 의식과 의식장입니다. 의식장은 개인의 의식뿐만 아니라 집단 의식, 그리고 우주 의식과도 연결되어 있으며, 이는 우리가 경험하는 현실을 넘어서는 깊은 연결성과 조화를 가능하게 합니다. 의식과 의식장을 이해하고 이와 조화를 이루는 것은 우리 자신의 본질을 이해하고, 보다 조화롭고 의미 있는 삶을 살아가는 데 필수적입니다.

우리의 본질적 실체인 의식은 실재하며, 철학과 과학, 뇌과학을 통해 이를 더 깊이 이해하고 탐구하는 것은 우리가 살고 있는 세계와 우리 자신에 대한 깊은 이해를 가져다줍니다. 의식과 의식장의 중요성을 잊지 않고, 이와 조화를 이루며 살아가는 것은 우리 모두의 과제이자 기회입니다. 우리는 의식을 통해 우리의 현실을 형성하고, 의식의 변화와 성장을 통해 우리의 운명을 개척해 나갈 수 있습니다.

9. 맺음말:
의식장의 귀환과 인류의 여정

이제 결언으로 이 주제의 대화를 마무리하려고 합니다. 이 졸작을 통하여 의식과 의식의 필드에 대한 이해와 그것이 우리 존재와 우주의 본질에 대해 가지는 의미를 탐구하는 데 중점을 두어 보았습니다. 이는 우리가 경험하는 물리적 세계와 그 너머의 현상을 이해하려는 시도에서 출발했습니다. 이러한 관점에서 우리의 현실, 생명의 기원, 우주의 구조와 진화는 모두 의식의 영역과 깊이 연결되어 있음을 제안합니다.

이쯤에서 우리는 철학, 과학, 뇌과학, 종교라는 다양한 장르를 통하여 우리가 살고 있는 이 세계가 과연 무엇인가라는 궁극적인 질문을 던지면서 얻은 답을 종합해 봅니다. 그 결과, 우리가 살고 있는 이 우주 안의 모든 세계는 의식장에서 기초하여 의식장으로 둘러싸인 곳에서 우리들의 삶이 전개되고 있다는 사실을 발견하게 됩니다. 우리의 감각은 주관인 나와 이 우주가 분리되어 있는 듯, 별도로 존재하고 있는 듯 보입니다. 하지만 사실 우리는 거대한 의식장에서 살고 있습니다. 그 의식장을 다른 종교적 지식을 빌려 말하면, 우리 각자는 신들이며, 이 우주는 신들이 살고 있는 영적인 세계로 대체가 가능한 그런 세계임을 의미합니다.

칸트의 인식론에서 표상계를 심각하고 냉정하게 정의하고 분석하면, 나와 우리 모두와 우주는 우리들의 의식 안에 존재하고 있습니다. 이를 더욱 실감나게 나타내기 위해 제럴드 에델만의 "세컨드 네이처"를 상기시킬 필요가 있습니다. 나와 이 우주가 우리의 내부, 의식 안에 있다는 것을 에델만의 뇌과학으로 표현하면 이 세계는 우리 뇌 속에 존재하고 있다는 것입니다.

우리 뇌의 무게는 약 1.3에서 1.4 킬로그램입니다. 그리고 크기는 길이, 폭, 높이를 포함해 대략 15센티미터 정도의 크기를 가지고 있습니다. 뇌의 전체 부피는 약 1,200에서 1,500 세제곱 센티미터[약 1.2에서 1.5리터] 정도입니다. 이는 우리와 우주만물이 약 1.3리터 정도 되는 우리 뇌 안에 있다는 주장을 뒷받침합니다. 이것이 칸트가 설명한 표상계의 실상이고, 에델만이 주장한 "세컨드 네이처"의 참모습입니다.

이 논리를 뒷받침하고 있는 세력이 아인슈타인의 두 상대성이론과 양자역학입니다. 이 세력은 물리세계인 이 우주가 비물리 세계라는 사실을 밝힌 위대한 과학의 힘입니다. 그리고 이 책에서는 이 모든 것이 의식장이란 속성 속에서 일어난 현상들이라고 부연하였습니다.

또한 이 책에서는 물자체를 표상계에 포함된다는 논리를 부연하였고, 퍼스트 네이처는 물자체에 귀속되므로 퍼스트 네이처 또한 별개로 존재하지 않는다는 결론에 도달했습니다. 이리하여 우리가 감각하고 있는 모든 만물과 우주는 우리 의식이 창출해낸 세계라는 것입니다. 이는 내가 없어도 이 세상이 존재하는지, 나의 의식이 없어도 내가 존재하는지를 답을 얻을 때까지 명상해보면 이 결론은 반론의 여지가 없음을 발견할 수 있습니다.

이런 의식의 세계를 종교적 의미로 해석하면 의식장은 신의 세계이며, 우리의 의식들은 신이 되는 것입니다. 이 통찰은 우리가 철학적, 과학적, 영적 탐구를 통해 얻은 깊은 이해를 바탕으로, 우리의 존재와 우주를 새롭게 바라보게 합니다. 이는 우리에게 새로운 의식의 확장과 영적 성장을 통해 이상적인 세계에 도달할 수 있다는 희망을 제시합니다.

우리가 물질과 공간으로 이루어진 이 세계에서 살아가면서 의식이라는 추상적이고 비물질적인 개념을 받아들이기는 쉽지 않습니다. 물질의 기원, 생명의 최초 발현, 인생의 복잡성, 우주의 광대함과 그 끝없는 성장에 대해 생각할 때, 이 모든 것이 단순하게 보일 수 있습니다. 하지만 이러한 현상 뒤에는 의식과 의식장이라는 더 깊은 차원이 존재합니다.

의식과 의식장은 우리가 경험하는 세계를 형성하는 기본적인 힘입니다. 이들은 물질적인 세계에서 보이지 않는, 하지만 모든 것을 가능하게 하는 에너지의 영역입니다. 무에서 무한으로, 공에서 색으로, 말씀에서 만물로, 파동에서 입자로, 인식에서 표상으로의 전환은 모두 의식의 작용을 통해 이루어집니다. 우주의 탄생과 양자역학의 미스터리도 의식장에서 시작된 순간부터 모든 가능성 위에 구축됩니다.

현재 우리의 의식은 발전하는 과정에 있으며, 이는 깨달음을 통해 원의식에 도달할 수 있음을 의미합니다. 이 깨달음을 통해 우리는 절대적인 지식과 최고의 삶을 경험할 수 있게 될 것입니다. 이러한 이해는 우리 모두가 공유하는 근본적인 의식, 인류의 공통된 유전적, 정신적 유산을 강조합니다.

의식의 이러한 이해는 우리가 우리 자신, 우리가 사는 세계, 그리고 우리가 우주 속에서 차지하는 자리에 대한 근본적인 인식을 바꾸는 힘을 가집니다. 의식과 의식장에 대한 이러한 탐구는 단순히 학문적 호기심을 넘어서, 우리가 우리 자신과 우리가 속한 모든 것과의 관계를 재정의하는 데 중요한 역할을 할 수 있습니다.

우리는 어디서 왔으며, 어디로 가는가? 이 책을 통해 우리는 우주와 의식, 그리고 인간 존재의 본질에 대해 탐구해왔습니다. 의식장과 의식을 통해 나, 우리, 그리고 우주를 재해석하는 여정은, 우리가 누구인지에 대한 깊은 성찰로 이어졌습니다. 거대한 의식장에서 기원한 우리는, 인간이라는 독특한 의식을 품고 있습니다. 철학, 물리학, 뇌과학이 얽히며, 이들은 우리 의식의 실체와 우주의 미스터리를 풀어가는 열쇠를 제공합니다.

아인슈타인이 물리학의 원리를 통해 통일장이론을 탐구했듯, 이 책은 물리학뿐만 아니라 과학, 뇌과학, 철학, 그리고 종교가 어우러진 통일의 필요성을 논합니다. 핵심은 **우리가 우주 속에 살고 있다기보다는, 우리는 우리 내부에 존재하는 우주에서 살고 있다**는 인식의 전환입니다. 이는 코페르니쿠스적 전환과도 같은 근본적인 사고와 시각의 변화를 요구합니다. 의식장이 이 모든 것의 중심에 서 있으며, 우리 각자의 의식이 우리의 세계를 형성합니다.

의식은 인간에게만 있는 특별한 선물이자, 우리의 뿌리이며 종자입니다. 이는 인간의 존엄성이 모든 이에게 인정되어야 하는 이유입니다. 의식의 근본에는 높은 영성이 자리잡고 있으며, 이는 우리가 전쟁, 다툼, 갈등보다는 평화, 화해, 이해의 길을 선택해야 함을 의미합니다.

이 책을 통해 우리는 인간과 우주, 의식의 깊이를 다시금 조명했습니다. 우리의 여정은 여기서 멈추지 않습니다. 이 책이 던진 질문들과 탐구는 우리 각자의 삶 속에서, 우리의 의식 속에서 계속될 것입니다. 이 책을 통해 우리는 인간과 우주, 의식의 깊이를 다시금 조명하며, 그 여정이 여기서 멈추지 않음을 확인했습니다. 우리가 던진 질문들과 탐구는 각자의 삶과 의식 속에서 지속될 것입니다. 우리의 기원과 궁극적인 목적지에 대한 물음은, 결국 우리가 누구인가에 대한 탐색으로 이어집니다. **우리는 가의식장에서 왔으며, 원의식장으로의 귀환을 목표**로 합니다. 가의식장에서 원의식장으로의 귀환은 어디로 가는 것이 아니라, 영원성의 회복입니다.

우리는 가의식의 과정에서, 우리의 의식은 물질화와 육화라는 잘못된 경로로 이끌렸습니다. 이는 우리가 의식의 세계에서 왔다는 본질적인 사실을 망각하게 만들고, 물질과 육체에 사로잡혀 갈등과 욕심, 전쟁을 일으키는 혼란의 상태로 이끌었습니다. 우리의 여정은 가의식에서 원의식으로 귀환하는 과정에 있습니다. 우리의 여정은 의식의 깊이를 탐색하고 원의식으로 돌아가는 내면의 여행으로, 단순히 지리적 이동을 넘어선 도피안에 해당합니다. 이는 단순한 이동이 아닌, 의식의 깊이와 범위를 확장하는 내면의 여행입니다. 삶의 궁극적 의미는 이러한 의식의 전환, 즉 의식의 깨달음과 성장에 있습니다. 의식이 이끄는 세계에서 죽음은 없으며, 그것은 가의식에 의해 부여된 일시적인 개념에 불과합니다. 우리는 공간, 물질, 육체를 넘어서는 존재의 본질을 발견하는 여정에 있으며, 이는 인간의 깊은 탐구와 성찰을 통해 이루어진 발견입니다. 이제, 우리는 의식의 혁명을 통해 원의식으로의 귀환을 목도하며, 이는 어떠한 외부적 이동 없이도, 바로 지금 여기 이 자리에서 일어나는 깊은 변화입니다.

이를 동조하는 논리적인 근거는 일부 철학자들과 물리학자들, 뇌과학자들은 이러한 혼란 속에서도 진실을 탐색하고, 우리가 살고 있는 세계가 관계, 정보, 환의 세계라는 결론에 도달했습니다.

물리학의 최종 결론이 만물의 근원이 물질이 아니라 상대적이고 양자역학적인 세계라는 인식은, 철학, 과학, 종교가 하나로 어우러져 인간의 존엄성과 고귀함을 높이고, 전쟁과 분쟁 대신 평화로 나아가야 함을 강조합니다. 우리가 앞으로 펼쳐갈 세계는 물질과 육에 얽매인 삶이 아니라, 새롭고 고귀한 의식장의 세계로의 전환을 요구합니다.

우리는 인류라는 릴레이 마라톤의 주자들이며, 굽이굽이 돌고 돌아 결국 의식장으로의 귀환을 맞이합니다. 우리는 모두 한 뿌리에서 비롯된 육이 아닌 의식의 신분을 지닌, 높은 영성을 가진 존재들입니다. 이제 우리는 이 의식장의 진정한 의미를 깨닫고, 각자의 의식을 개조하며, 전면적인 개혁을 통해 새로운 원의식장으로의 여정을 계속해야 합니다.

이 책이 우리 각자에게 의식의 개혁을 촉구하는 동시에, 우리 모두가 욕심과 물질, 육의 한계를 넘어서 평화와 상호 존중이 지배하는 새로운 세계로 나아갈 수 있는 용기와 지혜를 제공하기를 바랍니다. 우리의 여정은 여기서 멈추지 않습니다. 의식장으로의 귀환과 그 과정에서 이루어질 우리 각자의 변화가, 평화의 깃발을 높이 올리며 우리 앞에 펼쳐질 새로운 세계의 모습을 그려 나가게 할 것입니다.

우리의 삶이 그 답을 찾아가는 여정이 되기를 바랍니다. 의식의 무한한 가능성을 탐구하며, 서로의 존엄성을 인정하고, 갈등을 넘어 평화와 화해를 지향하는 그 길에서, 우리 모두가 더 나은 존재로 거듭나길 소망합니다. 우리의 의식이 우주의 깊은 비밀을 품고 있음을 기억하며, 그 신비를 함께 탐험해 나갑시다. 우리의 여정은 계속됩니다.

"우리는 어디서 와서 어디로 가는가"라는 깊은 질문에 대한 답을 탐구하며 여러분과 함께한 이 시간이 의미 있었기를 바랍니다. 못다 한 이야기와 더 깊은 탐색은 다음 책에서 이어지겠습니다. 여러분의 관심과 깊은 사유에 감사드리며, 앞으로도 계속되는 여정에서 더욱 풍부한 통찰과 발견이 있기를 기대합니다. 감사합니다. 끝으로 여러분의 관심과 깊은 사유에 진심으로 감사드립니다. 이 책을 통해 우리 모두가 더 깊은 이해와 통찰을 얻고, 앞으로도 계속되는 여정에서 새로운 발견과 성장을 이룰 수 있기를 진심으로 기대합니다.

이 책의 탄생에는 많은 분들의 물질적, 정신적 지원이 있었습니다. 먼저, CELLCZONE Co.LDT. CEO 권혁준 동생에게 감사 인사 올리며 영해 형, 정하 형, 세윤 동생에게도 감사드립니다. 여러분의 격

려와 조언은 이 책의 내용을 풍부하게 만드는 데 큰 도움이 되었습니다.

또한, 윤영해 교수님, 홍욱헌 총장님 권영규 교수님, 송동영 교수님께도, 깊은 감사의 인사를 전합니다. 여러분의 학문적 지도와 지원이 없었다면, 이 책은 그 깊이를 갖추기 어려웠을 것입니다. 여러분의 지식과 경험, 그리고 지혜가 이 책의 밑거름이 되었습니다.

이 책을 통해 나눈 지식과 통찰이 여러분의 삶에 긍정적인 변화를 가져다주길 바라며, 이 책이 여러분과의 대화의 시작점이 되기를 희망합니다. 앞으로도 계속될 우리의 여정에서 더 많은 통찰과 발견을 공유할 수 있기를 기대합니다.

진심으로 감사드립니다.

미주

1) 메타포(Metaphor)는 하나의 개념, 사물, 혹은 경험을 다른 것에 비유하여 표현하는 언어적 수단입니다.

2) 캄브리아기 대폭발(Cambrian Explosion)은 약 5억 4천만 년 전, 캄브리아기 초에 발생한 생명체의 다양성과 복잡성이 급격히 증가한 사건을 말합니다. 이 시기에는 지금까지 알려진 가장 초기의 다세포 생물들이 등장했으며, 짧은 지질학적 시간 내에 대부분의 주요 동물 군계가 처음으로 나타났습니다.

캄브리아기 대폭발의 중요성은 여러 면에서 드러납니다:

1. 생물 다양성의 급증: 이 기간 동안 생물 다양성이 크게 증가했습니다. 다양한 신체 구조를 가진 다세포 동물이 출현했으며, 이는 현재 지구상에 존재하는 동물 생물의 기본적인 체계를 형성했습니다.

2. 복잡한 생명 형태의 등장: 캄브리아기 대폭발은 복잡한 신체 구조를 가진 생명 형태가 등장한 최초의 시기로 여겨집니다. 예를 들어, 눈과 같은 감각 기관, 입과 같은 소화 기관이 발달한 동물들이 등장했습니다.

3. 주요 동물 군계의 출현: 이 시기에는 오늘날 동물계를 구성하는 대부분의 주요 분류군이 처음으로 나타났습니다. 예를 들어, 절지동물, 척추동물, 갑각류 등이 이때 처음 등장했습니다.

캄브리아기 대폭발의 원인에 대해서는 여러 가지 가설이 제시되었습니다. 이 중에는 대기 중 산소 농도의 증가, 해양 환경의 변화, 유전자의 진화적 혁신, 포식자와 피식자 간의 관계 변화 등이 포함됩니다. 그러나 이 사건의 정확한 원인과 과정에 대해서는 여전히 활발한 연구와 토론이 진행되고 있습니다.

캄브리아기 대폭발은 생명의 역사에서 가장 중요한 사건 중 하나로, 생물학적 진화와 지구의 생명체 다양성을 이해하는 데 있어 핵심적인 역할을 합니다. -저자의 해석

이러한 자료들은 의식과 원의식, 그리고 이와 관련된 다양한 주제들에 대한 깊이 있는 이해를 제공할 것입니다. 각 책은 서로 다른 관점과 접근 방식을 통해, 의식의 본질과 인간 경험의 깊이를 탐구하고 있습니다.

· 브루스 H. 리프톤이 신념이 생물학에 미치는 영향을 탐구한 책입니다.

이 목록에 포함된 자료들은 의식의 변화, 원의식의 회복, 그리고 이러한 변화가 개인과 사회에 미치는 영향에 대한 깊은 이해를 돕습니다. 각 주제에 따라 필요한 참고 자료를 선택하여 깊이 있는 탐구와 연구를 진행해 보시기 바랍니다.

디코히런스(Decoherence)는 양자역학에서 중요한 개념으로, 양자 시스템이 주변 환경과의 상호작용으로 인해 순수한 양자 상태의 중첩이 파괴되어 가는 현상을 말합니다. 이 과정에서 양자 시스템은 그 특유의 양자역학적 성질, 예를 들어 중첩 상태와 얽힘 상태 등을 잃어버리게 됩니다. 결과적으로 시스템은 고전적인 물리 법칙에 더 잘 부합하는 상태로 변화하며, 이는 양자 컴퓨터의 계산 능력에 영향을 미칠 수 있습니다. 양자 디코히런스는 양자 컴퓨팅에서 큰 도전 과제 중 하나입니다. 양자 컴퓨터의 계산 능력은 큐비트(qubits)가 얽힘(entanglement)과 중첩(superposition)과 같은 양자역학적 성질을 유지하는 능력에 의존합니다. 디코히런스가 발생하면, 이러한 양자역학적 성질이 손실되어 계산의 정확성과 효율성이 크게 감소합니다. 따라서 양자 컴퓨터를 개발하는 과정에서는 디코히런스를 최소화하고, 큐비트가 가능한 한 오랫동안 안정적인 양자 상태를 유지할 수 있도록 하는 기술적 해결책을 모색하고 있습니다.

참고자료 서지사항

1. Rovelli, Carlo. "The Order of Time" (원제: "L'ordine del tempo"), Riverhead Books, 2018.
   - 카를로 로벨리 지음, "우주는 인간의 시간 속에 살지 않는다", 리버헤드 북스, 2018.
2. Rovelli, Carlo. "Reality Is Not What It Seems: The Journey to Quantum Gravity" (원제: "La realtà non è come ci appare"), Riverhead Books, 2017.
   - 카를로 로벨리 지음, "보이는 세상은 실재가 아니다", 리버헤드 북스, 2017.
3. Rovelli, Carlo. "Seven Brief Lessons on Physics" (원제: "Sette brevi lezioni di fisica"), Riverhead Books, 2016.
   - 카를로 로벨리 지음, "나없이는 존재하지 않는 세상", 리버헤드 북스, 2016.
4. Newberg, Andrew; Waldman, Mark Robert. "How God Changes Your Brain: Breakthrough Findings from a Leading Neuroscientist", Ballantine Books, 2009.
   - 앤드루 뉴버그 외 지음, "신은 왜 우리 곁을 떠나지 않는가", 발란타인 북스, 2009.
5. 한자경 지음. "헤겔의 정신현상학의 이해", 문학과지성사, 출판년도 미제공.
6. Sam Kean. "The Tale of the Dueling Neurosurgeons: The History of the Human Brain as Revealed by True Stories of Trauma, Madness, and Recovery", Little, Brown and Company, 2014.
   - 샘킨 지음, "뇌 과학자들", 리틀, 브라운 앤드 컴퍼니, 2014.

7. Kant, Immanuel. "Critique of Pure Reason" (원제: "Kritik der reinen Vernunft"), Translated by 최재희, 서광사, 출판년도 미제공.
   - 칸트 저, 최재희 역, "순수이성비판", 서광사, 출판년도 미제공.

8. Kant, Immanuel. "Critique of Judgment" (원제: "Kritik der Urteilskraft"), Translated by 최재희, 서광사, 출판년도 미제공.
   - 칸트 저, 최재희 역, "판단력비판", 서광사, 출판년도 미제공.

9. Hyorim. "The Platform Sutra of the Sixth Patriarch" (원제: "육조단경"), 효림, 출판년도 미제공.
   - 효림, "육조단경", 출판년도 미제공.

10. 도서출판 교림. "신화엄경합론(1-23권)", 교림, 출판년도 미제공.
   - 도서출판 교림, "신화엄경합론(1-23권)", 출판년도 미제공.

11. Newberg, Andrew, and Waldman, Mark Robert. "How God Changes Your Brain: Breakthrough Findings from a Leading Neuroscientist." Ballantine Books, 2009.
   - 신경과학자인 앤드루 뉴버그와 마크 로버트 월드만이 신과 명상이 뇌에 미치는 영향.

12. Laszlo, Ervin. "Science and the Akashic Field: An Integral Theory of Everything." Inner Traditions, 2004.
   - 에르빈 라슬로가 아카식 필드와 관련하여 모든 것을 통합하는 이론을 제시한 책.

13. Tolle, Eckhart. "The Power of Now: A Guide to Spiritual Enlightenment." New World Library, 1999.
   - 에크하르트 톨레가 현재의 힘과 영적 깨달음에 대해 설명하는 책.

14. Sheldrake, Rupert. "The Science Delusion: Freeing the Spirit of

Enquiry." Coronet, 2012.

- 루퍼트 셸드레이크가 현대 과학의 한계를 비판하고, 더 개방적인 탐구 정신을 촉구하는 책.

15. Capra, Fritjof. "The Tao of Physics: An Exploration of the Parallels Between Modern Physics and Eastern Mysticism." Shambhala, 1975.
    - 프리조프 카프라가 현대 물리학과 동양의 신비주의 사이의 유사성을 탐구하는 책.
16. Wilber, Ken. "A Brief History of Everything." Shambhala, 1996.
    - 켄 윌버가 코즈모스의 역사와 다양한 지식 분야를 통합적 관점에서 해석하는 책.
17. Hanh, Thich Nhat. "The Art of Living: Peace and Freedom in the Here and Now." HarperOne, 2017.
    - 틱낫한 스님이 현재에 살며 평화와 자유를 실천하는 법을 설명하는 책.
18. Lipton, Bruce H. "The Biology of Belief: Unleashing the Power of Consciousness, Matter & Miracles." Hay House, 2005.
19. McTaggart, Lynne. "The Field: The Quest for the Secret Force of the Universe." Harper Perennial, 2008.
    - 린 맥태거트가 우주의 비밀력을 탐구하는 '필드'에 대해 설명.
20. Hofstadter, Douglas. "I Am a Strange Loop." Basic Books, 2007.
    - 더글러스 호프스태터가 '나는 이상한 루프'라는 개념을 통해 의식과 자아에 대해 탐구하는 책.
21. Dennett, Daniel C. "Consciousness Explained." Back Bay Books, 1992.

- 대니얼 C. 데넷이 의식을 과학적으로 설명하려는 시도를 담은 책.

22. Kaku, Michio. "The Future of the Mind: The Scientific Quest to Understand, Enhance, and Empower the Mind." Doubleday, 2014.
    - 미치오 카쿠가 마음의 미래와 의식에 대한 과학적 탐구를 다룬 책.
23. Zukav, Gary. "The Seat of the Soul: 25th Anniversary Edition with a Study Guide." Simon & Schuster, 2014.
    - 게리 주카브가 영혼의 본질과 의식의 힘에 대해 설명하는 책.
24. Tarnas, Richard. "The Passion of the Western Mind: Understanding the Ideas That Have Shaped Our World View." Ballantine Books, 1993.
    - 리처드 타르나스가 서구 정신의 열정과 서구 세계관을 형성한 아이디어를 탐구하는 책.
25. Grof, Stanislav. "The Holotropic Mind: The Three Levels of Human Consciousness and How They Shape Our Lives." HarperSanFrancisco, 1993.
    - 스타니슬라브 그로프가 인간 의식의 세 단계와 이것이 우리 삶을 어떻게 형성하는지를 설명하는 책.
26. Watts, Alan. "The Book: On the Taboo Against Knowing Who You Are." Vintage, 1989.
    - 앨런 와츠가 자신이 누구인지 아는 것에 대한 금기를 다룬 책.
27. Hanegraaff, Wouter J. "Esotericism and the Academy: Rejected Knowledge in Western Culture." Cambridge University Press, 2012.
    - 바우터 J. 하네그라프가 서양 문화에서 거부된 지식과 에소테리즘을 학문적으로 탐구하는 책.

28. Dispenza, Joe. "Breaking The Habit of Being Yourself: How to Lose Your Mind and Create a New One." Hay House, 2012.

- 조 디스펜자가 자신의 마음을 잃고 새로운 자아를 창조하는 방법을 다룬 책

29.

- 브루스 H. 리프톤이 신념이 생물학에 미치는 영향을 탐구한 책.

세계를 재해석하는 삼중주: 철학, 과학, 종교

모든 걸 자아내는 의식장 이론에 관하여

발행일 2024년 7월 31일

지은이 김영교
펴낸이 마형민
기획 신건희
편집 이은주
디자인 김안석
펴낸곳 (주)페스트북
주소 경기도 안양시 안양판교로 20
홈페이지 festbook.co.kr

ISBN 979-11-6929-543-7 03130
값 25,000원

* (주)페스트북은 '작가중심주의'를 고수합니다. 누구나 인생의 새로운 챕터를 쓰도록 돕습니다.
creative@festbook.co.kr로 자신만의 목소리를 보내주세요.